SOUS LE CIEL DE NOVGOROD

Née dans le Poitou, Régine Deforges est élevée dans des institutions religieuses. Très tôt les livres seront son univers d'élection. Tour à tour libraire, relieur, éditeur, scénariste, réalisateur et écrivain, sa volonté de liberté d'expression lui vaut bien des déboires. Elle est en 68 la première femme éditeur, mais le premier ouvrage qui paraît, attribué à Aragon, est saisi quarante-huit heures après la publication.

En 1974, elle publie un catalogue d'ouvrages anciens : *Les Femmes avant 1960* et, en 1975, ses entretiens avec l'auteur d'*Histoire d'O* : *O m'a dit*. En 1976 paraît son premier roman, *Blanche et Lucie*, l'histoire de ses grand-mères, suivi du *Cahier volé* puis, en 1982, *Les Enfants de Blanche*, *La Bicyclette bleue*, Prix des Maisons de la Presse 1983, et *Léa au pays des Dragons*. En 1983, le deuxième volume de *La Bicyclette bleue* : *101, avenue Henri-Martin* et, en 1985, le troisième et dernier volume de cette grande fresque romanesque qui se déroule entre 1939 et 1945 : *Le Diable en rit encore*. Sa première œuvre érotique, *Les Contes pervers*, est écrite et réalisée au cinéma en 1980, avec succès. La même année, Régine Deforges publie *La Révolte des nonnes*, roman historique; en 1986, un roman épistolaire, *Pour l'amour de Marie Salat*, et un livre illustré par elle, *L'Apocalypse de saint Jean*, racontée aux enfants. En 1987, elle crée, avec Geneviève Dormann, *Le Livre du point de croix*, suivi de quatre albums pratiques sur ce thème. Régine Deforges est membre du jury *Femina* et présidente de la *Société des gens de lettres*.

Paru dans Le Livre de Poche :

BLANCHE ET LUCIE.
LE CAHIER VOLÉ.
LOLA ET QUELQUES AUTRES.
CONTES PERVERS.
LA RÉVOLTE DES NONNES.
LES ENFANTS DE BLANCHE.
POUR L'AMOUR DE MARIE SALAT.
LA BICYCLETTE BLEUE :
1. LA BICYCLETTE BLEUE.
2. 101, AVENUE HENRI-MARTIN.
3. LE DIABLE EN RIT ENCORE.

RÉGINE DEFORGES

Sous le ciel de Novgorod

ROMAN

A Pierre, Léa, Anne,
en souvenir de leur
lointaine ancêtre.

Le désir près de toi me brûle de sa fièvre;
Du feu de tes regards mon cœur est consumé;
Baise-moi, mon amour, le baiser de ta lèvre
Est, plus qu'un vin de Grèce, et doux et parfumé.
Maintenant, immobile, à mes côtés demeure,
Afin que sur ton sein je dorme jusqu'à l'heure
Où de la sombre nuit triomphera le jour;
Penche-toi sur mon front, que ton souffle m'effleure.
Oh! que je t'aime!...
Et toi, m'aimes-tu, mon amour?

POUCHKINE, 1825.

PROLOGUE

— Eh bien, puisqu'il le faut, allez me la chercher au diable! s'exclama le roi Henri, pâle de colère.

L'évêque de Châlons, Roger, se signa précipitamment tandis que l'évêque de Meaux, Gautier, haussait les épaules.

Les deux hommes se sentaient las de combattre.

Depuis la mort de la reine Mathilde en 1044, le petit-fils de Hugues Capet ne voulait pas entendre parler de remariage. Agé de trente-neuf ans, on ne lui connaissait ni maîtresse ni concubine, et ses mines de pucelle qui avaient tant dégoûté sa mère, la reine Constance, ses gestes efféminés continuaient d'apparaître à beaucoup comme un affront à la dignité royale. A ses conseillers qui le pressaient de donner au plus vite un héritier à la couronne, il opposait toujours le même argument, inattaquable et bien commode : « Toutes les femmes que vous me proposez sont de ma parenté. Rome interdit ces unions-là. Je ne tiens pas à être excommunié comme mon père Robert le Pieux! »

— Henri, qui parle d'excommunication? s'écria un jour l'évêque de Meaux. Veuillez m'écouter : peu de temps avant sa mort, Odilon, le saint abbé de Cluny, m'a fait tenir une lettre du roi de Pologne, Casimir, avec lequel il entretenait une édifiante correspondance...

– Où voulez-vous en venir? Il a quelqu'un à marier?

– Non, il a épousé la sœur du roi des Russes, la princesse Marie Dobrogneva...

– Je ne vois pas en quoi cela me concerne.

– Henri, laissez-moi terminer. Iaroslav, Grand Prince de Kiev et roi de la Rous', fils de Vladimir le Grand, allié par mariage aux empereurs de Byzance, aux royaumes de Danemark, de Suède, de Hongrie, d'Allemagne, a une fille, la princesse Anne, dont le roi Casimir dit qu'elle est d'une grande beauté, pieuse, sage, instruite et charitable envers les pauvres.

– Est-elle bonne cavalière?

– Depuis son plus jeune âge, elle chevauche en compagnie de ses frères et ne craint personne à la chasse.

– Tant mieux.

– Ce n'est pas là le plus important, bougonna l'évêque Roger, qui n'avait encore rien dit. Ce qui compte, c'est qu'elle fasse des enfants au royaume. Sa famille est prolifique : son aïeul Vladimir a engendré douze fils légitimes et autant de filles, sans compter de nombreux bâtards; quant à son père, il peut s'enorgueillir de neuf enfants vivants. En outre, cette demoiselle Anne est de noble et haute lignée, elle descendrait de Philippe de Macédoine.

– Qui est donc ce Philippe-là et qu'est-ce que la Macédoine?

– Le père d'Alexandre le Grand. Le pays de France n'a pas seulement besoin d'un héritier, mais de renforcer ses alliances et d'augmenter son prestige auprès des autres royaumes...

– Et du pape de Rome, ajouta l'évêque Gautier.

Le visage renfrogné d'Henri s'était détendu. Les yeux mi-clos, mollement allongé sur des coussins brodés, il tentait d'imaginer cette future compagne qui assurerait la jeune et fragile dynastie capétienne.

– Alors, roi Henri?

– Seigneurs évêques, je me rends à vos raisons. Mais je tiens à ce que ce soit vous, évêque Roger, et vous, évêque Gautier, qui alliez me la chercher. Vous me la ramènerez avec les honneurs dus à la future reine des Francs.

Les deux prélats se lancèrent un regard de triomphe et sortirent en s'inclinant.

CHAPITRE PREMIER

Novgorod

Venant de Smolensk, une longue file de cavaliers, suivie de chariots, s'étirait à travers la plaine.

– Anne... Anne... Attends-moi!

Allongée sur l'encolure de son cheval luisant de sueur, comme enivrée par l'odeur qui montait de l'animal, la jeune fille n'entendait rien. Le vent de la course avait déroulé ses nattes, rougi ses joues et asséché ses lèvres. Le ciel se teintait des premières lueurs du couchant. Vite, elle voulait voir l'astre illuminer le fleuve et la ville qui l'avait vue naître. Le long du lac Ilmen, des troupes d'oies et de canards sauvages s'envolaient au bruit des gerbes d'eau que faisaient jaillir les sabots de sa monture. Soudain, Anne aperçut l'église de bois construite par son père Iaroslav à l'emplacement où la légende faisait aborder celui qui allait fonder la Rous', et elle songea, l'espace d'un instant, à son grand ancêtre Rurik. L'approche de l'automne jaunissait les feuilles des bouleaux et l'herbe de la plaine qui irradiaient leurs ors sous les rayons du soleil déclinant. La sphère rouge faisait sembler le ciel plus immense encore. Et Novgorod apparut brusquement, comme surgie de l'univers aquatique qui l'entourait.

Anne tira si brutalement les rênes que le cheval se cabra. Piaffant de colère, il secoua sa crinière, mais, sous la main ferme de sa maîtresse, se calma rapidement avant de s'immobiliser, la bouche écumante. La ville aux trois enceintes de bois s'étalait devant elle, coupée en son milieu par le fleuve Volchov, peuplé d'embarcations qui regagnaient leur port. Des dizaines de fumées montaient dans le soir, des cloches sonnaient, une paix infinie tombait sur ces tours, ces églises, ces palais baignant pour quelques instants encore dans cette lumière de sang, plus familière au dieu Péroun qu'à celui des chrétiens dont la nouvelle cathédrale aux cinq coupoles dominait pourtant la ville.

Des cris et des rires arrachèrent Anne à sa contemplation. Elle fut rejointe par Vsevolod et sa troupe.

— Petite sœur, pourquoi ne nous as-tu pas attendus? Tu sais bien que notre père t'avait fait promettre de ne pas t'éloigner de moi.

— Gentil frère, tu ne lui diras rien, dit-elle, câline, en inclinant la tête.

Vsevolod sourit, incapable de résister à la plus jolie de ses sœurs.

— Regarde, notre frère Vladimir vient à notre rencontre.

Une vingtaine de cavaliers, sortis par la porte de Kiev, galopaient vers eux en poussant de grandes clameurs. Les silhouettes noires se découpaient sur le ciel empourpré.

— On dirait les anges du Jugement dernier, murmura Vsevolod.

Dans une joyeuse confusion, les enfants de Iaroslav et leurs suites se rejoignirent au moment même où, à l'horizon, le soleil disparaissait. Tout sembla s'éteindre. Anne frissonna, elle ne s'habituait pas à la mort du jour. C'était l'heure où les vieilles peurs de son enfance resurgissaient, où Moaryassa tentait d'attirer les hommes dans le sombre séjour des enfers. Bien que chrétienne, Anne n'arrivait pas à chasser les anciens dieux et restait convaincue que sa *rajasnitsa*[1] la protégeait. Mais le moment n'était pas aux funestes pensées du soir. Seule devait compter la joie de retrouver son frère aîné, prince de cette ville qu'elle aimait tant, Novgorod!

Quand ils franchirent les portes de la cité, la nuit était tout à fait tombée. Les torchères portées par les habitants leur faisaient une haie lumineuse et dansante. De chaque côté du pont de bois menant à la deuxième enceinte, des jeunes gens, garçons et filles, vêtus de couleurs vives, frappaient des mains, agitaient des bouquets de fleurs en poussant de joyeuses exclamations.

— Bienvenue à Anna Iaroslavna!...

— Vive la sœur de notre prince!...

— Longue vie à Vladimir Rurikovitch!...

— Honneur aux princes de Kiev!...

Devant la porte de la troisième enceinte surmontée d'une coupole, à l'entrée du Kremlin, se tenaient les représentants des corporations de marchands et d'artisans venus rendre hommage aux arrivants.

Avant qu'on ait eu le temps de l'aider, Anne avait sauté à bas de son cheval et s'était précipitée vers un vieillard aux vêtements plus sobres que ceux de ses compagnons.

— Sveinald, petit père, Dieu soit loué, tu es vivant!

— Pourquoi voulais-tu que je sois mort, ma colombe? Je n'aurais pas rejoint nos dieux sans t'avoir revue et serrée contre moi avant ton départ pour le lointain pays de France.

Les bras de la princesse lâchèrent le cou du vieil homme. Sveinald hocha la tête d'un air compréhensif.

— Va, ne t'inquiète pas, petite Anne, tout ira bien. Regarde, j'ai pensé à toi. Ce que je vais te donner te portera bonheur et te fera souvenir de Novgorod.

1. Ange gardien féminin.

– Jamais je n'oublierai Novgorod, je n'ai pas besoin d'un cadeau pour cela!

– Je le sais bien, regarde quand même.

Deux serviteurs tendirent un coffre sur lequel étaient peints saint Georges et son dragon devant les remparts de la ville.

– Oh, que c'est beau! s'écria Anne en l'ouvrant.

Sculptée dans une défense de morse, la Vierge tenant l'Enfant Jésus lui présentait dans sa main ouverte... Novgorod! Rien, il ne manquait rien, ni les quarante-deux tours de garde, ni les vingt-six églises, ni la cathédrale Sainte-Sophie, ni le palais de Iaroslav, ni le pont enjambant le fleuve, ni les fossés, ni les remparts. Au terme d'une longue contemplation silencieuse, Anne releva la tête, les yeux brouillés de larmes.

– Sveinald, c'est la plus belle chose que tu aies faite de ta vie.

– Je le crois, répondit simplement celui à qui l'empereur de Byzance lui-même avait passé commande de statuettes d'ivoire pour orner ses appartements.

– Je te remercie. Jamais je n'ai reçu de plus beau cadeau, et jamais rien ne me touchera plus. De savoir Novgorod sous la protection de la Sainte Mère de Dieu m'aidera à quitter mon pays.

– Tu as raison, mon enfant, pars sans crainte, car avec ou sans la protection de Dieu, notre bien-aimée patrie surmontera et vaincra tous les dangers.

– Que cela ne nous empêche pas d'être vigilants, dit le prince Vladimir, car nous sommes entourés d'ennemis que la richesse de notre cité attire.

– Seigneur, qu'ils viennent, nous les attendons! s'écria une bande de jeunes gens, brandissant leurs épées.

– Je sais, mes braves guerriers, pouvoir compter sur vous. Allons, l'heure n'est pas aux bruits de bataille ni aux chants de guerre, mais à la fête et à la danse!

Une explosion de joie partit des groupes de jeunes filles aux ravissants vêtements brodés de fils d'or, d'argent ou de soies multicolores.

Vsevolod aida sa sœur à se remettre en selle et confia le précieux coffre à l'un de ses capitaines.

La foule ne pénétra pas à l'intérieur de la troisième enceinte. Seuls les notables, les princes et leurs suites se dirigèrent vers Sainte-Sophie où les attendait sur le seuil l'évêque Louka Chidiata, entouré du clergé au grand complet.

Les princes s'inclinèrent devant le prélat qui les bénit avant de les précéder dans le sanctuaire où ils pénétrèrent en procession.

Les travaux n'étaient pas achevés et, pourtant, ce fut un éblouissement. Des centaines de flammes tremblotantes donnaient vie aux personnages des fresques dont les ors faisaient ressortir les teintes fraîches et vives. L'odeur de peinture et de cire était entêtante. A l'entrée du cortège, des chants d'allégresse montèrent sous les voûtes colorées. Encore couverts de la poussière de la route, les Kiéviens s'agenouillèrent sur de magnifiques tapis jetés sur le dallage.

En dépit de la beauté des hymnes, des icônes et des fresques, Anne, fatiguée par le long voyage, s'endormait. Un coup de coude discret d'une de ses suivantes la rappela à ses devoirs. Enfin, l'office se terminait. Après une dernière bénédiction, l'évêque se retira.

Dans les appartements des femmes, Anne, revigorée par les vapeurs parfumées du bain auquel nul voyageur ne pouvait échapper, se laissait masser par l'eunuque favori de son frère Vladimir, tandis que les servantes et les esclaves sortaient des coffres de cuir les vêtements de la princesse en poussant de petits cris émerveillés devant la finesse des tissus, la richesse des broderies d'or rehaussées de perles et de pierreries, la peau si souple des chaussures, la douceur des fourrures.

– Quelle robe veux-tu mettre, Anne ma fille?

Celle qui posait cette question était une forte et belle femme d'une quarantaine d'années, au large visage coloré surmonté d'une couronne de cheveux d'un blond chaud, eux-mêmes recouverts d'un court voile. Hélène avait servi de nourrice à la fille du Grand Prince de Kiev et, depuis lors, ne l'avait jamais quittée. Totalement dévouée à celle qu'elle considérait comme son enfant, Hélène allait tout abandonner pour la suivre en France. A Novgorod, sa ville natale, elle devait faire ses adieux à ses parents, honorables commerçants.

Les servantes disputaient aux esclaves l'honneur de présenter à la sœur du prince les robes dont la plupart venaient de Byzance. Anne choisit celle qui lui faisait penser au ciel étoilé de Novgorod quand il scintille, au début de l'été, avant de laisser place aux nuits blanches durant lesquelles les filles ont bien du mal à résister aux courses des garçons. Certaines n'y résistent d'ailleurs pas, entraînées, disent-elles, par les *vily*[1] lors des fêtes de l'été que les anciens célèbrent encore, malgré les interdictions du grand Vladimir et la conversion au christianisme du peuple de la Rous'.

– Assez! Laisse-moi, dit Anne en repoussant les mains de l'eunuque.

Le gros homme se releva en soufflant, pas assez vite au gré d'Hélène qui le chassa d'un geste impatient.

Deux jeunes esclaves, presque des enfants, enve-

1. *Vily* ou *beregyni* ou *rusalki* : nymphes plutôt bienveillantes aux hommes, mais qui peuvent quelquefois se montrer hostiles.

loppèrent la princesse dans une longue toile fine et l'aidèrent à s'asseoir sur un tabouret recouvert de fourrures. De leurs mains légères, elles caressaient les épais cheveux roux en poussant de petits cris d'admiration. C'est vrai qu'elle était belle, la fille de Iaroslav, auréolée de sa chevelure flamboyante qui retombait jusqu'à terre entre deux coups de brosse. Le drap qui recouvrait la princesse glissa, révélant un corps blanc aux lignes fortes de chasseresse, aux seins haut plantés, aux aisselles et au pubis ornés d'une abondante toison d'un châtain ardent. Elle se leva, secouant sa crinière qui fouetta le visage des deux petites esclaves accroupies à ses pieds, tenant un lourd miroir. L'une d'elles se pencha vers sa compagne et chuchota à son oreille.

– Que lui dis-tu? demanda Anne.

La petite rougit et baissa la tête.

– Vas-tu me le dire, ou je te fais fouetter!

– Oh non, vous ne le ferez pas, dit sa compagne. Elle me disait que vous ressembliez à la *roussalka*[1].

– Merci bien, la *roussalka* a des cheveux verts; veux-tu dire que c'est le cas des miens?

– Bien sûr que non, princesse, mais vous êtes belle comme elle, et, comme elle, toute...

– Continue, pourquoi ricanes-tu?

La chuchoteuse vint au secours de son amie.

– Elle voulait dire toute... nue.

Anne et Hélène éclatèrent de rire. Tout en s'essuyant les yeux avec un coin de sa robe, la nourrice demanda :

– Bien évidemment, vous avez vu la *roussalka* comme je vous vois?

– Oh oui, et nous avons eu bien peur! Nous nous sommes cachées derrière les roseaux et nous l'avons vue avec le *didko*[2]...

1. Ondine à longue chevelure verte.
2. Sorte de lutin, de génie des marais.

18

– Ils jouaient à cache-cache avec le *vodianik*[1]...

– Vous n'avez pas honte de raconter ces fables, gronda Hélène. N'êtes-vous pas chrétiennes?

– Laisse-les et aide-moi à m'habiller. Toi aussi, tu es chrétienne, et cela ne t'empêche pas d'honorer nos anciens dieux.

– C'est faux, je ne fais que raconter nos vieilles légendes.

– Peux-tu me jurer sur la Vierge Marie, la Très Sainte Mère de Dieu, que tu n'as jamais sacrifié aux dieux de l'amour? questionna Anne à voix basse.

Hélène haussa les épaules.

– C'était pour m'assurer de ton futur bonheur.

Les yeux si clairs, d'un bleu vert, devinrent presque noirs, la bouche souriante se resserra et le joli visage d'Anne s'empourpra de colère.

– Ne me parle pas de cela. Je t'interdis de m'en parler!

Tout le monde se tut devant la violence de son emportement. Les servantes l'habillèrent en silence, attentives à ne pas brusquer leurs mouvements. Hélène elle-même prit grand soin de ne pas tirer les cheveux qu'elle tressait avec des rubans et des perles, cadeaux de la reine Ingegerde. La coiffure terminée, elle posa sur la jolie tête la haute couronne des princesses russes.

– Souris, ma fille, une telle attitude est indigne de toi.

Les lèvres tremblantes esquissèrent un sourire que démentaient les yeux pleins de larmes.

– Oh, Hélène!

– Je sais, enfant, je sais... Ton père et ta mère sont tristes de se séparer de toi, mais tu dois leur obéir. La France est, dit-on, un beau pays, et le roi Henri un bel homme...

– Mais c'est si loin...

1. Dieu des marais qui joue à cache-cache.

– Hélas! soupira Hélène.

– Oh, pardonne-moi! J'oubliais que toi aussi, tu vas tout quitter pour me suivre.

– Veux-tu te taire! Il n'est pas question que tu ailles là-bas sans moi. Et ma propre fille, Irène, ne saurait rester sans sa mère.

– Pour la récompenser, je demanderai au roi, mon époux, qu'il dote richement ma sœur de lait et lui procure un beau mari.

L'idée de ce mariage à venir lui fit oublier le sien et redonna à ses yeux leur douceur coutumière.

CHAPITRE DEUXIÈME

La guerre contre Byzance

La salle des festins, jonchée de feuilles de bouleau, éblouissait tant la lumière des flambeaux fichés dans les murs ou portés par des esclaves était vive. Sur les cloisons de bois, des peintures aux couleurs rutilantes racontaient les exploits de la princesse Olga. Cette aïeule avait toujours impressionné Anne par son courage et sa cruauté, par sa sagesse aussi. Elle rêvait de lui ressembler. Sur les longues tables recouvertes d'étoffes rouges retombant en larges plis, la vaisselle d'or et d'argent, des branchages et des fleurs attendaient, dans un désordre coloré, les hôtes de Vladimir.

Précédé de musiciens, le prince de Novgorod fit son entrée en compagnie de sa sœur, la main de celle-ci s'appuyant sur celle de son frère. Derrière eux venaient la femme du prince, Sigrid de Suède, et Vsevolod, suivis de l'évêque Louka Chidiata, des membres du *Viétché*[1] et de leurs épouses ou filles revêtues de lourdes robes brodées de teintes vives, les cheveux tressés de rubans, la tête surmontée d'une tiare plus ou moins haute ornée de pierreries, et des guerriers de sa *droujina*[2].

Vladimir installa sa sœur à sa droite et sa femme à

1. Assemblée populaire.
2. Troupe des compagnons d'armes du prince.

sa gauche. Sur un signe du prince, un jeune guerrier alla chercher dans la foule un homme d'une quarantaine d'années au visage marqué, vêtu d'une tunique à broderie d'argent et d'une culotte d'un gris clair, glissée dans des bottes de cuir rouge foncé.

– Sois le bienvenu, voïvode[1] Vychata. Anna Iaroslavna serait grandement honorée si tu prenais place auprès d'elle.

– Tout l'honneur serait pour moi, Grand Prince, dit-il en saluant et en tournant vers la princesse ses orbites vides.

Anne retint un cri en voyant la face suppliciée.

– Pourquoi lui a-t-on crevé les yeux ?

– Pas seulement crevé les yeux, Anna Iaroslavna ! s'écria l'aveugle en brandissant son bras droit dont la main avait été coupée.

– Non, pas seulement les yeux ! s'exclamèrent une quinzaine de guerriers, eux aussi prisonniers d'une nuit sans fin, en agitant leur moignon droit.

Un silence pénible suivit, tandis que chacun regagnait sa place.

– Pourquoi a-t-on mutilé ces nobles soldats ?

Vladimir lui répondit :

– C'est ainsi que les Byzantins traitent leurs prisonniers. Souviens-toi, c'était en 1043, il y a sept ans, tu n'étais encore qu'une enfant. Tout a commencé par une bagarre entre commerçants russes et byzantins dans le bazar de Saint-Mammas, à Tsarigrad[2]. Un des premiers marchands de notre cité fut tué. Ses confrères se réunirent et demandèrent à notre père Iaroslav d'obtenir réparation auprès du basileus[3] Constantin, lequel refusa avec hauteur. Le peuple de Novgorod, indigné, vota la guerre et me désigna comme suffète. Je fis savoir jusqu'en Islande que

1. Chef de guerre.
2. « La Ville de l'Empereur » : nom donné par les Russes à Constantinople jusqu'au XVIIe siècle.
3. Empereur.

Novgorod demandait des soldats pour aller porter la guerre contre la riche Tsarigrad. Il en vint de Norvège, de Suède, du Groenland, avec tout leur clan. Chacun reçut de la belle monnaie d'or. Bientôt, cent mille guerriers embarquèrent à bord de barques si serrées les unes contre les autres que jamais on n'en put déterminer le nombre. En compagnie d'un corps d'infanterie commandé par le valeureux Vychata, nous descendîmes le Dniepr, rêvant aux trésors de la Ville gardée de Dieu, sous le ciel tranquille d'un beau mois de juin. Afin de permettre le rassemblement de toutes nos forces, avant de franchir le Bosphore, nous jetâmes l'ancre au bas de la forteresse du Hiérion, abandonnée par ses sentinelles rendues stupides de terreur devant tant de vaillants combattants prêts à fondre sur l'orgueilleuse cité.

— Ce retard nous a coûté cher, Grand Prince, dit d'une voix courroucée le voïvode Vychata.

— Oui, il fallait donner l'assaut sans attendre!

Dans un brouhaha grandissant, chacun des guerriers revenu de la guerre donna son avis sur ce qui aurait dû être fait à ce moment-là.

— Silence! s'écria Vladimir en se levant et en frappant la table de la garde de son épée. Il n'est plus temps de revenir sur le passé. C'est d'un commun accord que nous avons adopté cette tactique, donnant par là au Monomaque, hélas, le temps d'organiser sa défense. Rappelez-vous notre refus à tous d'écouter ses ambassadeurs qui nous pressaient de ne pas rompre la paix déjà ancienne entre nos deux pays. Sitôt ce refus connu, des milliers de nos compatriotes furent chassés de la capitale, ainsi que nombre d'habitants des nations du Nord, suspectés de vouloir se joindre à nous. A l'aube du troisième jour, c'était un dimanche, notre flotte s'avança en mer Noire vers l'entrée du Bosphore. Celle de nos ennemis mouillait le long de la côte d'Europe. A sa tête, une galère impériale de couleur pourpre, commandée par Constantin lui-même. Nous passâmes la journée face à face. Au soir, le basileus nous fit parvenir de nouvelles propositions de paix. Pour déposer les armes, je demandai trois livres d'or pour chacun de mes guerriers. Nous ne reçûmes aucune réponse. La nuit se passa dans l'attente. Au petit jour, la ligne de nos vaisseaux courait d'un promontoire de la baie à l'autre, tandis que les Grecs défendaient l'entrée du Bosphore. Pendant un temps qui nous parut à tous très long, les deux flottes restèrent immobiles, balancées par une houle légère. Soudain, trois galères rapides foncèrent sur nous. Ce fut le signal d'un formidable assaut. Nos navires s'avancèrent en rangs serrés. Nos guerriers transperçaient les coques ennemies à l'aide de longs pieux, coupant têtes, bras, jambes, malgré la pluie de feu liquide qui incendia sept de nos bâtiments. Notre courage et nos forces semblaient sur le point d'emporter la victoire quand, arrivant de l'est, un orage d'une violence inouïe, accompagné de vents terribles, souleva une tempête si brutale qu'elle rejeta nos barques sur les rochers des îles Cyanées, ainsi que sur les falaises du rivage où elles se fracassèrent. Ceux de nos guerriers qui purent gagner terre furent égorgés par les troupes massées le long des côtes. La mer était rouge de sang. L'ouragan avait brisé mon embarcation; je fus recueilli sur le vaisseau d'Ivan, fils de Tvorimir. Puis la tempête tomba comme elle était venue. Je donnai l'ordre de rassembler ce qui restait de notre flotte. Poursuivis par les Grecs, nous cherchâmes refuge dans une anse de la côte de Thrace. Dissimulés, nous vîmes arriver vingt-quatre galères que nous attaquâmes en force. Ce fut un combat de géants, sans merci. Nous prîmes cinq de leurs vaisseaux, dont le navire-amiral commandé par le patrice Constantin Kaballourios, qui fut tué, tandis que les autres étaient envoyés par le fond. Rendus enragés par la mort de tant des nôtres, nous massacrâmes les survivants. Bien peu nous échappèrent. Après cette victoire, nous reprîmes le chemin de notre pays. Nous n'avions pas assez de bâtiments pour embarquer six mille guerriers. Il fut décidé qu'une partie suivrait la voie de terre. Avec ma *droujina*, je montai à bord de mon bateau, le cœur serré de devoir abandonner tant de vaillants compagnons dans une situation aussi périlleuse. Les yeux remplis de larmes, j'allais donner l'ordre du départ quand le voïvode Vychata me dit : « Je pars avec eux. Si je survis, ce sera avec eux; si je meurs, ce sera avec la *droujina*. »

— Oui, ce sont bien là les mots que je prononçai, confirma le voïvode. Nous prîmes la direction de la terre russe, mais nous n'allâmes pas loin. Près de Varna, nous tombâmes sur le vainqueur de Messine, l'illustre Katakalon Kékauménos. Nous nous battîmes comme des démons, mais nous succombâmes sous le nombre. Huit cents d'entre nous furent faits prisonniers et envoyés enchaînés au basileus Constantin. Devant le peuple assemblé, on nous creva les yeux et on nous coupa le poignet droit. Nos mains allèrent rejoindre, sur les remparts de Tsarigrad, celles, déjà desséchées, des prisonniers de la grande attaque.

Un murmure parcourut l'assistance.

— Le grand Iaroslav signa la paix, continua Vychata, et au bout de trois longues années, les Grecs nous renvoyèrent dans notre pays. Anna Iaroslavna, voilà pourquoi j'ai les yeux crevés.

Anne se leva et s'agenouilla devant le voïvode; elle prit son bras mutilé et y posa ses lèvres.

Vychata la repoussa.

— Je ne veux pas de ta pitié, fille de prince.

— Ce n'est pas de la pitié, voïvode Vychata, mais l'expression de mon respect et de ma reconnaissance, crois-moi.

– Le son de ta voix me dit que tu es sincère. Laisse-moi te serrer dans mes bras.

De bonne grâce, Anne se blottit contre lui.

– Es-tu toujours aussi belle que la dernière fois que je t'ai vue? Tu étais encore une enfant. Je me souviens très bien de tes joues rouges et de tes cheveux de feu, quand tu revenais de la chasse aux côtés de ton père. Il a de la chance, ce lointain roi de France, de prendre pour femme la plus jolie fille de notre pays!

Anne se raidit. Ce mouvement n'échappa pas à l'aveugle.

– Serais-tu mécontente de ce mariage? dit-il en baissant la voix. Un ordre de toi et je me fais ton champion pour te l'éviter!

– Non, non, grand Vychata, je suis très heureuse...

– Alors, s'écria-t-il, oublions la guerre et ses tueries, buvons à la future reine de France. N'assombrissons pas ses dernières heures parmi nous par le récit de nos batailles... surtout quand ce sont des défaites, marmonna-t-il, tourné vers le prince de Novgorod.

– Le voïvode Vychata a raison, dit Vladimir en levant sa coupe, buvons au mariage et à la gloire de notre sœur!

Tous levèrent leur coupe et burent au bonheur d'Anne qui ne fit que tremper ses lèvres dans la sienne.

Alors commença un interminable repas, entrecoupé de musiques, de numéros de montreurs d'ours, de danses, de luttes, où des vins venus de Byzance plongèrent les invités dans une ivresse joyeuse, de plus en plus bruyante.

Fatiguée, Anne s'éclipsa.

CHAPITRE TROISIÈME

Viétcha

La nuit sur les remparts de Novgorod était magnifique, l'air doux et parfumé. Anne respira avec volupté l'odeur sucrée de menthe et de vase. La lune éclairait ce paysage de lacs, de marais, et ce fleuve majestueux qui lui étaient si familiers. Ses frères et sœurs préféraient Kiev la Grande, que Iaroslav avait fait construire sur le modèle de Tsarigrad. Les voyageurs disaient que les treize coupoles et les cinq nefs de Sainte-Sophie rivalisaient d'harmonie avec celles de la cathédrale de la capitale byzantine. Une multitude de peintres, de sculpteurs l'embellissaient de mois en mois, mélangeant les scènes religieuses les plus traditionnelles à des scènes de chasse, de pêche et de jeux. Elle-même et ses sœurs avaient posé pour un peintre grec qui avait commencé sur les murs de l'édifice une vaste fresque représentant le Grand Prince de Kiev et sa famille.

Ce qu'elle aimait le plus à Kiev, c'étaient les immenses forêts entourant la ville où le gibier abondait. Anne ne craignait personne à la chasse. Cavalière intrépide, elle n'avait pas sa pareille pour débusquer loups, cerfs ou sangliers. On se souvenait encore à Kiev de la façon dont elle avait chargé un aurochs égaré dans les bois, loin de sa plaine, avec une lance qui s'était brisée dans le col de l'animal. Affolé de douleur, celui-ci avait chargé le cheval, éventrant la bête. Sous le choc, la princesse avait été projetée contre un arbre. Malgré une blessure à la tête, elle s'était relevée, un long poignard à la main, et avait fait face au monstre. Aveuglée par le sang, elle n'avait eu la vie sauve que grâce au courage d'un jeune guerrier de la *droujina* de son père. Elle le revoyait encore, bondissant sur le dos du fauve, le frappant de plusieurs coups de couteau avant de l'égorger. Iaroslav le couvrit de cadeaux et Anne l'accepta comme compagnon de chasse.

Élevée de la même façon que ses cinq frères, partageant leurs jeux et leurs études, elle ne se considérait pas comme différente d'un garçon; elle supporta d'autant plus mal le jour où sa mère Ingegerde décida de la tenir confinée dans les appartements des femmes, pour lui apprendre à broder, à filer la laine et à se comporter comme une fille de son rang. Ainsi enfermée en compagnie de ses sœurs, de sa mère et d'une multitude de servantes et d'esclaves, elle écoutait les légendes que les plus vieilles d'entre elles racontaient au long des interminables soirées d'hiver. Alors la vaste salle, rendue chaude et confortable par de grands feux, des coussins moelleux, des tapis et des fourrures, était envahie par les anciens dieux, déesses et génies de la Rous'. D'abord Péroun, avec son masque d'or et sa moustache d'argent, auquel les princes russes et leur suite prêtaient serment, dieu de la guerre et du tonnerre, dieu terrible à qui l'on offrait des sacrifices humains. Les auditrices frissonnaient au récit de ses colères. Plus aimable leur semblait Svarog, dieu du soleil et du feu, que certaines conteuses appelaient « le marcheur des cieux ». A la fois dieu de la poésie, des oracles, du bétail et de l'or, Volos était un dieu tantôt bon, tantôt sévère quand il s'alliait à Péroun. Plus familière était Mokos, la déesse pas toujours bienveillante qui présidait aux travaux de la maison et du filage. Enfin, tous succombaient aux nymphes, créatures adorées des habitants de la Rous', dont les évêques n'arrivaient pas à venir à bout; elles habitaient les forêts, les lacs, mais aussi les maisons où elles se plaisaient à faire des farces, à dissimuler les objets, à contrarier les amoureux. Dans la salle surchauffée, ce n'étaient que rires et cris joyeux sous l'œil indulgent d'Ingegerde. Anne riait avec ses sœurs, mais, très vite, elle s'endormait, son fuseau à la main, rêvant de chasses et de courses folles. Quelquefois, elle s'échappait pour rejoindre son père dans ses appartements encombrés d'objets d'art et de livres. Grand lecteur, il passait le plus clair de son temps dans la bibliothèque de son palais en compagnie de traducteurs, de copistes, de poètes, d'historiens ou d'enlumineurs. Iaroslav aimait à dire :

— Les livres sont comme les rivières qui arrosent la terre entière; ce sont les sources de la sagesse.

Le père et la fille lisaient les Saintes Écritures et les œuvres des Pères de l'Église, mais également des chroniques et des romans nouvellement traduits du grec ou du bulgare.

Sa mère et ses sœurs, Hélène même, se moquaient de son goût pour la compagnie des lettrés chenus dont s'entourait Iaroslav, vieillards qui dégageaient, disait Élisabeth, une odeur de bouc et d'encens. Le plus puant était le savant moine Hilarion que, par chance, on sentait venir de loin.

A cette pensée, Anne pouffa de rire. C'est vrai qu'Hilarion puait comme un bouc!

— Pourquoi ris-tu?

La jeune fille sursauta.

— Philippe, c'est toi? Tu m'as fait peur!

— Pardonne-moi, les convives du Prince s'étonnent de ton absence et craignent de t'avoir ennuyée par le récit de leurs batailles.

— Quelle idée! Ce genre de récit ne m'ennuie jamais.

– Je croyais que les filles préféraient les histoires d'amour.

Heureusement qu'il faisait sombre et qu'il ne pouvait la voir rougir. Elle prit un ton désinvolte pour répondre :

– Peut-être, mais pas moi. Cela te gêne?

– Oui, murmura-t-il.

La nuit ne permettait pas de voir le visage du jeune homme, seuls ses yeux brillaient et semblaient vouloir pénétrer les siens.

– Ne me dévisage pas comme ça.

– Pardonne-moi. Bientôt, je ne te verrai plus.

– Tais-toi! Je t'ordonne de te taire.

– Ordonne tant que tu veux, je ne t'obéirai pas.

– Philippe! Oublies-tu à qui tu parles?

– Non, Anna Iaroslavna, je n'oublie pas que tu es la fille de mon maître, ni que tu vas en épouser un autre. Sans cesse revient à mon esprit le doux moment où je t'ai tenue contre moi.

– J'étais inconsciente.

– Oui, mais quand tu as ouvert les yeux, tu m'as regardé avec une telle intensité...

– C'est normal, tu venais de me sauver des cornes du terrible aurochs.

– ... et tu as murmuré : merci...

– C'était la moindre des choses, fit-elle d'un ton sarcastique qui échappa au jeune guerrier perdu dans ses souvenirs.

– ... tu as ajouté : « quel est ton nom? »

– Philippe!

– C'est ça, tu l'as prononcé avec cette douceur. Redis-le.

– Philippe...

Les bras ballants le long du corps, alanguie, envahie par une douce torpeur, Anne, protégée par la pénombre, regardait son compagnon de chasse comme si elle le voyait pour la première fois : à peine plus grand qu'elle, les cheveux et la barbe blonds, des yeux immenses et bleus, un nez fort et droit, des dents très blanches, une bouche aux lèvres pleines, des épaules larges, des bras et des jambes musclés, toute sa personne dégageait une impression d'agilité extrême. Souvent, en riant, elle l'avait comparé à un écureuil, ce qui ne plaisait pas vraiment à Philippe.

— Je ne crois pas qu'un écureuil t'aurait tirée des pattes de l'aurochs! avait-il grommelé.

Son air furieux l'avait tellement amusée qu'elle l'avait surnommé Viétcha[1]. Au bout d'un moment, le jeune homme avait pris le parti d'en rire.

Pourquoi était-il si lourd, le bras qu'elle leva vers lui? Quand ses doigts touchèrent sa joue, ils lui semblèrent de pierre. Peu à peu, ils s'animèrent et glissèrent dans la barbe si soyeuse qu'elle en frissonna. Rien à voir avec celle de son père, qui piquait la peau fragile de ses bras quand elle se blottissait, enfant, contre lui. Philippe n'osait plus respirer, de peur que son amie n'interrompît sa caresse.

Longtemps ils restèrent ainsi, silencieux, de plus en plus troublés l'un par l'autre. Des rires venus du pied des remparts les ramenèrent sur terre. Le vent s'était levé. Comme il faisait froid, soudain!

Ils descendirent à la hâte l'échelle raide au bas de laquelle se tenait Hélène, qui lança à Philippe un regard soupçonneux :

— Que faisais-tu là-haut avec la princesse?

— Hélène, laisse-moi... C'est la dernière fois que je contemple la plaine.

— Contemple-t-on la plaine seule avec un garçon, la veille de son mariage?

— Oh, arrête de parler de ce mariage! Depuis la visite de l'évêque franc, tu n'as que cela à la bouche.

— Ton père aussi ne fait qu'en parler! Crois-tu

1. Écureuil.

qu'il serait satisfait de savoir que sa fille se laisse tourner la tête alors qu'il a engagé sa parole?

Anne s'avança vers sa nourrice, le regard étincelant de colère. Hélène n'eut pas un mouvement quand la main glacée s'abattit sur son visage.

– Je sais qui est mon père, et je sais d'où je viens. Tu me fais injure de penser que j'aie pu l'oublier un seul instant. J'ai été élevée pour être reine et, avec l'aide de Dieu, je serai digne de la place où Il m'a mise.

Ignorant Philippe qui se tenait en retrait, elle se détourna et rentra lentement au palais où Vsevolod l'accueillit, l'air soucieux.

– Petite sœur, où étais-tu? Notre frère Vladimir est mécontent de ta longue absence, et ses hôtes s'en étonnent.

– Ne t'inquiète pas, je vais leur dire où j'étais, ils comprendront.

Dans la salle du festin, il faisait une chaleur qui rendait les visages rouges et luisant de sueur. L'odeur des mets, des vins et des corps était si forte, le brouhaha si intense qu'Anne s'arrêta sur le seuil. Le chef de la *droujina* du prince la vit, s'inclina et lui fit signe de le suivre, lui frayant un chemin à travers les buveurs. Arrivée près de Vladimir, elle lui demanda d'obtenir le silence. Sur un signe de son maître, le chef de la *droujina* fit sonner une courte trompe. Aussitôt, les convives se figèrent. Anne, debout, prit la parole :

– Mon frère, mes amis, je sais que vous avez été surpris de mon absence, peinés peut-être. Je vous en demande pardon. J'étais sur les remparts, admirant pour la dernière fois la noble cité de Novgorod. Je me disais que rien au monde ne pourrait la remplacer et que jamais je ne pourrais l'oublier. A vous tous qui êtes ici, je vous confie ce trésor qui dit au monde la grandeur de notre peuple.

Émue, Anne se rassit sous les applaudissements des convives qui, d'une même voix, s'écrièrent :

– Vive Anna Iaroslavna! Vive Novgorod!

Vladimir se leva et s'écria à son tour :

– Vive Novgorod! Vive la reine de France!

– Vive la reine de France! reprit la foule.

Les jours qui suivirent ne furent que fêtes, chasses et festins. Les Novgorodiens et leur prince ne savaient que faire pour être agréables à celle qui bientôt les quitterait à jamais. Quand l'heure du départ arriva, jeunes et vieux se précipitèrent au-devant du cortège; tous bénissaient Anne et la plupart pleuraient. Deux grands chariots suffirent à peine à contenir les innombrables présents des marchands, de l'évêque et de Vladimir.

Après un dernier regard à la ville qui semblait flotter dans un léger brouillard matinal, Anne éperonna son cheval. Philippe se lança à sa poursuite.

CHAPITRE QUATRIÈME

Kiev

DANS la chapelle, près des appartements de sa mère, Anne tentait de se recueillir. Sans cesse son esprit la ramenait à la soirée de la veille où, en grande pompe, son père avait reçu les ambassadeurs du roi de France : l'évêque Gautier et l'évêque Roger, accompagnés d'un noble chevalier, Gosselin de Chauny, venus demander officiellement sa main au nom du roi des Francs.

Les évêques avaient surpris par leur visage glabre et leur crâne tonsuré; ce n'était pas la coutume à Kiev. Par leur connaissance du grec, ils avaient rapidement fait la conquête du Grand Prince et d'Hilarion; ceux-ci s'étaient montrés également sensibles au cadeau envoyé par Henri pour la cathédrale Sainte-Sophie : un ciboire en or délicatement ciselé, orné de rubis et de saphirs, renfermant un morceau de la Croix.

Après les compliments d'usage et la remise des présents à la fiancée – draps de Reims, brocarts des Flandres, dentelles d'Orléans, broignes[1] en cuir d'Étampes, chapes dorées de Corbie –, les envoyés avaient exprimé leur désir de ramener au plus vite la princesse dans leur pays, tant le roi et le peuple

1. Sortes de cuirasses protégeant la poitrine.

étaient impatients de connaître leur nouvelle souveraine.

Partis de France depuis le printemps 1050, ils s'étaient arrêtés plusieurs semaines en Pologne, à la demande pressante du roi Casimir qui aimait à évoquer la mémoire de l'abbé Odilon et le temps passé à l'abbaye de Cluny, dont il avait failli devenir un des moines. Le long détour par Kherson, pour aller s'incliner sur la tombe de saint Clément de Rome et rapporter au prieur Oldaric de précieuses reliques du saint martyr, les avait retardés. Quant à l'étape de Kherson à Kiev, elle avait été rendue très pénible par le mauvais temps, et les combats qu'ils avaient dû livrer contre des brigands.

Pourquoi repartir immédiatement? Iaroslav fit remarquer aux évêques français qu'ils avaient besoin de repos, que l'hiver n'était pas une saison pour voyager, qu'on retrouverait bientôt le printemps et qu'alors, il leur faudrait encore quatre ou cinq mois pour regagner la France.

— Le roi veut épouser la princesse pour la Pentecôte prochaine.

Une grande stupeur s'était abattue sur l'assistance.

— Il n'y a que trois mois d'ici la prochaine Pentecôte! s'exclama Iaroslav.

L'évêque Roger, qui avait précédemment négocié le mariage, se réfugia derrière la volonté du roi de France.

— Je comprends son désir, reprit le prince de Kiev. Cependant, il serait plus sage d'attendre les beaux jours, le voyage serait moins pénible pour ma fille.

Cher père! elle l'aurait embrassé! Mais les envoyés du roi se montrèrent inflexibles.

— Le roi a fait vœu sur les saintes reliques de prendre femme le jour de la Pentecôte. Nous devons nous mettre en route dans les huit jours qui viennent, dit Roger de Meaux.

Tous, à la cour de Kiev, pour consternés qu'ils fussent, durent alors s'incliner.

Sobrement vêtue, accompagnée de sa sœur de lait Irène et de Philippe, Anne voulut revoir une dernière fois les innombrables marchés du Podol, débordant de victuailles, d'épices, de tissus de laine et de soie, d'ustensiles de cuivre, de poteries, d'armes, de fourrures et de bijoux, applaudir à l'habileté des jongleurs et des acrobates, rire aux culbutes des ours savants. Chaque quartier possédait son secteur : celui des bouchers, aux odeurs fortes et écœurantes, bruissant de mouches l'été, toujours envahi par des chiens que les marchands chassaient à coups de pied; celui des poissonniers au sol glissant, domaine des chats rendus fous par les puanteurs marines; celui des épices, dont les marchands venus du lointain pays de Bagdad vendaient aussi des parfums aux femmes de Kiev qui en raffolaient, et de l'encens que l'on faisait brûler devant les icônes. Le marché aux étoffes brodées était le rendez-vous des nobles guerriers et des riches négociants, accompagnés de leurs épouses ou de leurs filles qui faisaient glisser entre leurs doigts les soies chatoyantes, les velours, les rubans de toutes largeurs, les voiles aux transparences irisées. Anne en avait acheté un pour Irène, qui s'harmonisait avec la couleur des yeux de la jeune fille. Pour Hélène, elle avait pris une pièce de velours d'un brun qui rappelait celui de son cheval préféré. Pour Philippe, enfin, elle avait choisi, chez un forgeron fameux du Podol, une dague, copie d'un poignard arabe très en vogue, mais difficile à se procurer, sur la lame de laquelle elle avait fait graver son nom.

– Comme ça, quand tu rencontreras une fille attaquée par un aurochs, tu seras sûr de la victoire, avait-elle dit en la lui tendant.

Philippe avait accepté le présent, tête baissée, rougissant.

– Plus jamais je ne sauverai une fille de l'aurochs, avait-il balbutié en glissant l'arme dans sa ceinture.

– Oh, Très Sainte Mère de Notre-Seigneur, prie ton Saint Fils de me donner la force de quitter mon père et ma mère, mes frères, ma belle nature, et d'oublier Philippe. Faites, ô mon Dieu, que je sois une épouse fidèle et aimante, la digne fille de Iaroslav et du grand Vladimir.

Une nouvelle fois, son esprit s'évada. Elle se revit avec son père, visitant le monastère Saint-Georges, une des nombreuses écoles de Kiev qu'il avait créées, la Porte d'Or, surmontée de l'église de l'Annonciation, les grottes de Lavra, creusées dans les rives rocheuses du Dniepr dans lesquelles se recueillaient de saints moines, l'église qui s'élevait au-dessus d'elles, et les fondations d'un vaste monastère en construction que son père voulait le plus beau et le plus important de toute la Rous'. Iaroslav le Sage, surnommé par ses ennemis « tibia tordu » depuis que, désarçonné au cours d'une bataille, sa monture s'était abattue sur lui, lui brisant la jambe en plusieurs endroits, avait fait de sa ville un lieu de rencontres et de commerces, éblouissant les étrangers par la richesse de ses palais et de ses églises. Les habitants de Kiev eux-mêmes, bien que vivant pour la plupart sous le château, à Podol, dans de rudimentaires habitations semi-souterraines, étaient fiers de leur cité. Ils rendaient grâce à leur Prince d'avoir fait construire ces nouveaux remparts qui leur assuraient protection en cas d'invasion.

Anne sursauta; une main venait de se poser sur son épaule; le moine Hilarion, futur évêque de Kiev, se tenait près d'elle. Tout à ses souvenirs, elle n'avait pas, cette fois, senti cette odeur particulière –

mélange de cire, d'encens et de corps mal lavé – qui partout précédait le saint homme.

– Tu ne pries pas vraiment, ma fille.

Croyait-il qu'il est facile de prier quand vous viennent sans cesse à l'esprit les visages de ceux que vous allez quitter, les lieux où vous avez grandi?

– Prends courage, enfant, je sais ce que tu ressens. Mais c'est le devoir d'une fille d'obéir à ses parents, de fonder un foyer. Un jour, elle doit quitter père et mère et faire de la famille de son époux la sienne. Tu honoreras grandement Notre-Seigneur en élevant tes enfants dans la foi chrétienne, en respectant les serviteurs de Dieu, en distribuant une partie de tes richesses à l'Église et en te montrant charitable envers les pauvres. Suis l'exemple de tes sœurs qui font le bonheur de leur époux et de leurs sujets...

Comme elles lui manquaient!... Élisabeth, l'aînée, partie épouser Harald de Norvège dont Anne, petite, était amoureuse et qui tenait Iaroslav et sa famille en haleine au récit de ses tribulations à travers le monde. Et Anastasia, unie à André de Hongrie qui avait fait baptiser tout son peuple. Sa tante Marie Dobrogneva, l'épouse du roi de Pologne, Casimir. Hélas, les évêques français étaient si pressés de la ramener dans leur pays!

Maintenant, silencieuse, la jeune fille pleurait, à la grande irritation du moine qui ne voulait voir que l'importance capitale du mariage : ne renforçait-il pas les alliances de la Rous' avec les autres pays d'Europe? Les larmes d'une fillette n'allaient tout de même pas empêcher les rapprochements nécessaires à la politique de Iaroslav!

– Ta peine est une offense à Dieu et à ton père, dit-il d'un ton sec et sévère. Tu ne te conduis ni en bonne chrétienne ni en fille obéissante.

Anne se releva, essuyant du revers de la main son

visage humide, des mots de colère au bord des lèvres.

D'un geste, Hilarion les arrêta.

– Soumets-toi, mon enfant, c'est dans la soumission à Dieu, à son père, à son époux, qu'une femme trouve la paix.

Que n'était-elle née garçon! N'était-elle pas aussi savante que ses frères, Vsevolod excepté? Aussi bonne cavalière qu'eux? A la chasse, à la nage, au lancer, ne les valait-elle pas?

– A genoux et prions.

Vêtue de lourds vêtements byzantins brodés d'or et rehaussés de pierreries, Anne assista, le lendemain, comme dans un rêve, à une cérémonie donnée en honneur de son mariage, avant son départ, en la cathédrale Sainte-Sophie.

Quand la longue liturgie fut enfin terminée, étourdie par les chants, le parfum de l'encens, Anne se releva lentement. Encadrée par les évêques Roger et Gautier, elle se dirigea vers l'autel où se tenaient les membres du clergé et ceux de sa famille. Elle s'agenouilla successivement devant l'évêque de Kiev, le Grec Théopempte, qui la bénit, puis devant le moine Hilarion et enfin devant son père et sa mère qui, à tour de rôle, la serrèrent dans leurs bras. Les larmes d'Ingegerde mouillèrent son visage. Sa sœur Anastasia, jeune mariée, tentait vainement de sourire à travers les siennes, tandis que ses frères affichaient des visages si sérieux qu'elle faillit tout à coup pouffer de rire. Seules ses belles-sœurs, Oda de Stade, la femme de Sviatoslav, et Gertrude de Pologne, celle d'Isiaslav, avaient l'air heureuses de son prochain mariage.

En cortège, toujours encadrée par les évêques, très droite dans sa lourde robe, Anne quitta la basilique Sainte-Sophie. Sa jolie tête aux cheveux roux portait une haute tiare byzantine. Gosselin de Chauny et une vingtaine de ses chevaliers, leurs éperons cliquetant sur les dalles de marbre, la suivaient. Puis venaient Théopempte, Hilarion, Iaroslav, Ingegerde, les princes, les guerriers de la *droujina*. Les deux dames d'honneur, envoyées par le roi Henri pour accompagner la future reine, se tenaient à distance.

Tout le petit peuple de Kiev l'attendait, malgré le vent glacial soufflant sur la vaste esplanade et la pluie chargée de neige qui ne cessait de tomber. L'immense clameur enveloppa Anne comme une vague de chaleur. Devant ces milliers de visages rougis par le froid, ces mains tendues, la jeune fille, transportée d'amour, chancelante de tendresse, s'immobilisa pour mieux savourer cet instant de joie et de douleur mêlées. Les mains croisées sur sa poitrine, Anna Iaroslavna, les joues inondées de larmes, priait.

– Très Saint Seigneur, protège le peuple russe et bénis-le!

L'évêque fit un signe, la multitude tomba à genoux. D'un ample geste, Théopempte bénit la foule.

La pluie redoublant, il ne fut pas possible de rentrer au palais à pied, comme il avait été prévu. Des chariots, des litières emmenèrent la famille et les hôtes de Iaroslav, au grand désappointement de tous.

L'impressionnant banquet qui suivit dura plusieurs heures. Anne ne put rien avaler. Pas question, comme à Novgorod, de quitter la salle, tous les yeux étant tournés vers elle. Le regard brûlant de Philippe, attablé avec ceux de la *droujina*, ne la quittait pas. Au prix d'efforts considérables, elle parvint à sourire aux plaisanteries de ses frères, à rire aux pitreries des bouffons et aux acrobaties des ours. Enfin, les boissons fortes et les danseuses arrivèrent. Pour les femmes, les évêques et les moines, c'était le moment de se lever. Suivie de ses dames d'honneur françaises et de ses femmes, la princesse se retira. C'était la dernière nuit qu'elle passait dans le palais de son père.

CHAPITRE CINQUIÈME

Le départ

LA litière princière tirée par quatre chevaux à la robe fauve, au poitrail large et aux jambes courtes, cadeau de Iaroslav à sa fille, fut avancée. Deux esclaves écartèrent les rideaux de cuir. A quelques pas, Philippe tenait Molnia par la bride. A la vue de sa maîtresse, l'animal secoua sa crinière en hennissant. S'arrachant des bras de ses parents, Anne courut vers lui et, malgré son encombrant manteau doublé de zibeline, sauta sur sa monture qui partit au galop, renversant sur son passage trois personnes qui ne s'étaient pas écartées assez vite. Philippe, nommé par Iaroslav commandant du détachement qui devait faire escorte à la princesse jusqu'à Cracovie, bondit en selle et s'élança derrière elle.

Le plus grand désordre régnait. L'évêque de Meaux donna l'ordre à Gosselin de Chauny de rejoindre la future reine avec ses dames d'honneur qui virent non sans déplaisir les confortables litières s'éloigner. Les adieux du prince et des évêques furent précipités et, dans la confusion, peu protocolaires. Iaroslav et ses fils avaient du mal à garder leur sérieux en voyant les honorables dignitaires s'agiter en tous sens. Enfin les évêques se décidèrent à enfourcher leurs chevaux et s'éloignèrent au petit trot en bénissant au passage la foule qui tombait à genoux. Derrière eux, la caravane s'organisa : litières, chariots transportant les cadeaux destinés au roi de France, bagages, vivres et fourrage. Quand le dernier cavalier eut franchi les Portes d'Or, le soleil était déjà haut dans le ciel de Kiev.

Philippe rattrapa Anne près des remparts de la ville. Molnia avait les flancs en sang. L'animal, d'abord surpris par les méchants coups d'éperons auxquels il n'était pas habitué, n'avait réagi qu'en forçant l'allure. Maintenant, fou de douleur, il s'était emballé, et Anne ne faisait rien pour le calmer. Arrivé à sa hauteur, Philippe réussit à maintenir son cheval à la même allure. Il lâcha les étriers, se mit debout sur sa selle et, d'un bond, se retrouva à califourchon derrière la princesse. Il s'empara des rênes. Malgré la surcharge, Molnia maintint un certain temps son train d'enfer avant de ralentir peu à peu. Enfin il s'arrêta, pattes tremblantes, une bave sanguinolente aux lèvres, le corps ruisselant. Anne et Philippe se retrouvèrent à terre. Essoufflée, chancelante, la princesse s'appuya contre l'animal. Les yeux clos, elle tentait de calmer les battements de son cœur, indifférente aux tremblements convulsifs du cheval. Philippe, les mains enfouies dans la crinière mouillée, la regardait avec colère.

— Pourquoi as-tu agi ainsi? Tu aurais pu te tuer!

Anne secoua la tête, elle ne voulait pas mourir, mais fuir cette terre qui n'était déjà plus la sienne. Puisqu'il fallait partir, que ce fût au plus vite, et sans se retourner!

— Tu n'es pas digne de Molnia! Regarde dans quel état tu l'as mis. Écarte-toi, il faut le soigner.

Sans ménagements, il la repoussa.

— Pourquoi me bouscules-tu ainsi? Oh!... Molnia, pardonne-moi!

— Ce n'est pas le moment de pleurnicher, aide-moi à retirer son harnais.

Avec précaution, les jeunes gens ôtèrent la selle et

entreprirent d'étancher le sang qui coulait le long du ventre de l'animal.

– Là, mon doux, calme-toi... Je n'ai pas voulu te faire du mal... tu le sais... Là, là... Tu as froid?

Anne détacha son manteau qu'elle jeta sur le dos de Molnia au moment où Russes et Français les rejoignaient.

Malgré le vent de la course et le hâle qui brunissait ses traits rudes, Gosselin de Chauny était blême quand il mit pied à terre.

– Princesse, vous m'avez fait la plus belle peur de ma vie, foi de soldat et de chrétien!

Anne ne comprit pas, mais devina le sens de la phrase. Elle sourit et posa sa main tachée de sang sur le bras du chevalier qui s'inclina, soudain gêné. Pour se donner contenance, il examina les blessures de Molnia. Le regard qu'il lança à la future reine la fit rougir à son tour.

– J'espère que vous traitez mieux les hommes que les chevaux, murmura-t-il.

Le reste de la troupe arrivait.

Aidés par les valets, les évêques descendirent de leur monture.

– Grâce à vous, princesse, nous avons pris de l'avance sur notre horaire, fit l'évêque Gautier en remettant de l'ordre dans sa tenue.

– Notre roi sera heureux d'apprendre quelle hâte vous avez mise à le rejoindre, ajouta l'évêque Roger. Quant à vous, chevalier Philippe, nous vous remercions d'avoir su préserver la vie de notre future reine.

Anne parvint à dominer son mouvement d'impatience. L'arrivée d'Hélène, d'Irène et des dames d'honneur apporta une heureuse diversion.

– Vite, donne-moi un manteau, j'ai froid.

Devant « sa fille » frissonnante, Hélène oublia sa mauvaise humeur et houspilla les servantes.

– Dépêchez-vous! La princesse va tomber malade!

Elle l'enveloppa bientôt dans une pelisse de renard dont les reflets argentés mirent en valeur son teint et ses cheveux.

Gosselin de Chauny, accompagné de Gerber, le traducteur, s'inclina devant elle et demanda :

– Pouvons-nous repartir, dame?

– Comment va mon cheval?

– Aussi bien que possible, votre chevalier s'en occupe. D'ici quelques jours, il n'y paraîtra plus. Partons-nous?

Anne fit un signe d'assentiment et se dirigea vers sa litière. D'un geste, elle renvoya les dames d'honneur qui voulaient s'installer auprès d'elle.

– Hélène, va avec elles, je préfère rester seule, j'ai sommeil.

La nourrice l'installa sur les coussins, la recouvrit de fourrures et déroula les rideaux de cuir qu'elle attacha solidement. La chaleur et le balancement du chariot l'endormirent aussitôt. Pas une seule fois son regard ne s'était tourné vers Kiev.

CHAPITRE SIXIÈME

Le voyage

PENDANT les dix jours que dura le voyage jusqu'à la ville de Vladimir dont Vsevolod était le prince, Anne ne quitta sa litière que pour se soulager derrière des tentures tenues par ses servantes. Durant les haltes nocturnes, elle faisait quelques pas autour du camp avec Hélène et Irène, et rendait visite à Molnia qui se remettait de ses blessures, frémissant de plaisir dès que la main de sa maîtresse lui caressait l'encolure. Tous les matins, Philippe venait prendre de ses nouvelles, mais elle refusait obstinément de le voir.

La caravane arriva à Vladimir un dimanche. La princesse, les évêques et leurs suites furent reçus avec égards par Igor, son cousin, représentant de Vsevolod. Malgré le désir du prince de conserver sa belle cousine quelques jours auprès de lui, les voyageurs durent reprendre la route dès le lendemain.

Le temps beau et froid semblait stimuler les montures, à moins que ce ne fût le fouet des guides bulgares. Jamais mules et chevaux n'avaient parcouru d'aussi longues distances journalières. Le convoi arriva dans une région très accidentée où l'on s'engagea avec précaution, tant par crainte des avalanches que par peur des brigands. Ceux-ci avaient creusé des grottes surplombant la route sillonnée par les caravanes. A l'abri du vent et de la neige, c'étaient autant de postes d'observation propices aux embuscades. Gosselin de Chauny doubla les éclaireurs et les effectifs de garde. Grâce à la vigilance farouche des guerriers francs, ils arrivèrent sans encombre au sommet du col où des moines avaient établi une auberge. Les voyageurs transis acceptèrent avec reconnaissance l'épaisse soupe de chou fermenté qui leur fut servie.

Le lendemain, la descente se révéla extrêmement périlleuse : des éboulements coupaient la route, le sol se dérobait sous les pas; une mule et son conducteur disparurent dans un précipice sans qu'on pût rien faire pour les secourir. Longtemps, on entendit hurler le malheureux. Devant tant de dangers, Gosselin de Chauny fit arrêter le convoi. Anne écarta les rideaux de sa litière :

— Que se passe-t-il ?

— Princesse, nous ne pouvons plus continuer ainsi, votre litière risque à tout moment de verser dans le ravin. Le mieux serait de continuer à pied ou à dos d'homme.

— A dos d'homme? s'écria Roger de Châlons en avançant lourdement, encombré par son long manteau de renard. Il n'en est pas question! Notre reine ne peut voyager à califourchon sur un homme, c'est contraire à la bienséance et à sa dignité royale.

— Seigneur évêque, il est certains cas où l'on doit oublier la bienséance. Je suis sûr que notre roi préférerait cette solution à toute autre qui risquerait de mettre en danger la vie de la princesse.

— Je ne vois personne ici qui soit digne...

— Si, moi!

Tous les regards se tournèrent vers l'audacieux.

— Le père de la princesse, mon maître Iaroslav, me l'a confiée jusqu'au royaume de Pologne.

Puis, s'agenouillant devant Anne, Philippe ajouta :

– Anna Iaroslavna, acceptez-vous que je remplace Molnia?

La légère rougeur qui colora les joues de la princesse n'échappa pas à Gosselin. Quand le traducteur eut fait son office, il acquiesça à contrecœur.

Malgré les difficultés du chemin, Philippe marchait d'un pas ferme, ne sentant pas le poids du cher fardeau, ivre de bonheur de la sentir contre lui. Anne, heureuse de retrouver cette chaleur familière, appuyait sa tête sur la forte nuque et se laissait porter, indifférente à tout ce qui n'était pas ce corps dont chaque mouvement éveillait un écho dans le sien. Derrière eux, Gautier de Meaux, agrippé au cou d'un moine à l'impressionnante carrure, ne les quittait pas des yeux.

Enfin on arriva à Cracovie où les boïars de la *droujina* paternelle devaient laisser Anne continuer sa route sous la seule protection des chevaliers du roi Henri et de son oncle Soudislav, prince de Pskov, que Iaroslav, après l'avoir tenu emprisonné pendant de longues années pour s'être rebellé contre son autorité, venait de faire élargir pour le représenter aux cérémonies du mariage de sa fille. Vingt guerriers l'accompagnaient, chargés de lui faire honneur et de le surveiller, ainsi que le *possadnik* Ostomir de Tchernigov, gouverneur de Kiev. Un immense banquet réunit pour la dernière fois Russes et Français.

Le roi Casimir et la reine Marie Dobrogneva accueillirent leur nièce avec un faste inconnu à l'austère cour polonaise, dont le roi préférait les longues discussions théologiques aux plantureux repas. Ce n'était pas leur nièce qu'ils recevaient, mais la reine de France, cette France où Casimir et sa mère avaient jadis trouvé refuge et que le roi n'avait quittée qu'à regret. Grâce à cette union dont il était l'instigateur, et aux bons rapports qu'il entretenait avec les envoyés du roi Henri, il espérait que les liens se resserreraient entre les deux pays, maintenant l'empereur d'Allemagne à distance.

Au milieu de ces festivités, Anne eut bien du mal à trouver quelques instants pour faire ses adieux à Philippe. Avec la complicité de sa sœur de lait, elle parvint à échapper à la surveillance de Gosselin qui l'observait d'un œil inquiet depuis le départ mouvementé de Kiev.

Les jeunes gens se retrouvèrent dans une petite église isolée sur les bords de la Vistule. Des amis de Philippe faisaient le guet à la porte.

Était-ce la lumière vacillante des lampes? Il lui sembla que le visage du garçon avait changé, il paraissait comme amaigri, plus dur; elle ne résista pas quand il l'attira contre lui.

— Je n'aurais pas dû venir... Mon cœur se brise à l'idée de ne plus jamais te revoir!...

— Anne, laisse-moi te suivre... Je raserai ma barbe et mes cheveux... Tu diras que je suis un de tes serviteurs... de tes esclaves, même...

— Ce n'est pas possible, tu le sais bien. Jamais le seigneur de Chauny et les évêques ne l'accepteront; ils ont bien vu la façon dont tu me regardais, et l'affection que j'ai pour toi.

Philippe la serra contre lui avec brutalité. Un cri lui échappa :

— Ne fais pas ça!

Tout en disant ces mots, elle se pressait contre lui.

— Viétcha!

Comme l'écureuil des jeux de son enfance, il allait lui échapper, la laissant désemparée.

— Viétcha, mon gentil Viétcha, embrasse-moi.

Sans doute ce premier baiser aurait-il été suivi de beaucoup d'autres si Irène n'avait fait irruption dans l'église.

– Vite, il faut partir, des moines se dirigent par ici !

– Philippe, prends cette bague, elle te fera souvenir de moi. Ne sois pas trop triste, Viétcha, je ne t'oublierai jamais.

– Vite, princesse, vite !

Irène arracha Anne des bras qui tentaient de la retenir, et l'entraîna en courant le long des berges glissantes. Il était temps : les moines, parmi lesquels se trouvait l'évêque de Meaux, Gautier, venu assister à l'office du soir, pénétraient déjà dans la chapelle. Gautier reconnut Philippe. Saisi d'un soupçon, il regarda autour de lui, mais ne vit, à la lueur tremblotante des lampes, que les trois compagnons du boïar de Iaroslav.

– Que fais-tu ici, mon fils ? dit-il en grec. Pourquoi ces larmes ?

D'un geste rageur, Philippe essuya ses yeux.

– Est-il interdit de prier ?

– En aucun cas, mon fils. La prière apporte le réconfort. J'espère que tu l'as trouvé dans ce lieu sacré.

Devant le regard désespéré du jeune homme, l'évêque eut un mouvement de pitié :

– Va en paix, je prierai pour toi.

Cette sollicitude accabla Philippe qui sortit sans saluer le prélat.

Songeur, Gautier de Meaux le regarda partir.

En arrivant, essoufflée, dans ses appartements, Anne trouva sa tante Marie Dobrogneva qui l'attendait, le visage sombre.

– Le roi mon époux t'a fait demander à deux

reprises. Comme personne ne savait où tu étais, et pour éviter les commérages, je suis venue moi-même t'attendre ici. Où étais-tu? Puis-je le savoir?

— Oh, Marie, ne me gronde pas! Rappelle-toi, c'est toi qui me consolais quand j'étais enfant et que mon père me punissait.

Anne se jeta dans les bras de cette reine à peine plus âgée qu'elle. Mais, cette fois, sa tante la repoussa.

— Anna Iaroslavna, tu n'as plus le droit de te comporter ainsi. Comme moi, tu es reine et plus rien ne doit compter pour toi que la gloire de ton royaume, l'honneur de ton époux et l'éducation de tes enfants. Tu leur dois toutes tes pensées. Oublie ton père et ta mère, tes frères et sœurs, tes amis, ton pays...

— Jamais!

La violence avec laquelle le mot fut prononcé fit sursauter l'épouse de Casimir qui se donnait tant de mal pour répéter la leçon apprise...

— Jamais, tu entends, jamais je n'oublierai mon pays!

Marie poussa un soupir de soulagement : ce n'était pas quelque amour coupable, mais le mal du pays qui inspirait à la fille de son frère ce comportement inquiétant.

Marie Dobrogneva prit sa nièce dans ses bras.

— Ne pleure pas, ma colombe, moi aussi je pense souvent à notre terre natale, mais mon devoir est ici, et mon bonheur également. Mon époux, qui connaît bien le roi Henri, dit que c'est un homme délicat, aimant les beaux atours, les bijoux, la danse et la chasse. N'est-ce pas tout ce que tu aimes?

Anne sourit à travers ses larmes :

— Mais n'est-il pas beaucoup plus âgé que moi?

— Les hommes âgés font de meilleurs époux et sont plus attentifs aux plaisirs de leur compagne.

– Sans doute.

Cela fut dit si tristement que Marie fut reprise de soupçons.

– Puis-je te poser une question?

– Bien sûr.

– N'aurais-tu pas un amoureux que tu regrettes?

La rougeur qui envahit le front d'Anne était en soi une réponse.

– Malheureuse, tu veux te perdre!

– Ce n'est pas ce que tu crois. J'aime Philippe comme un frère, pas comme un amant. Mon père le sait; sans cela, jamais il ne lui aurait permis de m'accompagner.

– Mon frère Iaroslav connaît peut-être tes sentiments, mais il a eu tort d'ignorer ceux de Philippe. Tout le monde sait qu'il t'aime, les évêques les premiers.

– Et alors? Je n'y peux rien!

Pour la première fois depuis le début de leur entretien, le visage de la reine se détendit et un sourire moqueur éclaira son visage sévère :

– Ce n'est pas à moi que tu vas faire croire cela! N'oublie pas que je suis femme et que j'ai eu des soupirants avant toi. Enfin, dès demain, l'escorte donnée par ton père repartira, et le beau Philippe avec elle.

Anne détourna la tête, passant et repassant ses doigts sur ses lèvres qui gardaient encore le souvenir du baiser de son ami. Marie Dobrogneva frappa dans ses mains. Aussitôt, une servante apparut.

– Apporte de l'eau à la princesse.

Quelques instants après, la fille revint, portant un bassin d'argent rempli d'une eau parfumée.

– Rafraîchis-toi.

La reine elle-même arrangea les longs cheveux roux et les plis de la robe.

– Viens. Mon époux va s'impatienter.

Moins de cinq jours après leur arrivée à Cracovie, les voyageurs reprirent la route. Anne n'avait pas revu Philippe.

CHAPITRE SEPTIÈME

La rencontre

Le voyage jusqu'à Prague fut exécrable : neige, pluie, froid, boue, chariots renversés, litières enlisées, chevaux assaillis par les loups, hommes attaqués par des brigands affamés, guerriers malades effondrés sur leur monture, femmes et évêques claquant des dents en dépit des fourrures.

Excédée par les plaintes de ses dames d'honneur, par les gémissements d'Hélène et d'Irène brûlantes de fièvre, Anne préférait affronter les intempéries et chevaucher auprès de Gosselin de Chauny pour lequel elle éprouvait, malgré son caractère bougon et soupçonneux, de la sympathie. Gosselin admirait son endurance et s'en étonnait, au grand amusement d'Anne qui exagérait à plaisir son indifférence aux éléments, mais ne refusait cependant jamais la boisson faite de vin, d'épices et de miel dans laquelle on plongeait une épée rougie, potion magique qui permettait à la troupe de résister au froid pénétrant. Chauny tenait cette recette d'un moine vagabond et voleur qui, contre la vie sauve, la lui avait donnée et dont il gardait jalousement le secret. La première coupe du liquide bouillant réchauffait le corps de la tête aux pieds, la deuxième mettait en joie et faisait trouver la vie belle; quant à la troisième... malgré ses supplications, Anne n'avait jamais pu l'obtenir!

À travers ces paysages sinistres et désolés, peuplés

seulement de fantômes et de nymphes mauvaises, disait Hélène en faisant le signe de la croix, la troupe avançait péniblement. La nourrice assurait avoir vu errer Sviatopolk, l'assassin des fils de Vladimir le Grand, Boris et Gleb. Il était devenu fou, souffrant mille tourments envoyés par le Ciel en châtiment de son horrible forfait. Son âme maudite tournoyait au-dessus de la caravane, déclenchant des tempêtes. Pour calmer les esprits, l'évêque Gautier dit les prières qui chassent les démons et renvoient les damnés en enfer.

A Prague, la Moldau était en crue, charriant d'énormes blocs de glace qui rabotaient ce que l'eau n'avait pas emporté. Brétislas Ier était en visite chez l'empereur Henri III, à la demande pressante du pape Léon IX. Roger de Châlons et Gautier de Meaux firent part de leur désappointement à l'évêque de Prague. Celui-ci, débordé par les demandes de secours qui arrivaient de toutes parts, n'accorda pas à ses confrères et à la fiancée du roi de France toute la considération qui leur était due et les remit entre les mains de prêtres subalternes. Deux jours plus tard, malgré les malades et le mauvais temps persistant, la petite troupe se remit en marche.

La chevauchée jusqu'à Nuremberg fut sans histoires. Le duc de Bavière envoya au-devant de la future reine de France une importante délégation conduite par l'archevêque de la ville. Celui-ci présenta à la fille de Iaroslav les regrets du duc, lui aussi retenu auprès de l'empereur, et désolé de ne pouvoir faire à la princesse les honneurs de la ville. On conduisit Anne et ses femmes dans les appartements royaux de l'archevêché. Elle se plongea avec délices dans un bain parfumé; c'était un vrai plaisir que de retrouver du linge fraîchement repassé.

Elle se souvint que sa mère Ingegerde avait une dévotion particulière pour un moine solitaire, saint Sébald, que le peuple allemand vénérait, le considérant comme un de ses premiers apôtres. Son tombeau était, disait-on, un lieu de miracles. Anne souhaita s'y rendre pour prier sans escorte particulière, accompagnée seulement d'Hélène, de deux écuyers et d'un guide. Gosselin de Chauny, non sans protestation, dut s'incliner devant l'obstination de la jeune fille. Il est vrai que l'église où était enterré le saint était peu éloignée de la cathédrale. Anne enfourcha Molnia et la petite troupe partit au pas.

Le temps était froid et beau. A la suite du guide, ils passèrent les portes de la ville, prirent le trot, puis le galop à travers une courte plaine, avant d'entrer dans une forêt dont la cime des arbres cachait le ciel. Hélène s'étonna auprès du guide : étaient-ils dans la bonne direction? Elle avait cru comprendre que la tombe était dans la ville même. Non, fit le bonhomme de la tête. Voyant que ni sa maîtresse ni les écuyers ne s'inquiétaient, elle se dit qu'elle avait dû se tromper.

Anne, tout au plaisir de galoper, distança ses compagnons malgré leurs cris. Bientôt elle fut hors de portée de leurs voix. Elle ralentit sa monture, savourant ce moment de solitude et de silence. Soudain, Molnia s'immobilisa, oreilles dressées, le corps frémissant. Un bruit de galopades emplit la forêt, une harde de cerfs, de biches et de faons passa à folle allure devant elle : une vingtaine de bêtes menées par un superbe dix-cors. L'instinct la précipita à leur poursuite. Couchée sur le col de Molnia, indifférente aux branches qui lui giflaient le visage, la princesse était redevenue la chasseresse de Kiev. Tout à sa course, elle ne remarqua pas d'abord qu'un cavalier l'avait rejointe. Elle ne s'aperçut de sa présence qu'au moment où il la dépassait. Surprise, puis furieuse, elle pressa le flanc de sa monture qui bondit, rattrapa l'impudent. Pendant quelques instants, ils galopèrent de front à un train d'enfer; bientôt ils allaient atteindre l'arrière de la harde. Anne hurla aux oreilles de Molnia qui, d'un bond puissant, franchit un large fossé, laissant sur place son adversaire. Une branche arracha le bandeau brodé qui retenait son voile et vint frapper en plein visage l'autre cavalier. Celui-ci, désarçonné, tomba violemment sur les cailloux bordant le fossé. Anne arriva sur la harde qui s'égailla en tous sens. Seul un trop jeune faon s'immobilisa, pattes tremblantes, les yeux remplis de larmes. Arrêté devant le petit animal, le cheval piaffait et soufflait, le corps fumant. Anne sauta à terre et s'agenouilla.

– Viens, petit, viens, n'aie plus peur!

Le faon n'eut pas un mouvement quand Anne le prit dans ses bras. Comme son cœur battait, comme il tremblait, elle l'enveloppa dans son manteau et lui parla doucement.

Un pas lourd fit craquer la terre gelée. Devant elle se tenait un chevalier. Sa figure n'était qu'un masque de terre et de sang. Anne le regarda venir sans manifester de curiosité. Durant un long moment, ils se dévisagèrent : lui, bouillant de rage d'avoir perdu la course et d'être tombé devant une femme. Une femme qui, au lieu de le soigner, cajolait un animal sans se soucier de remettre de l'ordre dans sa tenue; une femme qui exhibait une chevelure que seul était supposé voir un époux. Anne, quant à elle, se demandait ce qu'il attendait pour passer son chemin. Il lui parla d'une voix rauque, avec des mots qu'elle ne comprenait pas. Un brame proche se fit entendre. Le faon sursauta en poussant un faible cri.

– C'est ta mère qui t'appelle. Va, rejoins-la!

Après avoir déposé un baiser sur le fin museau, elle lâcha l'animal qui s'enfuit à travers les fourrés.

Alors seulement elle se leva et s'approcha de l'homme. Il avait l'air sérieusement blessé. Elle posa ses doigts sur le visage tuméfié qui tressaillit. Anne examina le sol autour d'elle. Au pied d'un arbre, elle cueillit une poignée de mousse et la trempa dans l'eau d'une petite source qui jaillissait d'un cercle de pierres. Elle fit signe au cavalier de s'asseoir et entreprit, à gestes doux, de lui nettoyer la face après lui avoir ôté son casque. Débarrassées de la terre et du sang, les blessures se révélèrent sans gravité, hormis celle qui courait de l'œil à l'oreille. Anne, perplexe, regardait le sang qui ne cessait de couler.

– Allongez-vous, dit-elle.

L'air profondément étonné, il s'étendit. C'était un homme de corpulence large et robuste, plutôt grand, jeune, mais aux traits rudes et marqués, richement quoique simplement vêtu; il était sans barbe et portait les cheveux courts. Il regardait cette jeune fille échevelée fouiller dans le bissac attaché à sa selle. Elle en sortit un flacon qu'elle déboucha et porta à ses narines. A son air satisfait, il vit qu'elle avait trouvé ce qu'elle cherchait. Sur une petite poignée de mousse, elle répandit quelques gouttes de la lotion et appuya l'emplâtre sur la plaie. Elle l'y maintint jusqu'à ce que le sang eût cessé de couler. Les yeux mi-clos, l'homme observait la jeune fille penchée sur lui, dont la chevelure parfumée effleurait sa poitrine. Elle ne ressemblait à aucune des femmes qu'il connaissait, elle était plus grande, plus forte, elle avait le regard plus hardi, les gestes plus sûrs, les cheveux plus épais, et, surtout, elle était très belle! Il eut un geste pour l'attirer à lui, mais une dague apparut, il ne sut trop comment, dans la main libre de la jeune fille.

Soudain, la clairière s'emplit de cris et du hennissement des chevaux. Hélène, les écuyers et le guide y débouchèrent. Malgré sa corpulence, la nourrice sauta à bas de son cheval avant même qu'il ne se fût arrêté.

— Mon enfant, mon enfant, tu n'as rien? Quelle peur tu m'as faite! Ne peux-tu avoir pitié de moi!

— Ne me gronde pas, Hélène, j'ai fait la course avec ce chevalier; j'ai gagné, il est tombé et je le soigne.

— Je le vois bien que tu le soignes! Est-il grièvement atteint?

Anne souleva l'emplâtre.

— Le sang ne coule plus... Seigneur, dit Hélène au blessé, vous avez eu de la chance de tomber sur ma maîtresse. Elle est si habile à soigner que les pauvres de notre pays l'ont surnommée la Mora.

— Mora? murmura le blessé avant de s'évanouir.

Hélène se précipita.

— Il a perdu beaucoup de sang. Il faudrait retrouver ses gens.

Au même moment, une troupe nombreuse déboula dans la clairière et les entoura. Un homme en habit religieux se pencha le premier sur le blessé.

— Qu'est-il arrivé au duc?

— Il est tombé de cheval, ce me semble, dit un des écuyers.

— Vous êtes du pays de France, que faites-vous en ces lieux?

— Et vous, seigneur abbé, qu'y faites-vous?

— Jeune insolent, sais-tu à qui tu parles?

— Non, mais je devine que j'ai affaire à de puissantes personnes. Je me nomme Arnault de Laon, et voici mon frère Victor de Dampierre. Nous sommes de la suite des seigneurs évêques de Châlons et de Meaux, et hôtes de l'archevêque de Nuremberg. Mais... où va-t-elle encore? Madame!... Madame, attendez-nous...

Les écuyers sautèrent sur leurs chevaux et se précipitèrent à la suite de la princesse, agacée par ces bavardages.

— Adieu, seigneur abbé! eut le temps de crier Arnault avant de disparaître dans les bois.

L'homme en habit de moine haussa les épaules et se retourna vers le blessé qui ouvrait les yeux.

— Mora!

— Que dites-vous, Monseigneur?

— Où est la jeune fille qui me soignait?

— Elle est repartie. Elle était accompagnée d'écuyers français.

— Je veux la retrouver!

— Ce n'est pas possible, Monseigneur, nous devons rentrer sans tarder auprès de l'empereur. Lui seul peut influencer le pape en votre faveur.

Celui que le moine appelait « Monseigneur » se releva lourdement.

— L'abbé, vous avez raison. Mais je donnerais volontiers une de mes villes pour savoir qui est cette fille.

— Sans doute une des femmes de la suite de cette princesse russe que le roi Henri a envoyé chercher pour en faire sa reine.

Le duc éclata d'un gros rire :

— Avec un mari pareil, le pucelage de la pauvre fille ne risque rien! Mais si elle est aussi belle que ma chasseresse, par ma foi, je veux bien lui donner un coup de main en échange de services autrefois rendus!

— Monseigneur, vous êtes ici dans l'espoir de pouvoir épouser la princesse Mathilde, ne pensez donc pas à une autre femme...

Le duc et le moine montèrent sur leurs chevaux tenus par des écuyers.

— Comme toujours, vous avez raison, l'abbé, oublions donc cette femme qui se fait appeler Mora.

— Mora?

— C'est le nom que lui a donné celle qui l'accompagnait.

– Mora... la Mora... l'enchanteresse!

– Que dites-vous? Je ne comprends rien...

– Je crois me souvenir que Mora est le nom d'une fée des légendes slavones. Elle tresse ses cheveux sans fin et s'en sert pour séduire ceux qui s'approchent d'elle.

– L'enchanteresse Mora... C'est un nom qui lui convient : le parfum de ses longs cheveux m'a ensorcelé. Iah!

Les éperons et le cri arrachèrent le cheval du sol et le jetèrent, hennissant de colère et de douleur, à travers la forêt.

Anne et ses compagnons arrivèrent enfin auprès d'une humble chapelle en bois dans laquelle un vieux moine vendait des reliques de saint Sébald.

– Est-ce là le tombeau du saint? demanda Hélène au guide.

– Non, cette chapelle a été érigée sur l'emplacement de sa cabane; son tombeau est en ville. J'ai cru que c'était ici que la princesse souhaitait se recueillir.

Hélène se retint de frapper le malheureux guide, tombé à genoux en se rendant compte de l'énormité de sa faute.

– Je vous en prie, ne dites rien au seigneur archevêque, il me ferait crever les yeux!

– Et tu ne l'aurais pas volé, gronda Hélène. Tu as de la chance qu'il ne soit rien arrivé à la princesse; sinon, c'est moi qui t'aurais crevé les yeux, arraché la langue et le cœur!

Anne, déjà entrée dans la chapelle, priait devant une statue de la Vierge grossièrement sculptée qu'éclairait la lumière tremblotante des chandelles de cire.

CHAPITRE HUITIÈME

Fin du voyage

Ils pénétrèrent dans les épaisses forêts allemandes, si sombres qu'ils avaient l'impression d'avancer dans des ténèbres sans fin.

A Ulm comme à Prague, le Danube était encombré de blocs de glace. Près de Tübingen, ils essuyèrent une nouvelle attaque de brigands qui échoua grâce au courage des guerriers de l'escorte; ceux-ci tuèrent une dizaine de pauvres hères armés pourtant de solides gourdins et de bonnes épées. Les Français n'eurent à déplorer qu'un blessé léger. Le plus vaillant fut un homme au visage mutilé, recruté en chemin et dont la rage au combat fut remarquée par Gosselin, qui le félicita. L'homme grogna et s'éloigna en essuyant son poignard sur ses vêtements déchirés.

Les jours, devenus plus longs, paraissaient interminables. Depuis leur départ de Nuremberg, la pluie n'avait pratiquement pas cessé : les chevaux tombaient, litières et chariots s'embourbaient, les feux donnaient plus de fumée que de chaleur. Rien n'arrivait plus à distraire Anne : ni les contes de sa nourrice, ni les bavardages d'Irène, ni les chansons des dames d'honneur, ni la musique des pages, ni les leçons de langue française de l'évêque Gautier, pas même les petits animaux dénichés par Gosselin.

A maintes reprises, celui-ci houspillait les guides,

les accusant de ne pas suivre le même chemin qu'à l'aller. Les Bulgares haussaient les épaules et continuaient leur route au pas régulier de leurs courts chevaux jaunes qui avaient une endurance inconnue des cavaliers francs. Enfin ils arrivèrent devant un large fleuve que l'on passa sur des radeaux. De l'autre côté, l'air leur sembla plus doux, le soleil plus brillant, le printemps précoce. Anne rejeta les couvertures de fourrure et courut cueillir de petites fleurs très parfumées dont elle ne connaissait pas le nom.

— Ce sont des violettes, lui dit l'évêque Roger.

— Vi-o-lettes..., articula-t-elle drôlement.

Depuis Prague, la princesse avait demandé aux évêques et à ses dames d'honneur de lui apprendre la langue de son futur époux. A cet exercice, elle s'était révélée extrêmement douée. En moins d'un mois, elle réussit non seulement à se faire comprendre, mais à pouvoir échanger quelques mots avec ses dames et avec Gosselin de Chauny dont elle avait fait la conquête définitive. Il n'était que le premier d'une longue liste de chevaliers qui viendraient se mettre corps et âme au service de celle qu'ils appelleraient « notre dame du lointain pays ».

Désespérée par le départ de Philippe et des boïars, Anne tentait de tromper son chagrin et son ennui par de longues chevauchées en compagnie des chevaliers de son escorte, sous l'œil inquiet, puis bienveillant, des évêques. Seule Hélène, qui craignait à la fois pour la santé et la réputation de sa nourrissonne, gardait son œil noir. A la halte, Anne prenait son *guzli*[1] et chantait, bientôt accompagnée par Hélène et Irène, des airs qui mettaient au cœur de l'auditoire une indéfinissable mélancolie.

Un soir où l'abattement des voyageurs était plus

1. Sorte de guitare.

grand que de coutume, Gosselin de Chauny s'était écrié :

– Mais c'est donc un pays de pleureuses que le vôtre!

La fille de Iaroslav n'avait pas bien compris le sens de sa phrase et l'avait demandé au traducteur. Elle avait alors lancé un regard courroucé vers Gosselin et jeté quelques mots dans sa langue natale en frappant dans ses mains. Hélène et Irène s'étaient levées, les guerriers de la garde de son oncle s'étaient rapprochés, certains avec leur *sopilka*[1], d'autres avec leur *guzli* ou leur *tzembalé*[2], et, sur un geste de la princesse, ils avaient joué une musique entraînante et sauvage, puis s'étaient lancés dans ce que tout le monde prit à juste titre pour une bouffonnade. Anne s'était jointe à la troupe, chantant, dansant, riant sous les regards stupéfaits des Francs qui n'avaient jamais entendu pareils accents.

L'évêque Gautier, qui se piquait de belles-lettres – on le surnommait « Omniscience » – et entretenait dans sa ville de Meaux des chantres et des musiciens, avait hoché la tête, consterné par ces accords qui lui écorchaient les oreilles et par la familiarité des Russes envers la fille de leur prince. Quant à l'évêque Roger, il s'était dit qu'avec un tel tempérament, la future reine allait forcément séduire le roi Henri et donner rapidement un héritier au trône de France.

– Vous voyez, seigneur Gosselin, que nous ne sommes pas, comment dites-vous... des pleureuses! Chez nous, on sait rire aussi, lui avait dit Anne, les joues rouges, légèrement essoufflée.

Avant qu'il n'ait eu le temps de répondre, elle avait tourné les talons et s'était retirée dans sa litière.

Les jours suivants, elle avait pris soin d'alterner

1. Sorte de pipeau.
2. Instrument à cordes sur lequel on frappe avec deux baguettes.

chants tristes et chants gais, jouant sur les nerfs et les sentiments de son auditoire français.

Le duc de Haute Lorraine, Gérard d'Alsace, reçut, en compagnie des évêques de Metz, Toul et Verdun, la fiancée du roi de France, qu'il salua au nom de son suzerain, l'empereur d'Allemagne. Après deux jours de festivités, les voyageurs quittèrent Toul, enchantés de l'accueil qui leur avait été fait.

— Princesse, voici le pays de France!

Ainsi, c'était là sa nouvelle patrie? Anne, contre l'avis des évêques, chevaucha auprès de Gosselin qu'elle ne cessait de questionner :

— Pourquoi ces gens sont-ils vêtus si misérablement? Pourquoi sont-ils si maigres? Y a-t-il beaucoup d'écoles? Que mangent-ils? Je ne vois que des forêts, n'y a-t-il pas de blé chez vous?

Gosselin de Chauny était bien en peine de répondre. Jamais il n'avait remarqué que les paysans étaient maigres. Il y avait bien eu toutes ces années de famine et de disette, mais, depuis, tout était rentré dans l'ordre. Quant aux écoles, elles étaient rares et réservées à la noblesse.

— Ce n'est pas comme cela en Russie. Mon père tient beaucoup à ce que les enfants du peuple apprennent à lire.

On approchait de Reims, lieu de rencontre entre Henri et Anne. Des envoyés faisaient état de l'impatience du roi qui souhaitait que le mariage et le couronnement eussent lieu le jour même. Roger de Châlons était de cet avis, à la différence de Gautier de Meaux.

— Il convient que ce mariage se fasse au plus vite, disait l'un.

— Il serait plus raisonnable d'attendre quelques jours que la princesse se repose, disait l'autre.

Gosselin les départagea en disant :

– Oubliez-vous le serment du roi?

Les prélats s'inclinèrent et se préparèrent à remettre entre les mains de leur souverain cette reine qu'ils étaient allés chercher si loin, au prix de fatigues et d'angoisses dont ils espéraient bien tirer récompenses pour leurs diocèses respectifs...

Hors des murs de Reims, on conduisit Anne et les femmes dans un couvent dont l'abbesse était parente de son futur époux.

– Ma cousine, soyez la bienvenue dans la maison de Notre-Seigneur Jésus-Christ. Vous y resterez jusqu'à demain, jour où l'Esprit saint est descendu sur les apôtres. Le roi, mon cousin, viendra lui-même vous y chercher.

– Je vous remercie.

– J'espère que votre court séjour parmi nous vous sera agréable. J'ai fait préparer la salle d'étuve. Les servantes vous y attendent.

Baignée, massée, parfumée, coiffée, Anne, emmitouflée dans une robe doublée de petit-gris, passa la veille du jour de ses noces à écouter des légendes de son pays, des berceuses de son enfance, et ce n'est qu'au matin qu'elle pensa à prier Dieu.

CHAPITRE NEUVIÈME

Le mariage, le couronnement
19 mai 1051, jour de la Pentecôte

Le roi se présenta peu après l'office de prime auquel Anne avait assisté. Malgré une nuit sans sommeil, le frais visage de la jeune fille resplendissait sous le bonnet des princesses de Kiev. Pour sa rencontre avec Henri, elle avait refusé de revêtir toute autre robe qu'une de celles apportées de son pays.

— Que vous importe sa forme? avait-elle répondu aux évêques.

C'est donc une princesse vêtue comme une impératrice de Byzance que le roi de France vit venir à lui. Elle était plus belle que ne le lui avaient dit les évêques, plus intimidante aussi, dans ses lourds atours brodés de pierreries. Anne s'agenouilla et baisa la main de son futur époux. Celui-ci la releva et s'inclina devant elle :

— Soyez la bienvenue dans votre royaume, princesse Anne.

— Je vous remercie, Seigneur.

Tel était donc l'époux auquel son père la donnait. Durant cet interminable voyage, elle l'avait imaginé de bien des façons : grand, gros, petit, maigre, vieux, laid, beau, mais toujours doté de la mâle assurance qui caractérisait ses frères. Et voilà que le roi de France était un homme ni petit ni grand, ni maigre ni gros, ni beau ni laid, ni jeune ni vieux, dont la voix pointue surprenait, comme la mollesse de ses gestes et de sa bouche aux lèvres trop rouges. Les yeux noirs, petits et inquisiteurs, brillaient dans ce visage quelconque, égayé d'une courte barbe roussâtre semée de gris. La tête aux cheveux longs était ceinte d'un large bandeau d'or incrusté de pierres précieuses grossièrement taillées. Les rubans qui ornaient le bas de sa tunique et de ses manches étaient tissés d'or et de soie blanche, le manteau pourpre, retenu par une fibule représentant un lion, tranchait sur le vert de la tunique, les chausses en soie rayées de vert et de rouge moulaient une jambe plutôt belle. Elle soupira en pensant à Philippe.

Des valets apportèrent les cadeaux du prince de Kiev au roi de France. Parmi eux, une superbe hyacinthe et un très précieux évangéliaire provoquèrent des cris d'admiration.

Avant de prendre la route pour Reims, ils assistèrent à une messe dans l'église du monastère, qui venait d'être achevée grâce à la générosité du roi. Les chants des religieuses s'élevèrent, purs, sous les voûtes richement coloriées. Quand l'office saint fut terminé, le couple royal, entouré de la communauté, se dirigea vers les litières recouvertes de tissus précieux, tirées par des bœufs blancs aux cornes desquels étaient attachés des rubans rouge et or. Henri aida Anne à s'installer dans celle dont les coussins disparaissaient sous les fleurs.

Au pas lent des bœufs, le cortège s'ébranla sous les vivats de la foule; depuis la veille, celle-ci attendait pour contempler sa future reine, admirer le défilé des chars où avaient pris place nobles dames rivalisant d'élégance et de beauté, évêques aux longues capes brodées; à la tête des cavaliers, le roi chevauchait son palefroi richement harnaché, suivi de son destrier conduit par un écuyer. Le peuple manifestait sans retenue son plaisir devant ce spectacle. Entourés de leurs guerriers, tête couverte du bonnet de cuir pointu orné de clous, portant tuniques et manteaux de couleurs vives, les jambes ceintes des courroies de leurs chausses, l'épée au côté, le poing gauche dans le bouclier rond aux dessins géométriques, la main droite tenant une courte lance de fer, ils avançaient, superbes, tous les comtes de la Francia : Enguerrand, comte de Ponthieu et son fils Hugues, Gautier III, comte du Vexin, Geoffroi Martel, comte d'Anjou, Thibaud III, comte de Chartres, Galeran, comte de Meulan, Rainard III, comte de Sens. Tous passèrent sans un regard pour la multitude. On remarquait surtout le comte de Valois et d'Amiens, Raoul de Crépy, dont la haute stature dominait le cortège. Les cris cessèrent presque sur son passage; certains même dans la foule se signèrent. Tout de noir vêtu, il montait un cheval à la robe de jais; une garde casquée l'entourait, portant cottes de mailles de cuir sombre sur tuniques rouges, les jambes bardées de fer, le poing glissé dans un écu orné d'un dragon crachant le feu. Du groupe se dégageait une impression de force brutale et mauvaise. Au passage des évêques Gautier de Meaux, Roger de Châlons et Béroud de Soissons, l'assistance tomba à genoux, implorant des bénédictions. Le soleil faisait rutiler l'or des parures, l'acier des armes et des casques, le vert des prairies et jusqu'aux murailles de Reims dont les portes s'ouvrirent au son des cloches de toutes les églises. La ville parut, toute pavoisée en l'honneur de la jeune mariée si longtemps attendue.

Le cortège passa sous des arcs de triomphe; tout au long du trajet, des hommes d'armes rendaient les honneurs. Les habitants de la cité de saint Remi poussaient de grandes acclamations. Anne regardait avec curiosité son nouveau peuple se presser sur son passage. Il n'était guère différent de celui de Kiev, les vêtements moins colorés, peut-être, les hommes moins grands, mais les femmes plus jolies. Aux étroites fenêtres des maisons de bois pendaient des draps, des pièces de tissus de couleur sur lesquels on avait épinglé des fleurs, de jeunes rameaux d'un vert criard, ou brodé les emblèmes de la ville ou des corporations. Malgré les gardes, des enfants en guenilles couraient le long du cortège en tendant la main. Anne fit signe à Gosselin de Chauny qui chevauchait près de sa litière; étonné, celui-ci se rapprocha.

— Messire, ne pouvons-nous donner quelque aumône à ces pauvres petits?

— Cela est prévu, dame, après les cérémonies. Tous les pauvres de la ville sont conviés à un banquet offert par le roi en l'honneur de son mariage.

La princesse le remercia d'un sourire.

La foule devenait de plus en plus dense, le bruit des cloches se faisait assourdissant. Une odeur de viande grillée parvint jusqu'à Anne. Elle regretta d'avoir refusé le bol de soupe offert par l'abbesse après la messe.

Enfin, la litière s'arrêta sur une place où se dressait une grande église de construction récente, sous le porche de laquelle se tenait l'archevêque de Reims, Guy de Châtillon, entouré de nombreux évêques en chape et en mitre, la crosse à la main, symbole d'autorité et de douceur.

Henri vint lui-même aider Anne à descendre de sa litière. Ses dames d'honneur fixèrent sur ses épaules le lourd manteau de pourpre des reines dont Hélène répartit les plis autour d'elle. Les deux femmes échangèrent un regard éperdu, réprimant le désir de se jeter dans les bras l'une de l'autre. Avec un sourire complice, Anne murmura dans sa langue :

— J'ai faim.

Puis, se détournant, elle tendit une main ferme au roi qui semblait perdu dans les plis du manteau que les barons venaient de lui mettre. Sur un sol recouvert de feuillage, le couple s'avança vers la cathédrale puis, ayant atteint les tapis jetés sur les marches, ils s'agenouillèrent. L'un après l'autre, l'archevêque les bénit et leur tendit sa main gantée, ornée de l'anneau qu'Anne et Henri baisèrent respectueusement. Un chanoine leur présenta le livre des Saints Évangiles qu'ils baisèrent à son tour. Puis, se relevant, ils entrèrent dans la cathédrale sur les pas de Guy de Châtillon.

Les chants éclatèrent. Derrière le couple royal marchait Liébert de Cambrai, qui allait recevoir la consécration épiscopale des mains de l'archevêque de Reims; puis suivaient les autres prélats et le reste du clergé. Malgré la profusion de cierges allumés, Anne eut l'impression qu'il faisait sombre dans l'édifice sacré. Rien ici ne rappelait la splendeur de Sainte-Sophie. La Vierge qui l'accueillit au-dessus de l'autel avait un air rébarbatif, bien éloigné de la fière douceur de celle de la cathédrale de Kiev; ici, peu d'or, peu d'ornements précieux, mais des fresques naïves violemment coloriées.

Agenouillés devant leur trône, Anne et Henri, les yeux fermés, se recueillaient tandis que les envoyés des rois, les princes, les évêques, les hauts dignitaires, les chevaliers qui avaient fait le voyage de Russie, les gens du peuple qui s'étaient faufilés, prenaient place dans la cathédrale en évitant de piétiner le futur évêque de Cambrai, étendu de tout son long, bras en croix, visage contre terre. Quand tous furent installés, l'archevêque entonna le *Veni Creator* devant l'assistance à genoux. Après les litanies des saints, tous se relevèrent. Liébert vit alors venir à lui l'archevêque Guy portant l'Évangile, entouré de ses parrains, les évêques Léotéric de Laon et Déodat de Soissons. Aidé par eux, l'archevêque posa le livre de la Parole divine sur les épaules de Liébert. Dans un profond silence, celui-ci se releva évêque et reçut la mitre, le bâton pastoral, l'anneau et l'Évangile. Les chants d'actions de grâces montèrent vers Dieu.

– Ma joie est grande de voir l'église de Cambrai confiée à vos soins. Par vous, dont je connais les mérites, je sais que la parole de Dieu sera toujours respectée. Qu'Il vous vienne en aide dans cette lourde tâche pour laquelle nous prierons chaque jour.

« Loué soit le Seigneur, ajouta Guy de Châtillon en s'adressant aux fidèles.

– Loué soit le Seigneur, répondit la foule.

Puis, se tournant vers Anne et Henri, l'archevêque dit son bonheur de devoir unir un si grand roi et une si grande princesse, mais rappela qu'ils étaient avant tout enfants de Dieu et devaient vivre dans la crainte de Lui déplaire.

Anne avait choisi pour témoins Gosselin de Chauny et le *possadnik* Ostromir de Tchernigov, ami de son père. Du côté d'Henri, l'honneur était échu à Baudouin de Flandre, son beau-frère, et Eble de Roucy. Ils s'avancèrent, entourant le couple royal. Gautier de Meaux reçut le consentement des époux, puis, après l'échange des anneaux, les bénit. L'archevêque de Reims, mitre en tête, tenant sa crosse de la main gauche, se tourna vers la princesse de Kiev qui s'approcha seule et se mit à genoux devant le prélat. De nobles dames ouvrirent le haut de sa robe, dégageant le haut de sa poitrine.

– Seigneur, nous vous prions de bénir votre servante, Anne, ici présente, que nous allons couronner reine. Exaucez nos prières.

L'archevêque s'assit devant Anne, abandonnant à un assistant sa crosse, et prit de la main gauche la patène d'or sur laquelle était l'huile sacrée. Avec le pouce droit, il traça le signe de la croix sur son front et sur sa poitrine en disant :

– Je vous sacre reine avec cette huile sanctifiée, au nom du Père, du Fils et du Saint-Esprit. Prions. Que Notre-Seigneur Jésus-Christ, le Fils de Dieu, qui a été sacré par Son Père d'une huile de joie, d'une manière plus excellente que tous ceux qui participent à Sa gloire, répande sur votre tête, par l'effusion de cette huile sainte, la bénédiction du Saint-Esprit, et qu'Il en pénètre votre cœur afin que, par ce don visible et sensible, vous méritiez d'avoir part aux biens invisibles. Ainsi soit-il.

Puis, prenant l'anneau royal sur la patène, il le bénit et, se penchant vers Anne, le passa au quatrième doigt de sa main droite.

– Recevez cet anneau qui est le signe de la foi et de votre dignité royale, la marque de votre puissance, afin que, par son secours, vous triomphiez de vos ennemis et demeuriez avec persévérance attachée à la foi de vos pères.

Il prit des mains de l'évêque de Meaux le sceptre, plus petit que celui du roi, et le plaça dans la main qui venait de recevoir l'anneau.

– Recevez ce sceptre, qui est la marque de la puissance royale, appelé sceptre de droiture et règle de la vertu, pour vous bien conduire afin que, par le secours de Celui dont le règne et la gloire s'étendent dans tous les siècles, vous passiez d'un royaume temporel à un royaume éternel. Ainsi soit-il.

A son tour, Roger de Châlons s'avança, prit la couronne sur l'autel et, la tenant au-dessus de la tête d'Anne, dit :

– Que Dieu vous couronne de la couronne de gloire et de justice, qu'Il vous arme de force et de courage afin qu'étant bénie par nos mains, pleine de foi et de bonnes œuvres, vous arriviez à la Couronne du règne éternel par la grâce de Celui dont le règne et l'empire s'étendent dans tous les siècles. Ainsi soit-il.

Après cette prière, il posa la couronne sur la tête de la reine :

– Recevez la couronne de votre royaume au nom du Père, du Fils et du Saint-Esprit, afin que, rejetant les prestiges de l'ancien ennemi des hommes et vous gardant de la contagion de tous les vices, vous soyez si zélée pour la justice, si accessible à la compassion et si équitable dans vos jugements, que vous méritiez de recevoir de Notre-Seigneur Jésus-Christ la couronne du Royaume éternel dans la société des saints. Tenez-vous droite et ferme dans la garde du royaume que Dieu vous confie. Que le Christ, médiateur entre Dieu et les hommes, trouve en vous une reine fidèle pour veiller sur Son peuple. Prions : Dieu de l'éternité, source de toute vertu, vainqueur de tous nos ennemis, bénissez votre servante qui baisse ici la tête devant Votre majesté. Conservez-la dans une santé toujours florissante, et perpétuez sa félicité. Que Votre servante, Seigneur Tout-Puissant, obtienne de Vous la grâce de la fécondité, à l'exemple de Sara, de Rébecca, de Léa et de Rachel, et de toutes les autres saintes femmes qui Vous ont servi fidèlement pour l'honneur du royaume et la stabilité de l'Église de Dieu. Soyez son aide et sa protection dans toutes les occasions, ainsi que de tous ceux en faveur de qui elle implorera Votre secours. Faites-lui part des richesses de Votre gloire; comblez ses bons désirs; couronnez-la de Votre miséricorde et de Votre bonté, et faites qu'elle Vous serve toujours avec piété; par Jésus-Christ Notre-Seigneur, ainsi soit-il.

La nouvelle souveraine remit les offrandes rituelles : un pain, un tonnelet de vin, une colombe, treize pièces d'or et des dons pour les pauvres, portés par quatre chevaliers sur des tavaïoles[1] de satin rouge à franges d'or.

Le roi et la reine reprirent leur place pour assister à la grand-messe célébrée par l'archevêque, tandis que le chapelain du roi disait une messe basse dans une chapelle latérale. Anne communia avec ferveur sous les deux espèces, demandant à la Vierge Marie

1. Linges fins garnis de dentelles servant pour les baptêmes et la distribution du pain bénit.

de lui donner la force de supporter le poids de cette couronne. Près d'elle, Henri semblait accablé.

Après l'office, le roi et la reine quittèrent leur trône et se dirigèrent en grand cortège vers les appartements royaux de l'archevêché, précédés du prévôt et de ses gardes, des musiciens, des hérauts d'armes, du maître des cérémonies et des quatre chevaliers qui avaient porté les offrandes; suivaient la garde et ses officiers. Fasciné par une telle procession, le peuple ne ménagea ni ses cris ni ses acclamations.

CHAPITRE DIXIÈME

Festin royal

ARRIVÉ dans la chambre, Henri s'inclina et laissa Anne aux mains de ses femmes. Elle poussa un soupir de soulagement quand on lui eut retiré le lourd manteau et elle se laissa déshabiller sans mot dire, songeuse. Toutes respectèrent son silence, cependant qu'Hélène passait sur le corps de la reine un linge fin, humide et parfumé. Une nouvelle fois, elle refusa de porter une des robes offertes par Henri, préférant celles de son père. Elle en choisit une assortie à la teinte de ses yeux, à l'encolure et aux manches soulignées de larges rubans tissés d'or, ainsi qu'un court manteau blanc peint de scènes champêtres. Ses pieds étaient chaussés de bottes de cuir doré, son front surmonté d'une haute couronne incrustée d'émeraudes, à laquelle étaient attachés des rangs de perles et de pierreries. Ses femmes françaises s'exclamèrent devant la magnificence de ces parures venues d'un pays que beaucoup considéraient comme sauvage, opinion qui n'eût pas manqué de faire sourire la petite-fille du grand Vladimir si elle avait pu lire dans leurs pensées.

Le grand-maître des cérémonies vint la chercher pour la conduire à la grande salle du Tau de l'archevêché. Là devait avoir lieu le festin.

A son entrée, tous firent silence, admirant la beauté de cette jeune reine qui leur venait de si loin et qui s'avançait seule, tête droite, au milieu d'une cour dont elle ne connaissait pas les usages.

Anne fut menée à une table où se trouvaient déjà la sœur du roi, la princesse Adèle, femme du comte de Flandre, et sa fille Mathilde, fiancée à Guillaume, duc de Normandie – que ses ennemis appelaient « le Bâtard » –, la comtesse de Crépy, la jolie comtesse d'Anjou, la comtesse de Chartres et la comtesse de Meulan, vêtues de robes aux teintes vives rebrodées d'or. Toutes portaient un voile retenu par une couronne ou un bandeau d'or. Anne s'assit sur un siège au dossier finement sculpté. Les comtes étaient entre eux, de même que les évêques et les gens de la Maison du roi. A la cinquième table, celle du roi, s'installèrent l'archevêque de Reims, le représentant du roi de Suède, le *jarl* de Vastergötland, Ragnwald qui, en dehors des présents de son maître, avait remis à Anne un collier de jaspe de la part de sa sœur Élisabeth, et à Henri, de la part du roi Harald, une épée de Namsos, l'envoyé du roi de Hongrie, André, le Ban de Temesvar-Koppany, Hugues, l'abbé de Cluny au nom du roi de Pologne, mais aussi de l'empereur d'Allemagne, le comte de Sussex pour le roi d'Angleterre Édouard, les princes-évêques Arnold de Rodez et Eberherard de Trèves, le *possadnik* Ostromir et le prince de Pskov, Soudislav.

A l'annonce des hérauts, le roi de France entra. L'archevêque bénit l'assemblée. Sur un geste du souverain, le festin commença après que tous eurent lavé leurs mains dans des bassins d'eau tiède présentés par des serviteurs.

Dans une lente procession furent d'abord présentés les plats de venaison : faisans dont les longues plumes tremblaient au passage, chevreuils rôtis semblant prêts à bondir tant l'art des cuisiniers avait su leur donner comme une sorte de vie, daims couchés sur des lits de sauce épicée, sangliers au col orné de fleurs de sucre qui suscitèrent les cris d'admiration des convives. L'écuyer tranchant découpa la pièce principale devant son souverain. A genoux, les serviteurs présentèrent les mets découpés au roi qui posa un morceau de chevreuil sur un tranchoir[1] qu'il tendit à la reine.

Ensuite vinrent les volailles semblant prêtes à prendre l'envol : oies aux ailes déployées, chapons rebondis, poulardes truffées, pigeons en broches. Puis les poissons : nœuds d'anguilles, lamproies dans un bouillon brun, brochets gueule ouverte, saumons paraissant sortir de l'onde. Et enfin les desserts : tartes multiples, beignets, crèmes tremblotantes, fruits confits venus d'Orient, le tout accompagné d'un vin blanc aromatisé au miel qui montait à la tête.

Un joyeux désordre régnait : barons, évêques, chevaliers, interpellaient les serviteurs, réclamant tel ou tel mets; ceux-ci couraient en tous sens pour satisfaire les demandes.

Anne mangea avec un appétit qui fut remarqué et commenté avec de gros rires.

A l'issue du festin, l'archevêque de Reims se leva, dit les grâces et se retira avec les évêques et sa suite, laissant la place aux jongleurs et aux baladins. Malgré la gentillesse de Mathilde de Flandre qui l'assaillait de questions qu'elle comprenait mal, auxquelles elle répondait par un sourire, malgré les mimiques comiques de la comtesse d'Anjou, Anne s'ennuyait et étouffait derrière sa main des bâillements de plus en plus fréquents. Elle ne pouvait s'empêcher de jeter des regards d'envie à la table du roi où, depuis le départ du clergé, régnait la plus franche gaieté. Henri avait l'air de s'amuser follement des grimaces de trois jeunes écuyers qui l'avaient rejoint dès la sortie des évêques. Anne avait

1. Tranche de pain cuite sans levain de quatre doigts d'épaisseur, servant d'assiette pour les mets solides.

cru remarquer un geste d'impatience et de mauvaise humeur de la part de Gautier de Meaux et de Roger de Châlons. Il lui sembla que les regards des convives se posaient sur elle avec plus de curiosité qu'au début du festin, puis se portaient sur le roi avant de revenir vers elle.

L'attention se trouva détournée par l'arrivée d'un musicien, accueilli par un murmure flatteur et des applaudissements dont le roi lui-même donna le signal en se levant. Le visage du nouveau venu était d'une beauté angélique. Les boucles de ses cheveux d'un blond de miel tombaient avec mollesse sur ses épaules, encadrant sa face imberbe aux lèvres enfantines et boudeuses. Sans doute avait-il quinze ans à peine. Il portait avec grâce sa harpe dorée à tête de bélier autour du cou, la retenant d'une main si fine qu'on eût dit celle d'une fillette. Sa tunique, très courte, fendue devant et derrière, au bas de laquelle se balançaient de menues pendeloques d'or, laissait à découvert des jambes moulées par des chausses de soie d'un rose soutenu. Ses pieds, petits, étaient chaussés de souliers de cuir de Cordoue, d'un vert rappelant celui de la tunique.

– Il porte vos couleurs, fit remarquer Adélaïde de Crépy à la reine Anne.

Des serviteurs avancèrent un tabouret sur lequel s'assit l'adolescent. D'un mouvement gracieux, il détacha son instrument et leva délicatement son plectre d'ivoire. Le roi s'appuya contre le dossier de son siège et ferma les yeux.

Dans un silence complet, le jeune garçon joua un air comme Anne n'en avait jamais entendu. C'était une musique légère, aigrelette, qui la fit penser au vent dans les jeunes feuilles des bouleaux, à Novgorod au printemps. Dans la salle aux épaisses tentures où flottaient les relents des sauces épicées et des vins, ce fut comme une bouffée de fraîcheur.

Le garçon chanta d'une voix d'ondine, à la fois

fluette et insinuante. Anne ne comprenait pas les paroles, mais aux mines des dames, elle comprit qu'il s'agissait d'une chanson d'amour. Plus tard, ce fut un air viril qui fit se redresser tous les hommes, briller leurs yeux, se serrer leurs poings. Il termina sous un tonnerre d'applaudissements et de cris enthousiastes. Il s'inclina devant Anne, puis devant le roi qui lui fit signe de venir à lui. Le souverain se leva et étreignit le garçon qui rougit comme une fille. La comtesse de Crépy et la comtesse d'Anjou se chuchotèrent quelque chose à l'oreille en s'esclaffant. Mathilde baissait la tête, lançant à la dérobée des regards vers Anne. D'autres musiciens entrèrent, le jeune homme s'assit derrière Henri dont le contentement éclatait.

Devinant la curiosité de la reine, la jolie comtesse d'Anjou se pencha vers elle :

— On l'appelle Olivier d'Arles, car il vient du pays de la reine Constance, la mère de notre roi, qui le considère comme un fils.

— Pourquoi cela vous fait-il rire? demanda-t-elle.

— Cessez vos stupides commérages! s'écria la princesse Adèle. Vous oubliez que mon frère est le roi!

— Il est roi tant que nous le voulons bien, répliqua la comtesse de Crépy. N'oubliez pas que les terres de mon époux sont plus vastes que celles du royaume.

— Je le sais, soupira la comtesse; il n'est pas de jour que vous et les vôtres ne nous le rappeliez. Sachez cependant qu'il est l'oint du Seigneur, et votre souverain à tous.

— Beau souverain qui préfère la compagnie des garçons à celle des dames!

— Taisez-vous! Oubliez-vous que vous parlez devant la reine?

— Elle ne comprend pas, dit la comtesse de Crépy en haussant les épaules.

Mathilde prit la main d'Anne en souriant. C'était une petite personne brune, plutôt fluette, qui avait de beaux yeux et un doux sourire. Son geste amical lui fit du bien. A son tour, Anne lui sourit, tandis que le roi s'avançait vers leur table. Son visage avait retrouvé l'expression maussade qu'il arborait depuis leur rencontre. Ne lui plaisait-elle donc pas? Ne la trouvait-il pas belle, digne de donner un héritier au royaume de France? Habituée dès l'enfance à être adulée par son père et ses frères, courtisée par leurs amis – le mari de sa sœur Élisabeth, le valeureux roi norvégien Harald, grand aventurier et coureur de filles, ne l'avait-il pas surnommée Mora, l'enchanteresse, mot rapporté de ses courses à travers le monde? –, elle aimait les hommages rendus à sa beauté. N'avait-elle pas remarqué, avec un trouble dont elle avait immédiatement demandé pardon à Dieu, les regards audacieux que lui lançait le noir comte de Crépy, l'époux de cette comtesse qui courrouçait si fort la sœur du roi? Le grognon Gosselin de Chauny n'était-il pas devenu le plus amoureux compagnon de voyage, et les évêques Roger et Gautier eux-mêmes n'avaient-ils pas succombé à son charme?

– Madame, nous devons nous retirer.

Anne prit la main tendue avec un léger sourire.

CHAPITRE ONZIÈME

Reine

Un grand feu brûlait dans la chambre de l'appartement de l'archevêché. Baignée, parfumée, coiffée par ses femmes, Anne prenait une légère collation en compagnie d'Hélène et d'Irène. Avec humeur, elle avait renvoyé ses dames d'honneur, souhaitant, pour ses derniers instants de pucelle, rester seule avec ses compatriotes.

Dès l'instant où Hélène avait vu le roi Henri, elle avait éprouvé une profonde aversion pour ses gestes efféminés, sa voix pointue, la tendresse qu'il témoignait aux valets et aux écuyers. Mais c'est surtout le peu d'intérêt qu'il manifestait pour Anne, son enfant chérie, qui la mettait hors d'elle. Elle devait se contenir pour ne pas laisser paraître ses pensées et se sentait au supplice de devoir faire l'éloge de cet homme, fût-il roi.

Anne n'était point dupe, elle connaissait trop bien sa nourrice, mais elle faisait semblant de croire à ses propos louangeurs. Cependant, quand, en termes crus, Hélène commença à lui exposer le déroulement de la nuit de noces, Anne l'arrêta, agacée :

– Ne te donne pas tant de peine, ma mie, je sais ce qui va se passer. J'ai vu mes frères culbuter des servantes et planter leur membre dans leur ventre. J'ai vu et entendu le plaisir qu'ils y prenaient. J'ai attendu ce moment avec impatience. Si je n'avais pas été fille du Grand Prince de Kiev et si je n'avais craint Dieu, il y a longtemps que j'aurais perdu mon pucelage!

— Par Dieu, tu n'en as rien fait!

Hélène la considérait avec soulagement, hochant la tête tandis qu'Irène riait, écarlate.

— Cela était bien dur, parfois, soupira l'amie du boïar Philippe.

— Oui, cela est bien dur, soupira encore plus fort la nourrice, qui était veuve depuis longtemps.

— Oh oui! soupira également Irène.

Ces soupirs enamourés les firent toutes trois éclater de rires si bruyants qu'elles n'entendirent pas qu'on heurtait à la porte de la chambre.

Le maître de cérémonie dut s'y reprendre à plusieurs reprises avant que ne leur parvînt le bruit de sa canne frappant le sol. Enfin elles se retournèrent. Le roi était là, ainsi que l'archevêque, les évêques et les comtes de la Francia. Les trois femmes rougirent de confusion. Hélène et Irène s'abîmèrent dans une interminable révérence, tandis qu'Anne considérait cette troupe d'un air interrogateur. Son regard accrocha celui du comte de Valois dont la haute taille dominait les autres. Il la détaillait avec une impudeur telle qu'Anne se sentit dénudée et croisa instinctivement ses bras devant elle. L'archevêque de Reims se méprit sur son geste et eut du mal à réprimer un léger sourire. Il s'avança vers la reine.

— Nous venons, reine, procéder à la bénédiction de la couche nuptiale, afin que Dieu vous accorde, dans Sa Miséricorde, la joie de concevoir.

Anne recula, elle n'était vêtue que d'une longue chemise de toile fine, presque transparente, resserrée aux hanches par une large ceinture dorée incrustée de pierreries de couleur. Les nattes de ses longs cheveux roux ondulaient le long de sa robe comme deux serpents d'or. Comme elle était belle, cette reine venue du froid pays des steppes! Le roi s'avança et prit sa main. Ils s'agenouillèrent devant le prélat, face au lit recouvert de draps fins. Guy de Châtillon pria :

– Seigneur, prenez en pitié cet homme et cette femme que nous avons unis par les liens du mariage, qu'ils deviennent une seule chair et qu'en s'aimant, ils perpétuent la race de Vos serviteurs. Amen.

D'un geste paternel, il les bénit et bénit la couche qui allait recevoir leurs corps, pour que se répète ce pour quoi Dieu les avait créés : se multiplier pour Sa plus grande gloire.

Après quoi le clergé, les comtes, Hélène et sa fille se retirèrent.

Anne et Henri restèrent seuls.

Le cœur de la jeune fille se mit à battre plus vite. Ainsi donc était venu l'instant si attendu et redouté où un homme allait faire d'elle une femme! Toutes sortes de souvenirs se pressaient en désordre dans sa tête : filles poursuivies par des garçons dans les bois de Novgorod ou les forêts de Kiev, récits entendus en cachette, orgies de ses frères ou des boïars de la *droujina* paternelle, contes graveleux des nourrices, soupirs des femmes forcées, grognements des hommes besognant des corps gras et blancs, tétons mordus, cuisses ouvertes, membres dressés, larges poitrines couvertes de cicatrices, cheveux emmêlés, tresses défaites...

Anne jeta un regard au roi qui buvait à grands traits de l'hydromel dans un gobelet d'or. Il n'avait pas ce visage d'affamé qu'elle avait remarqué aux autres hommes que tourmentait la rage d'amour : son air était plutôt sombre et ennuyé. Après avoir vidé un autre gobelet, il la regarda enfin. C'est vrai qu'elle était belle; les comtes et les évêques ne lui avaient-ils pas fait compliment de son choix judicieux, et Raoul de Crépy n'avait-il pas eu l'audace de déclarer que, si elle ne plaisait pas au roi, il prendrait volontiers sa place! Cette réflexion grivoise avait fait se tordre de rire les comtes, et sourire les évêques. Pourtant, s'il n'avait tenu qu'à lui, il eût volontiers laissé le galant Raoul dépuceler la reine. Mais il y avait la lignée à assurer; de cela, le roi Henri, qui n'éprouvait pour le sexe féminin que dégoût, avait une haute conscience. Pour la continuité du royaume de France légué par ses aïeux, il devait entrer dans le lit de cette femme et lui faire un fils, faute de quoi les comtes, son frère Eudes, le Bâtard de Normandie, l'empereur d'Allemagne se le disputeraient à nouveau pour le plus grand dommage de ses sujets qui, depuis tant d'années, souffraient de ces guerres incessantes, passant d'un maître à l'autre, d'une misère à une autre, sans jamais connaître de répit que dans la mort.

Henri s'avança enfin et lui prit les mains.

– Venez, ma reine.

Il défit la ceinture dorée, puis le lien retenant la longue chemise qui tomba mollement à terre. Anne ne chercha pas à cacher son corps dénudé et se laissa conduire jusqu'au lit où elle s'allongea. Le roi contempla la longue nudité, ému malgré lui par le triangle d'or sombre au bas du ventre de la reine, et il s'étonna de sentir son sexe se dresser devant celui d'une pucelle. Il détacha son manteau pourpre et ôta sa chemise. Nu comme au jour de sa naissance, il s'étendit sur ce corps abandonné qu'il pénétra d'un coup. La déchirure brutale fit jeter un cri à Anne qui tenta de le repousser. Mais le roi, la pressant de tout son poids, s'enfonça profondément en elle, la besognant avec une vigueur dont il fut lui-même surpris, jusqu'au moment où, poussant de petits cris de plaisir, il laissa sa semence se répandre tandis qu'Anne, la tête enfouie dans ses cheveux, étouffait des gémissements de douleur.

Satisfait d'avoir si bien rempli ses devoirs vis-à-vis de sa race, le roi se releva et eut un rire de contentement en voyant les cuisses d'Anne maculées de sang.

– Nous avons accompli là, ma mie, une bonne besogne, et, avec la grâce de Dieu, donné un héritier à notre couronne.

Anne ne comprenait pas ce qu'il disait et s'en moquait; elle avait mal et ne souhaitait qu'une chose : qu'il s'en aille. Mais Henri ne l'entendait pas ainsi; sans doute pour mieux assurer sa descendance, par trois fois il honora sa dame. Quand il raconterait l'exploit au gentil Olivier et à ses mignons écuyers, ceux-ci seraient sûrement tout aussi étonnés que lui.

Le lendemain matin, la reine fut réveillée en sursaut par des éclats de voix et des rires. Henri, appuyé sur les coussins du lit, entouré de ses favoris habituels, buvait d'un air goguenard du vin parfumé aux épices. Voyant qu'elle avait ouvert les yeux, il lui tendit le hanap.

– Buvez, ma mie, cela vous remettra des joutes de cette nuit!

Gênée par les regards des compagnons de son époux, elle plongea son visage dans le vase et but une gorgée du liquide parfumé. C'était chaud, très fort. Immédiatement, elle se sentit mieux, des couleurs lui revinrent aux joues. Le roi se leva, enfila la chemise que lui tendait un valet auquel il pinça le nez. Sans plus un regard pour la reine, il sortit en tenant par la taille deux de ses écuyers.

Seule, Anne se laissa retomber sur les oreillers. Le silence de la pièce lui était agréable. Mais son bien-être fut de courte durée : ses dames d'honneur entrèrent, suivies d'Hélène et de quatre servantes portant un baquet d'eau parfumée et fumante.

– Avez-vous bien dormi? dit en minaudant la première dame d'honneur, Hildegarde de Roucy.

– Reine, avez-vous passé une agréable nuit? susurra en pouffant la deuxième, Isabelle de Boutigny.

– Raconte, combien de fois le roi t'a-t-il honorée? chuchota l'indiscrète Irène, forte du lait maternel partagé.

– Voulez-vous vous taire! Ne voyez-vous pas que la reine est fatiguée et désire le repos?

Tout en parlant, Hélène avait glissé une main sous les draps. Anne avait sursauté au contact des doigts froids fouillant entre ses cuisses, mais elle n'avait pas protesté; elle savait que son oncle Soudislav attendait le résultat de cette investigation avant de repartir pour la Russie annoncer au Grand Prince de Kiev que sa fille avait satisfait à l'honneur et était bien désormais femme et reine de France.

Hélène montra à une grosse femme ses doigts poisseux et ensanglantés. La vieille inclina la tête et s'approcha du lit. D'un geste brusque, elle arracha les couvertures. Le ravissant corps blanc apparut, si maculé de sang qu'on eût pu le croire grièvement blessé. La sage-femme écarta les jambes, palpa longuement le sexe douloureux en hochant la tête de satisfaction.

– Notre roi a fait du beau travail, dit-elle en s'essuyant les mains sur le linge blanc, tandis qu'une larme glissait le long de son cou gras. J'ai mis au monde les quatre fils de ma reine Constance, je n'espérais plus en la vaillance de notre roi Henri; mais maintenant, avec la grâce de Notre-Seigneur et de la bienheureuse Vierge Marie, je suis sûre que notre nouvelle reine nous donnera des fils. Soyez bénie, ma reine.

La vieille sortit, courbée en deux, tenant pardevant elle, comme un trophée, le drap maculé, emblème de la virginité perdue de la reine.

La fierté éclatait dans les yeux d'Hélène tandis qu'elle contemplait « son enfant ». Allons, ce roi aux manières de fille s'était bien comporté! Il avait mis à mal comme il convient le pucelage de la princesse dont l'air dolent laissait deviner qu'il s'était montré vaillant. Elle écarta les dames d'honneur et aida Anne à se lever et à entrer dans le baquet. La tiédeur de l'eau lui procura un tel bien-être qu'elle faillit éclater en sanglots.

– Pleure, ma colombe; les larmes, qu'elles soient de joie ou de peine, apaisent ceux qui les laissent couler.

– Tais-toi! Je n'ai aucune envie de pleurer, ni de joie ni de peine. Je suis seulement lasse. Envoie Irène chercher l'interprète. Je voudrais savoir ce que je dois faire aujourd'hui.

Anne sortait du bain au moment où Irène revint, suivie de l'interprète qu'une bourrade vint jeter au milieu de la chambre.

– Par la barbe du Christ, cette guenon de Brigitte est au-dessous de la réalité! Vous êtes beaucoup plus belle que dans son récit. Le roi a bien de la chance! Ainsi, vous avez réussi là où tant d'autres ont échoué... Bravo, dame, vous devez être un peu sorcière!

Immobile, couverte seulement de ses cheveux, Anne regarda avec stupeur, puis colère, celui qui venait de forcer la porte de la chambre nuptiale et lui tenir des propos qu'elle ne comprenait pas, mais qu'elle savait d'instinct ne pas devoir entendre.

Hildegarde de Roucy et Isabelle de Boutigny s'agrippèrent aux bras de Raoul de Crépy et tentèrent de le faire sortir.

– Holà, mes belles, lâchez-moi! Je suis ici sans mauvaises intentions. Il est de mon devoir de m'assurer que le roi a fait le sien.

– Seigneur, ne restez pas ici; par votre faute, nous allons être punies!

– Ne craignez rien, gentes dames, je me retire.

Reine, si je vous ai déplu, je vous en demande pardon à genoux.

Joignant le geste à la parole, le comte de Crépy s'agenouilla devant Anne.

– Si mes frères étaient là, vous ne sortiriez pas vivant de cette pièce! Je suis loin de mon pays et ne connais pas vos coutumes, mais je les apprendrai et si vous m'avez fait injure, par mon ancêtre le grand Vladimir, je jure de me venger!

– Que dit-elle? demanda le comte à l'interprète en le secouant.

D'une voix tremblante, l'homme traduisit. Le comte éclata de rire :

– Voilà comme j'aime les femelles : belles et ombrageuses. Dis à la reine qu'elle n'a pas de plus dévoué et de plus fidèle serviteur que Raoul de Crépy, et qu'il ne tient qu'à elle que je sois son chevalier servant.

Anne écouta attentivement le traducteur, sans cesser de regarder le comte toujours à ses pieds. Il n'était pas beau, mais son regard difficilement soutenable lançait des lueurs bleues tirant sur l'acier; de toute sa personne émanait une impression de force brutale qui lui rappelait celle des plus cruels compagnons de ses frères. Elle leur montrerait, à ces seigneurs de France, de quoi était capable une princesse de Kiev, et qu'elle n'était pas fille à rester confinée dans la chambre des dames en compagnie de ses femmes, à écouter des contes de nourrice!

– Dis à ce haut seigneur qu'il m'a offensée et que je réserve mon pardon; dis-lui également que le roi est mon époux et que je ne puis avoir d'autre chevalier servant que lui. Maintenant, qu'il se retire.

Après avoir écouté le traducteur, le comte se leva, s'inclina profondément et sortit avec un sourire narquois.

— Je punirai l'insolence de cet homme, dit Anne avec un calme surprenant.

— Reine, vous devez vous vêtir, il y a grand-messe en la cathédrale avant votre départ pour Senlis.

— Que dit-elle? demanda Hélène à l'interprète.

— La comtesse de Roucy dit que la reine doit se rendre à la cathédrale.

Songeuse, Anne laissa ses dames d'honneur la revêtir d'une robe de lourd velours pourpre, relevée sur une jupe brodée de fleurs, puis ajuster sur ses cheveux nattés de perles un voile retenu par une couronne d'or, et fixer à son épaule un manteau d'un bleu très pâle, souligné de galons pourpres et dorés.

L'évêque Roger vint la chercher en compagnie de Gosselin de Chauny. La vue de ces deux hommes qu'elle aimait et respectait lui fit plaisir. Elle baisa l'anneau épiscopal et sourit à Gosselin qui s'inclina respectueusement. Une troupe chamarrée de dames et de seigneurs lui fit escorte. Elle remarqua que le comte de Crépy ne figurait pas parmi eux.

L'archevêque de Reims l'attendait au pied de l'autel. Elle s'agenouilla pour recevoir sa bénédiction. Peu après, le roi la rejoignit. La messe commença.

Anne surprit les regards du roi posés sur elle, exprimant un mélange d'orgueil mâle et d'étonnement. Un sentiment de gêne la submergea, lui faisant rougir le front et baisser les yeux. Quand elle les releva, ils croisèrent ceux du comte qui se tenait face à l'assistance, près de l'autel. Ce qu'elle y lut lui sembla si obscène qu'un mouvement de fureur la jeta en avant. Henri la retint par la manche.

— Qu'avez-vous, ma mie, vous êtes souffrante?

— Ce n'est rien.

Cette courte scène n'avait pas échappé au comte et à la comtesse de Flandre. Comme tous ici, ils

90

redoutaient le puissant seigneur qu'était Raoul de Crépy, comte de Péronne, de Valois et autres lieux, toujours prompt à soutenir des révoltes contre le petit-fils de Hugues Capet. Ils se souvenaient de cette longue guerre entre Henri et le comte de Blois appuyé par Eudes, frère du roi, jaloux de n'avoir reçu aucune terre d'importance; une guerre qui avait apporté ruine et désolation au pays tout entier, et qui, loin de se terminer à la mort du comte en 1037, avait repris de plus belle avec ses fils, Étienne et Thibaut, auxquels le comte de Valois était venu prêter main-forte. Fait prisonnier, celui-ci n'avait recouvré la liberté qu'après paiement d'une forte rançon. Depuis, Henri et Raoul avaient fait alliance, n'hésitant pas à guerroyer ensemble pour le compte de l'un ou de l'autre. Baudouin de Flandre s'arrangeait de cet état de choses et en tirait parti à l'occasion, mais la sœur du roi, Adèle de Flandre, éprouvait pour ce « maudit », comme elle l'appelait, une haine tenace que ne suffisaient pas à expliquer les mésententes passées.

Très attachée à son frère, Adèle avait souffert de l'attitude de leur mère qui avait vainement tenté d'évincer Henri du trône, n'hésitant pas à l'accuser du péché de sodomie. Dans ses affrontements quotidiens, son père, le roi Robert y avait usé ses dernières forces, mais avait tenu bon : Henri serait roi.

Pour ce frère, elle avait accepté comme époux le comte de Flandre, qui devint dès lors un allié. Toujours pour assurer la paix du royaume, elle s'apprêtait à donner sa fille Mathilde au bâtard de Robert le Magnifique, le duc Guillaume de Normandie. Elle ne voulait plus revoir les souffrances engendrées par la guerre; les famines et épidémies suffisaient fort bien à tuer les pauvres gens. Forte femme, sa faiblesse à elle s'appelait Henri. Pour ce grand frère aimé, la comtesse, plutôt bonne et compatissante, pouvait se transformer en justicier, voire en assassin. En quittant la chambre nuptiale, le roi s'était précipité chez elle pour lui faire le récit détaillé de sa nuit. Adèle l'avait chaudement félicité. Si au moins cette princesse lointaine pouvait leur donner un fils et éloigner de son frère les trop jolis écuyers! La réussite de cette première nuit avait fait d'Adèle une alliée et une amie d'Anne. La comtesse de Flandre résolut de prendre la jeune femme sous sa protection. Pour l'instant, il fallait éloigner le comte de Valois : Baudouin, son époux, trouverait bien un prétexte.

L'office prit fin après une ultime bénédiction et le couple royal quitta la cathédrale sous les acclamations des Rémois. A l'archevêché, Anne fit ses adieux à son oncle, le prince Soudislav, au *possadnik* Ostromir, aux boïars, à l'envoyé du roi de Suède, à celui du roi de Hongrie. Le cœur serré, elle les chargea de présents pour ses parents, et d'une lettre à Vsevolod dans laquelle elle lui demandait des nouvelles de Philippe. Puis elle regarda partir les derniers représentants de la terre russe. Seules restaient auprès d'elle Hélène et Irène.

Revêtue de vêtements moins lourds, Anne refusa de monter dans sa litière, préférant chevaucher aux côtés du roi.

Le long cortège s'ébranla sous les yeux éblouis du peuple venu admirer sa nouvelle reine. Séduit par sa jeunesse et sa beauté, il lui fit une escorte triomphale, stimulé dans son enthousiasme, il est vrai, par des distributions de vivres et d'aumônes.

Le voyage jusqu'à Senlis dura dix jours.

CHAPITRE DOUZIÈME

Senlis

C'EST avec soulagement qu'Anne s'installa à Senlis dans le château où le grand-père de son époux avait été proclamé roi. Elle était lasse de ces festins, de ces fêtes que l'on se sentait obligé de lui offrir à chaque halte dans chacun des châteaux où ils avaient fait étape. Elle qui n'aimait rien tant que rire, chanter, danser ou chasser, éprouvait parmi ces Français moqueurs et querelleurs un ennui qui n'avait pas échappé à Gosselin de Chauny. Celui-ci ne savait que faire pour la distraire. La veille de son arrivée à Senlis, elle avait disparu durant de longues heures. Comtes, barons, écuyers, gens d'armes et autres, tous s'étaient mis à sa recherche. On l'avait retrouvée assise sous un arbre, chantant avec Olivier d'Arles. Entrant dans une vive colère, le roi avait fait une scène à l'adolescent et à sa femme. A ses reproches, la reine avait opposé un front serein et un air trop candide qui, de l'avis de Gosselin et d'Hélène, n'augurait rien de bon.

Henri avait boudé jusqu'à Senlis et, pour la première fois depuis leur mariage, délaissé la couche de la reine. Cette bouderie dura encore une semaine, le temps pour Anne de s'habituer à ce nouveau décor qu'elle trouvait triste et sévère. Elle aima cependant la petite ville pimpante et gaie, son marché débordant de victuailles, sa jolie rivière, ses églises et, surtout, les grandes parties de chasse dans la forêt avoisinante.

Hélène, Irène, ses dames d'honneur, la gentille Isabelle, la coquette Hildegarde, l'affectueuse Mathilde s'ingéniaient à l'amuser, sans autre récompense qu'un sourire contraint. Les seuls moments où elle redevenait la jeune fille insouciante de Novgorod étaient ceux où, en compagnie de Gosselin de Chauny, elle allait traquer le gibier dans la sombre forêt du domaine royal.

En un rien de temps, la reine devint la coqueluche des chevaliers et des écuyers pour son habileté à lancer le faucon ou à courre le cerf. Tous vantaient son courage et son adresse. C'était à qui croiserait les mains pour lui servir de marchepied, lui tiendrait son cheval, lui tendrait le hanap afin qu'elle se désaltérât. Chaque jour, durant plusieurs heures, elle s'épuisait en chevauchées, laissant loin derrière elle ses dames qui, bien qu'excellentes cavalières, ne parvenaient pas à la suivre. Anne se retrouvait donc seule, entourée d'hommes dont la plupart étaient des brutes vivant de pillages, de viols et de meurtres. Cependant, tous auraient donné leur vie pour un regard d'elle, et tué celui qui aurait osé lui manquer de respect. Elle se sentait en sécurité au milieu d'eux et se plaisait en leur compagnie plus qu'en celle du roi, des comtes, évêques et femmes nobles qui demeuraient à la cour de Senlis.

Jaloux de sa popularité, Henri partait chasser de son côté et voyait avec un déplaisir grandissant ses chevaliers préférer les chasses de la reine aux siennes.

Quant à la comtesse et aux évêques, ils regardaient ces chevauchées d'un très mauvais œil. La place de l'épouse du roi n'était pas dans la forêt, mais dans ses châteaux, à surveiller le bon fonctionnement de sa maison, ou bien à visiter les pauvres, assister aux offices religieux, écouter de pieux sermons, jouer de la musique pour se distraire un peu, broder ou filer en compagnie de Mathilde et des dames, et, surtout, plaire à son époux.

Dans le courant de juin, la cour se transporta à Meulan. Anne avait souhaité la présence de Mathilde de Flandre dont la douceur silencieuse la reposait du bavardage des autres dames de son entourage.

Un jour que les deux jeunes femmes se baignaient dans la Seine en compagnie de leurs compagnes, elles furent dérangées par de violents éclats de voix venant de derrière le rideau de saules qui les abritait des regards. Avec des rires et des piaillements d'effroi, la petite troupe féminine sortit de l'eau, nobles dames et servantes mêlées. Anne et Mathilde, qui s'amusaient à se poursuivre, n'avaient rien remarqué et se retrouvèrent seules au moment où un cavalier s'avançait dans le fleuve. La reine fronça les sourcils de colère, tandis que Mathilde cachait sa poitrine menue de ses mains. L'homme sauta dans l'eau et l'empoigna violemment par un bras.

– On me dit, demoiselle, que vous me refusez comme époux pour cause de bâtardise? Savez-vous que de plus nobles dames que vous me pressent de les épouser?

– Seigneur, lâchez-moi, vous me déshonorez... Je suis nue.

– Je le vois bien, même que je vous trouve un peu maigrelette!

Mathilde rougit et sa colère lui donna la force de se dégager de là poigne brutale.

– Monseigneur, Monseigneur, retirez-vous, vous outragez la reine et ma fille!

– Dame Adèle, m'avez-vous, oui ou non, promis, ainsi que le comte votre époux, votre fille?

– Vous le savez bien.

– Alors, quelle importance que je la voie nue maintenant plutôt que la nuit de nos noces?

– Seigneur Guillaume, vous êtes... vous êtes...

– ... un bâtard, je le sais, on me l'a assez dit, et je ne supporterai pas...

Les mots restèrent coincés dans la gorge du duc de Normandie. Ses yeux venaient de tomber sur la compagne de Mathilde. Il ferma les paupières et secoua la tête comme pour échapper à un rêve. Non... impossible! Une ressemblance, peut-être, mais ces cheveux roux, ce regard dédaigneux et sauvage?... La Mora!

– Mora!

Anne toisait ce chevalier qui la dévisageait. C'était donc là le fiancé dont lui avait parlé Mathilde, cette brute qui n'hésitait pas à troubler leur intimité et se permettait de fixer sa nudité? Il retira son heaume et s'avança dans l'eau avec maladresse.

– Mora!

Que disait-il? De quel droit l'appelait-il ainsi? elle ne l'avait jamais vu, et cependant... Ce visage grossier, rouge de chaleur et de colère, lui rappelait quelqu'un. Ah oui! le chasseur tombé de cheval et qu'elle avait naguère soigné... Elle aurait mieux fait de le laisser se vider de son sang! Par quelle étrange circonstance se trouvait-il ici, dans l'eau jusqu'à la taille, empêtré dans ses vêtements, tandis que, sur la plage, une foule de dames à demi vêtues, de servantes chenues, d'écuyers et de valets attendaient, en étouffant leurs rires, l'issue de ce face à face scandaleux? Mathilde, couverte du manteau de sa mère, n'était pas la moins curieuse. Pauvre Guillaume, quelle posture ridicule! Son amie la reine devait penser de même car, toujours vêtue de ses seuls cheveux mouillés, elle venait d'éclater de rire. Soudain, Anne disparut sous l'eau. Le duc tourna sur lui-même, essayant de deviner où elle était passée, quand, tout à coup, il bascula en arrière dans un grand éclaboussement. Après un instant de stupeur, la foule éclata de rire en le voyant remonter à la surface, toussant et crachant, tandis que la reine ressortait en tordant ses cheveux. Les rires s'arrêtèrent. Tous contemplaient la jeune femme qui ne cherchait pas à dissimuler sa nudité. Hélène l'enveloppa d'un long drap et l'entraîna vers sa tente.

Tandis qu'elle s'éloignait, sur la plage où le duc venait de prendre pied, les rires avaient repris, bientôt accompagnés par ceux de Guillaume dont le bruyant éclat surpassait tous les autres. Sur un signe de lui, son écuyer s'employa à le dévêtir, entreprise difficile, tant les soubresauts d'hilarité de son maître le gênaient. Quand enfin Guillaume fut nu comme au jour de sa naissance, il retourna dans l'eau et, d'une brasse longue et régulière, gagna le milieu du fleuve où, allongé sur le dos, il se laissa porter par le courant.

Mathilde avait rejoint Anne sous la tente. Pendant un moment, elles se laissèrent coiffer en silence, tout en se lançant de brefs coups d'œil. Mathilde rompit le silence la première.

— Il n'est pas tombé tout seul. C'est toi qui lui as attrapé le pied?

— Oui, si tu avais vu sa tête! s'esclaffa-t-elle.

— Je l'ai vue, dit Mathilde en rougissant.

— Ne sois pas triste, il méritait une leçon.

— Peut-être, mais tu l'as ridiculisé.

Anne la regarda avec étonnement.

— Je dois l'épouser, reprit Mathilde, et il ne m'est pas agréable que mon futur époux soit la risée de tous. De plus, quand il t'a vue, il n'a plus eu d'yeux que pour toi. J'ai eu l'impression qu'il te connaissait déjà.

— Je l'avais oublié, mais c'est exact. Je l'ai battu à la course durant mon voyage.

— Battu à la course...?

— Oui, demande-le-lui. C'était près de Nuremberg,

je crois. Il chassait, j'ai pressé mon cheval, j'ai gagné et il a été désarçonné...

– Désarçonné! Guillaume?

– Je ne vois pas ce qu'il y a là d'étonnant. Nous autres, peuples de la Rous', sommes les meilleurs cavaliers du monde.

– C'est vrai, approuva Hélène.

– Tu ne l'as plus revu ensuite? questionna Mathilde.

– Non. Après l'avoir soigné, car il était blessé, je suis partie. J'avais complètement oublié cette aventure.

– Ce qui n'a pas l'air d'être son cas! fit la fiancée de Guillaume d'un ton attristé.

Anne la regarda avec stupeur, puis éclata de rire :

– Serais-tu jalouse?

– Je le pourrais; tu es si belle, si blanche, si grasse! Moi qui suis petite, maigre et noiraude...

– Tais-toi, tu as les plus beaux et les plus doux yeux du monde, et un corps ravissant.

– Tu le penses vraiment?

La reine acquiesça en l'embrassant.

– Je t'aime tant que je ne saurais être jalouse de toi, dit Mathilde en lui rendant ses baisers.

– Est-ce vrai que tu l'as repoussé parce qu'il est bâtard?

– J'ai dit ça parce que je n'avais nulle envie de me marier, je voulais entrer en religion. Mais mon père souhaite cette alliance avec la Normandie, malgré l'opposition du pape.

– Pourquoi ce refus?

– Nous sommes de parenté trop proche. Si le mariage se fait, Rome nous menace d'excommunication, dit-elle en faisant le signe de la croix, imitée aussitôt par la reine et toutes les femmes présentes.

– Le pape Léon est aux ordres de l'empereur d'Allemagne, qui ne voit pas d'un bon œil l'union de nos deux pays. Mais ce mariage se fera, mon époux et mon frère le roi y tiennent beaucoup. Le pape n'osera pas prononcer l'excommunication. Nos espions nous l'ont assuré, dit Adèle de Flandre.

Auréolée de ses tresses humides et noires qui faisaient paraître son cou délié plus fragile encore, la douce Mathilde baissa les yeux.

Quel contraste entre ces deux jeunes femmes : l'une éclatante, vêtue d'une longue robe d'un bleu intense, ses flamboyants cheveux torsadés au-dessus de sa tête la grandissant encore; l'autre, guère plus grande qu'une enfant de douze ans, le rouge vif de sa robe accentuant la matité de son teint.

Refusant les litières, les deux amies revinrent au château à travers champs en se tenant par la taille.

Dans la cour du château, sous un vaste tilleul centenaire, se tenaient accoudés à une table, buvant, le roi, le duc de Normandie, l'évêque de Melun et le comte de Flandre. Tous, hormis l'évêque, se levèrent à l'arrivée des dames.

— Je crois que vous connaissez déjà la reine, dit le roi en s'adressant à Guillaume.

Celui-ci, aussi rouge que la robe de sa fiancée, s'inclina en silence.

— Ma dame, le duc m'a narré votre rencontre. Est-ce chez vous la coutume que les filles de prince courent les bois sans escorte?

Anne eut un mouvement d'humeur qui n'échappa à personne. Adèle vint à son secours :

— Mon frère, ne la grondez pas, la reine avait égaré sa suite en se rendant prier dans un lieu saint.

— On fait parfois de drôles de rencontres en se rendant dans les lieux saints, marmonna le roi.

Au pied de l'arbre, des coussins avaient été disposés sur des tapis pour permettre aux dames de se reposer à l'ombre.

Le soleil déclinait lentement. C'était une belle soirée d'été, pleine de bruissements d'insectes et de chants d'oiseaux. On entendait dans les champs alentour les cris des moissonneurs. C'était l'heure où tout s'apaise, où l'esprit encore étourdi de chaleur vagabonde mollement, où le corps détendu savoure la fraîcheur de l'approche du soir, celle des boissons servies par les valets. Tout était calme. Chacun se laissait aller au plaisir de l'instant, oubliant dans un si doux répit les querelles, les haines, les jalousies, les rancœurs, les complots qui formaient le quotidien de la cour itinérante du roi de France. Nonchalamment étendue, Anne sentait monter en elle un désir voluptueux.

Mathilde, allongée près d'elle, se souleva et vint poser sa tête sur son épaule.

– Tu sais ce que j'aimerais? Que tu me chantes une chanson de ton pays.

– Plus tard... on est si bien!

– Je vais demander à Olivier d'Arles d'aller chercher ton instrument.

– Comme tu veux, dit-elle d'une voix languide.

La fille de Baudouin de Flandre se leva et vint chuchoter à l'oreille du garçon qui partit en courant. Mathilde revint près de son amie. Peu après, le jeune homme fut de retour, portant le *guzli* de la reine et sa propre harpe.

– Reine, si nous chantions le chant des moissons que vous m'avez appris?

Sans répondre, Anne prit son instrument et s'installa confortablement. Après quelques accords, ils chantèrent dans sa langue natale la célébration de l'été, du soleil qui fait mûrir les blés et s'épanouir les filles.

Finie la torpeur du soir, envolées la paresse estivale et les vagues songeries : une musique qui eût donné envie de danser au plus lourd des chevaliers et aux dames les plus prudes venait de s'élever dans le calme du soir. Attirés par elle, les gens du château, des sentinelles aux cuisiniers, des lingères aux servantes, des moines copistes aux jardiniers, des gardeuses de cochons aux fileuses de lin, arrêtèrent leurs travaux et vinrent se poster sur le pas des portes, appuyés aux pierres de la tour, penchés aux rares fenêtres ou assis dans la poussière pour écouter leur reine à la voix haute et claire, à la langue inconnue mais que tous trouvaient belle.

Mathilde, à qui Anne avait appris la chanson, se joignit à eux en frappant dans ses mains. Après cet air, ils enchaînèrent sur un autre, puis un autre encore. La nuit était presque tombée quand ils s'arrêtèrent, essoufflés, sous les cris et les applaudissements. Même le roi paraissait content, puisqu'il vint embrasser tendrement la joue de sa femme. Quant au duc de Normandie, il semblait ne s'être pas encore remis d'avoir retrouvé la folle cavalière dont chaque nuit, depuis leur rencontre, il ne pouvait s'empêcher de rêver. Lui, si loquace d'ordinaire, restait muet, incapable de détacher ses yeux de celle qu'il appelait Mora.

Cette attitude, si inhabituelle chez cet homme tour à tour enjoué et taciturne, jovial et coléreux, tolérant et susceptible, dur et juste, mais toujours maître de lui, fut remarquée de tous.

– Guillaume, vous regardez la reine comme s'il s'agissait d'une apparition...

– On peut dire les choses ainsi, Henri.

Le roi lui lança un regard soupçonneux. Il n'avait jamais aimé ce bâtard de Normandie que son père, le comte Robert le Magnifique, lui avait confié en l'hiver 1034, à l'occasion d'un pèlerinage en Terre sainte où il s'était rendu pour demander pardon à Dieu de ses nombreux crimes. Le comte, mort sur le chemin du retour – empoisonné, selon les dires de son chambrier Toustain et de Dreu, comte de Vexin –, avait été enseveli à Nicée, dans la basilique dédiée à Notre-Dame, au mois de juillet 1035. Le chambrier, qui avait reçu les dernières volontés de son maître, en avait rendu compte au roi de France à qui il avait remis, de la part du défunt, une des reliques acquises en Terre sainte, avant de porter les autres à l'abbaye de Cerisy que Robert le Magnifique affectionnait particulièrement.

Guillaume avait huit ans à la mort de son père. Seize ans s'étaient écoulés depuis lors. L'enfant était devenu un chevalier dont tous admiraient le courage. Le roi Henri en avait été le témoin privilégié lors de la bataille du Val-lès-Dunes, durant l'été 1047, qui avait vu la victoire des armées françaises et normandes sur les troupes de rebelles dont les chefs cherchaient à évincer le jeune duc. Le combat, d'une rare violence, n'avait duré que quelques heures, mais nombre de chevaliers y avaient trouvé la mort. Le roi lui-même, désarçonné par un fantassin, n'avait dû la vie qu'à la solidité de son haubert et à l'intervention de Guillaume, prompt à trancher la gorge d'un milicien de Renouf de Briquessart qui s'était jeté sur lui. En dépit de cet acte de courage et de fidélité, Henri ne pouvait se défaire de sa méfiance et de son animosité envers celui dont il avait été le tuteur. Quant au duc, il se défiait de tout le monde, ayant appris de très bonne heure qu'un prince ne peut s'en remettre à personne, et lui, moins que tout autre. De surcroît, le caractère efféminé du roi l'irritait au plus haut point. Et voici que, pour ajouter encore à leur inimitié, cet homme secrètement méprisé était, par un hasard qu'il maudissait, l'époux de cette femme qu'il avait vu triomphante à la course, précise dans ses soins, et belle comme aucune autre. Tout à ses pensées, il n'entendit pas la question du roi.

— A quoi songez-vous, Guillaume? Vous êtes bien loin de nous...?

— Pardonnez-moi, Henri.

— Je vous demandais : quand pensez-vous épouser ma nièce Mathilde?

Le duc était si loin de ces préoccupations qu'il regarda le roi d'un air stupide.

— Auriez-vous oublié vos engagements? fit celui-ci d'un ton de colère.

Mathilde cacha son visage dans le cou de la reine qui serra contre elle le petit corps tremblant.

— Bien évidemment, non! J'aime Mathilde, j'ai hâte qu'elle soit ma femme.

— Malgré le désaccord du pape et des évêques?

— Je suis un fils soumis de l'Église, et le premier à respecter les décisions de son pasteur si elles me semblent justes et bonnes. Pour ce qui est de ce mariage, je les juge mauvaises; il n'est donc pas question que je m'y soumette. L'empereur ne fera pas la loi en Normandie.

— Voilà qui est parlé, et cette alliance entre France, Normandie et Flandre ne peut que maintenir nos ennemis dans le respect. Il conviendrait que cette union ait lieu avant la fin de l'année.

— Henri, fixez vous-même la date.

— Que penseriez-vous du mois des vendanges? fit Henri en se tournant vers sa sœur et son beau-frère.

— Si Guillaume est d'accord, cette date me convient, fit Baudouin de Flandre.

— Elle me va tout à fait. Qu'en dites-vous, ma dame Mathilde?

Blottie contre Anne, la jeune fille regardait intensément celui qu'on lui avait choisi pour époux mais qu'elle avait aimé dès le premier instant.

— Messire, si cette date vous convient, elle me convient aussi.

Anne l'embrassa, heureuse pour son amie.

Mathilde lui avait confié son amour pour Guillaume, qu'elle n'osait trop montrer par peur d'attirer sur elle la haine de l'entourage du duc.

— Tu verras, ton premier-né sera un fils, foi de Mora !

Ce soir-là, les agapes de fiançailles durèrent toute la nuit. A l'aube, le roi revint dans le lit de la reine.

CHAPITRE TREIZIÈME

Mariage de Guillaume et de Mathilde

A la fin du mois de septembre 1051, le roi d'Angleterre, Édouard, surnommé par ses sujets « le Confesseur » à cause de son excessive piété, fit connaître, par l'intermédiaire de l'archevêque de Cantorbéry, qu'en l'absence de descendance directe, il désignait son neveu Guillaume, duc de Normandie, comme seul héritier de la couronne d'Angleterre.

Guillaume accueillit cette nouvelle sans manifester ni surprise ni joie. Seul changement dans ses habitudes : ses oraisons prolongées après vêpres.

Au château d'Eu, Arlette, la mère du duc, et son mari, Hellouin de Conteville, achevaient les préparatifs en vue du mariage. A Lille, Mathilde, entre deux offices, essayait les robes offertes par son père.

En ce bel et chaud mois d'octobre régnait à la cour de Flandre un climat fait de sourdes querelles, de malveillances, de silences soudains, de mesquineries, qui pesait sur l'humeur de tous. A des fins politiques, le comte Baudouin avait offert asile à Godwin, comte de Wessex, et à deux de ses fils, Gyrth et Tosti, bannis par le roi Édouard d'Angleterre. Plus : il avait donné sa demi-sœur, Judith, au turbulent Tosti.

Mathilde n'aimait pas ces Saxons buveurs et querelleurs qui poursuivaient ses filles de compagnie jusque dans la chambre des dames. Sa mère Adèle partageait son antipathie et ne cessait de harceler son époux pour qu'il les renvoyât de ses États.

— Ma mie, le droit d'asile est une chose sacrée. Je ne serais pas bon chevalier si je leur refusais mon hospitalité. Cessez de m'importuner avec cela!

Guillaume avait hâte que le mariage fût célébré. Il lui tardait de partir en guerre contre le comte d'Anjou, Geoffroi Martel, qui venait de s'emparer des forteresses d'Alençon et de Domfront. Il pressait donc Baudouin de lui envoyer Mathilde au plus vite. C'est ainsi qu'un cortège partit de Lille, escortant la fiancée, accompagnée de son père et de sa mère. Une ambassade normande vint les accueillir aux frontières du duché.

Vêtue d'une robe rouge rebrodée de galons de soie vert et argent, d'un manteau blanc et or, chaussée de souliers rouges à liséré vert, ses noirs cheveux tressés de rubans verts et rouges, recouverts d'un long voile retenu par une couronne d'or, la jolie Flamande disparaissait sous ses atours trop riches et trop lourds pour sa petite taille.

Au château d'Eu, Turold reçut, au nom de son maître, le cortège, ce qui ne manqua pas de surprendre Baudouin de Flandre :

— Où est donc le duc? Pourquoi n'est-il pas là pour nous accueillir?

— Seigneur, il s'est rendu au-devant de l'épouse du roi de France qui vient, en son nom, assister à la cérémonie.

— Mon père, vous avez entendu? La reine Anne assiste à mon mariage! Quel bonheur! Elle me l'avait presque promis, mais je ne pensais pas que son époux l'eût permis.

— Ma fille, je partage votre joie, dit Baudouin d'un air songeur.

Mathilde venait de quitter sa litière quand celle de son amie pénétra dans la cour du château. A ses côtés caracolait le palefroi de Guillaume, richement harnaché. Le duc, en habits de cérémonie, sauta à bas de sa monture qu'un valet retenait à grand-peine. Avec des gestes précautionneux, il aida la reine à quitter sa litière.

– Guillaume, laissez-moi. Voyez Mathilde qui vous attend et se languit de vous!

Le duc rougit, lâcha la main gantée de velours du même bleu que le manteau, recouvrant la robe grenat aux longues manches nouées, et se dirigea vers le comte de Flandre.

– Soyez les bienvenus, vous, Mathilde, et vous aussi, princesse Adèle et comte Baudouin. La reine Anne nous fait le grand honneur d'assister à l'union de nos deux maisons. Je sais que l'amitié en est cause, et cela me touche au cœur.

Dans la chapelle du château, égayée de tentures aux emblèmes de la Normandie et de la Flandre, une assistance restreinte pour un tel mariage : des membres de la famille du duc – sa mère, son beau-père et ses demi-frères : Odon, le jeune évêque de Bayeux, et Robert, à qui il venait de donner le comté du Mortain, enlevé à Guillaume Werlenc, comte d'Avranches, accusé de trahison; des amis très proches, tels le prieur de l'abbaye du Bec, Lanfranc, et Guillaume de Poitiers; enfin ses plus fidèles chevaliers. Point de hauts personnages laïcs ou ecclésiastiques, en dehors de la reine Anne et de la famille de Flandre. Une telle cérémonie à la sauvette... Cette discrétion était-elle due à l'interdiction du pape, à la présence d'Arlette que l'aristocratie normande avait toujours considérée avec dédain, ou bien au vœu même de Guillaume?

La bénédiction nuptiale fut donnée, malgré l'interdiction, par le chapelain du duc. Durant la messe, Guillaume s'abîma dans la prière, tandis que la pieuse Mathilde ne pouvait s'empêcher de lui jeter de tendres regards.

Après avoir salué le comte et la comtesse de Flandre, puis Arlette et Hellouin de Conteville, les nouveaux époux s'avancèrent vers Anne. Le duc mit un genou en terre :

— Reine, aujourd'hui, devant Dieu et les hommes, j'ai pris pour épouse ma dame Mathilde ici présente, à qui j'ai juré protection, fidélité et amour. Devant elle et devant tous, je déclare vouloir vous servir et vous aimer de pur et chevaleresque amour avec son assentiment et le vôtre. J'attends votre réponse.

Il se fit un grand silence. Il n'était pas rare qu'un homme de la noblesse devînt le chevalier servant d'une femme mariée, mais plus étonnante était la proposition du duc le jour même de son mariage.

Pâle, les yeux brillants, la nouvelle duchesse de Normandie s'agenouilla et, prenant la main de la reine, la mit sur celle de Guillaume et y laissa la sienne.

— Reine, non seulement je donne à mon époux mon assentiment, mais je déclare moi aussi vouloir vous servir et vous aimer.

L'émotion d'Anne était visible. Tous savaient son affection pour Mathilde et l'amour que celle-ci lui portait. Mais nul n'avait soupçonné les sentiments du duc.

— J'accepte avec joie, dit-elle en les relevant et en les serrant tous deux contre elle.

Au festin qui suivit, dans la grande salle du château d'Eu, Guillaume, entre Anne la rousse et la brune Mathilde, rayonnait de fierté et de bonheur. Sa mère Arlette avait du mal à contenir son émotion; elle voyait enfin ce fils, qu'elle avait maintes fois cru perdre par le fait du couteau ou du poison, heureux, souriant, honoré comme il convenait à la descendance de cet homme qui l'avait aimée et honorée en dépit de sa modeste origine : le duc Robert. Effacés, ces plis mauvais qui marquaient son jeune front, ce regard méfiant et dur, cette moue amère et cruelle! Aujourd'hui, appelé à régner sur l'Angleterre, seul maître de la Normandie, entouré des trois femmes qu'il aimait le plus au monde, sa mère, sa femme et la reine de France, Guillaume, qui d'habitude n'oubliait jamais rien, ni un service ni un affront, ne se souvenait plus des peurs, des offenses, des trahisons, ni même du nom de ses ennemis. Il se laissait aller au bien-être, savourant les mets qui se succédaient, calmement, lui, le bâfreur jamais rassasié, buvant modérément, servant tour à tour Anne et Mathilde, faisant porter à sa mère les meilleurs morceaux, applaudissant aux pirouettes des acrobates, à la dextérité des jongleurs, aux mélodies des musiciens, riant comme un enfant aux cabrioles des chiens savants.

Après le repas, à sa demande, un service d'actions de grâces eut lieu dans la chapelle. Tous remarquèrent sa ferveur.

L'office terminé, la reine, lasse, se retira dans les appartements préparés à son intention. La duchesse, la comtesse et la mère du duc l'accompagnèrent. Arrivée dans sa chambre, Anne dit son désir de rester quelques instants en tête-à-tête avec Mathilde. Les deux amies tombèrent dans les bras l'une de l'autre.

— Anne, comment vous remercier encore de votre présence?

— En te souvenant de mon amour.

— Je m'en souviendrai autant que vous vous souviendrez du mien et de celui de mon époux.

— Je te fais serment de ne jamais l'oublier.

— Le ciel t'entende, ô ma reine!

Les yeux dans les yeux, les deux jeunes femmes firent le signe de la croix.

— Promets-moi de venir souvent me voir. Je m'ennuie à Senlis ou à Paris.

— Pardonne-moi... le roi n'est-il pas bon pour toi?

Anne haussa les épaules, l'air soudain désemparée.

— Il préfère la compagnie des valets à la mienne.

— Mais tu es la reine!

— Reine d'un bien petit royaume, plus petit que la plus petite des provinces de mon père, où les comtes ont plus de terres et plus de pouvoir que mon époux, et sont bien plus craints et respectés que lui!

— Il en serait autrement si mon cousin avait un fils.

— Un fils!... fit-elle en tournoyant sur elle-même.

Ce soir-là, la reine de France annonça à la duchesse de Normandie qu'elle était grosse.

Le lendemain, le duc et la duchesse partirent pour Rouen où ils furent accueillis par la population en liesse.

Quant à la reine, elle s'en retourna à Senlis. Le roi l'attendait dans la chambre des dames, en compagnie d'Olivier d'Arles qui chantait pour distraire son maître.

— Laisse-nous, veux-tu, dit la reine.

Le jeune garçon s'inclina et sortit, suivi des dames.

— Seigneur mon époux, mes prières n'ont pas été vaines, je suis grosse.

Le visage renfrogné d'Henri s'éclaira.

— En êtes-vous bien sûre, ma dame?

— Oui, Monseigneur. D'ici quelques mois je vous donnerai un fils.

— Dieu soit loué, ma mie!

Il la baisa au front et sortit en criant :

— La reine est grosse! La reine est grosse!

110

Malgré sa frêle apparence, Mathilde était forte et solide. Il le fallait pour résister aux assauts répétés de Guillaume qui, du commerce des femmes, ne connaissait que les brutales et rapides étreintes des bergères de Falaise et des ramasseuses de coquillages de Fécamp. Les jours passant, Mathilde prit plaisir aux joutes amoureuses, allant même au-devant des désirs de son époux.

Une semaine après le mariage, Guillaume annonça son intention d'aller bouter hors des châteaux de Domfront et d'Alençon les troupes du comte d'Anjou, Geoffroi Martel. Dans le plus grand secret, le duc réunit une cinquantaine de chevaliers et, sans attendre, se porta à l'assaut de Domfront. Mais, prévenue par un baron normand, traître à son duc, la garnison angevine opéra une sortie. Encerclés à leur tour, Guillaume et les siens se battirent avec le courage et la haine qu'inspire la traîtrise, et réussirent à refouler l'ennemi. Aussitôt, le duc fit entreprendre la construction de quatre tours protégées de levées de terre et de fossés. Dans le village au pied du château, il fit établir son camp où Mathilde vint le rejoindre.

Le siège dura plusieurs mois qui furent, pour la jeune duchesse de Normandie, les plus heureux de sa vie. Guillaume avait fait de son camp la capitale du duché, sa résidence aussi bien que celle de ses chevaliers et de leur famille. Dans la boue, entre les tentes de peaux, les gamins se poursuivaient, jouant à la guerre avec des épées de bois; les écuyers s'occupaient du service de leur maître, les valets des chevaux, les femmes à filer ou à broder. Quand elle n'accompagnait pas son époux à la chasse ou en visite dans les châteaux voisins, Mathilde, habile brodeuse, se plaisait à montrer aux dames comme à ses servantes les points qu'elle avait appris des meilleures fileuses et dentellières de Flandre. Le froid et la pluie les privant toutes de sorties durant des semaines, maints seigneurs se virent ainsi offrir des tuniques brodées d'or et des bannières à leurs couleurs pour se reconnaître au combat.

Trois mois après son mariage, Mathilde eut à son tour la fierté d'annoncer qu'elle était grosse. Cette nouvelle combla Guillaume de joie. Il fit dire dans toutes les églises de Normandie des messes d'actions de grâces, voyant dans cette future naissance l'approbation par Dieu de son mariage, et son rejet de l'interdit papal.

Afin d'en finir et d'épargner la vie de ses hommes, le duc de Normandie fit porter par deux de ses chevaliers, Roger de Montgoméri et Guillaume Fitz-Osbern, un défi au comte d'Anjou pour décider du sort de Domfront : il lui proposait de se rencontrer en champ clos. Geoffroi Martel fit savoir qu'il acceptait. Mais, le lendemain à l'aube, point de combattant! Guillaume attendit en vain... Le comte était parti dans la nuit défendre ses terres à la fois contre le roi de France et contre des brigands pillards conduits par Néel de Saint-Sauveur. Confiant à l'un de ses lieutenants la poursuite du siège, Guillaume fonça dans la nuit sur Alençon, pensant surprendre ses habitants au lever du jour. Mais, à sa grande colère, la garnison, prévenue par une nouvelle trahison, avait fermé les portes de la forteresse.

Ce fut une population moqueuse, hilare et insolente, qui nargua le duc et ses guerriers. Pour bien montrer leur mépris envers le Bâtard, les chefs de la cité avaient fait étaler des peaux de bêtes fraîchement tuées sur les remparts de bois, plus qu'il n'était nécessaire pour éviter que ceux-ci ne s'embrasent sous les projectiles enflammés des assaillants. Sous les cris de : « La peau, la peau du tanneur! » –

112

allusion injurieuse au métier du père de sa mère –, Guillaume, ivre de colère, lança l'assaut.

En peu de jours, les braillards rendirent gorge. La répression fut terrible : la place fut incendiée et le vainqueur se fit amener trente-deux hommes parmi les prisonniers, chevaliers, bourgeois et artisans. Il leur fit couper les pieds et les mains sous les yeux de ceux qui résistaient encore, puis les mutilés, morts ou blessés, furent jetés sur la route. A cette vue, les derniers combattants capitulèrent. Cette cruauté n'était pas habituelle à Guillaume. Sans doute avait-il voulu faire payer à Alençon toutes les trahisons passées, toutes les humiliations subies par sa mère et lui-même tout au long de son enfance. Bien que le Bâtard eût été solennellement reconnu par ses vassaux, et bien que le roi de France lui-même eût accepté d'être son tuteur durant l'absence de son père, la famille de ce dernier supportait mal de voir le duché de Normandie entre les mains du petit-fils d'un tanneur.

Laissant une garnison dans la ville soumise, le duc repartit pour Domfront qui capitula au printemps.

Pour fortifier ses positions, il entreprit alors la construction, au confluent de la Mayenne et de la Varenne, du château d'Ambrières, malgré le seigneur de Mayenne qui tenta à maintes reprises de l'en empêcher.

Le duc renvoya Mathilde à Falaise, près de sa mère, non sans lui permettre de rendre visite, en chemin, à la reine de France dont la délivrance était proche.

La duchesse de Normandie trouva son amie dans un état de grande tristesse; Anne venait d'apprendre la mort de sa mère Ingegerde et de son frère Vladimir. Au lendemain du mariage de sa fille avec le roi de France, la fille du roi de Suède, en accord avec son époux Iaroslav, s'était retirée dans un monastère de femmes, à Novgorod, pour être plus près de son fils préféré. Mais la maladie ne lui avait pas permis de goûter longtemps ce bonheur. Elle était morte peu après son arrivée. Très vite, Vladimir l'avait rejointe dans la tombe. La mère et le fils avaient été enterrés côte à côte dans la cathédrale Sainte-Sophie de Novgorod.

La joie de revoir Mathilde apaisa le chagrin d'Anne et l'annonce de la grossesse de son amie la remplit de bonheur.

— Nos fils seront frères.

— C'est notre souhait le plus cher, à mon seigneur Guillaume et à moi. Vas-tu lui donner le nom de son grand-père, le roi Robert?

— Non, mon époux a accepté de lui donner celui de mon illustre ancêtre : Philippe, roi de Macédoine.

— Philippe... ce n'est pas un nom de roi franc.

— Qu'importe, ce le sera. Et toi, comment l'appelleras-tu?

— Robert, comme le père de Guillaume.

Avec quelques semaines d'avance, la reine donna le jour à un gros garçon qui fut prénommé Philippe, en mémoire du père d'Alexandre le Grand.

CHAPITRE QUATORZIÈME

L'héritier

— MA dame, je vous remercie du gros cadeau que vous me faites là! dit le roi Henri en prenant son fils nouveau-né des mains d'Hélène qui n'avait voulu laisser à personne le soin d'accoucher la reine. Ma sœur, mes amis, regardez le futur roi de France : n'est-il pas bien membré, le gaillard? Son harnois me semble capable d'assurer notre lignée. Qu'en pensez-vous, Baudouin?

— Henri, il ressemble à tous les petits mâles en parfaite santé.

— Vous plaisantez! Il est beaucoup plus solide...

Baudouin partit d'un grand rire :

— Seigneur, vous avez parfaitement raison.

— Mon frère, redonnez-le à la nourrice, cet enfant va prendre froid, dit la comtesse de Flandre.

— Oh, mon oncle, passez-le-moi, demanda Mathilde. Comme il est petit!

— Petit! s'exclama Henri. Petit, mon fils? Crois-tu que le tien sera aussi beau?

Mathilde et sa mère se signèrent précipitamment.

La tenture qui séparait la chambre de la salle s'écarta, un homme couvert de boue, exhalant une odeur d'écurie et de corps mal lavé, entra en ôtant son casque.

— Où est-il? On me dit qu'un roi nous est né... Je veux lui présenter sur l'heure mes hommages.

— Comte de Valois, vous auriez pu passer à l'étuve avant de vous présenter devant la reine et le roi. Vous puez pire qu'un bouc! s'écria avec humeur Adèle de Flandre.

— Comtesse, mon impatience était telle que je n'ai pas pensé à ma toilette. Je vous demande de me pardonner cet empressement.

— Quant à moi, dit le roi, je vous le pardonne d'autant plus volontiers qu'il me fait augurer, pour l'avenir, de bonnes relations entre nos deux maisons.

— Je vous remercie, roi, fit Raoul de Crépy en saluant avec une désinvolture qu'Henri fit semblant de ne point remarquer.

Tout au contraire, il prit le nouveau-né des bras de Mathilde et le tendit au comte :

— Tenez, voici mon fils.

Baudouin et Adèle eurent un même mouvement pour reprendre le bébé. Le roi était-il fou de laisser un homme tel que Valois tenir dans ses mains l'héritier de la couronne? Ne disait-on pas qu'il n'avait pas son pareil pour empoisonner ceux qui le gênaient?

— Bel enfant : tout le portrait de sa mère! Comment le nomme-t-on?

— Philippe.

— Philippe, premier du nom, pourquoi pas?... Dieu te donne longue vie, Philippe!

— Amen, répondit en chœur l'assemblée.

Hélène vint reprendre l'enfant et disparut derrière les tentures.

— Pourrais-je saluer la reine, lui offrir mes vœux et l'assurer de mon attachement?

— Plus tard, la reine est souffrante, dit la comtesse.

— Ma sœur, la reine est une vaillante et forte femme; l'hommage d'un homme tel que le comte de

Valois ne peut que lui être agréable. Venez, je vais vous conduire moi-même à son chevet.

Et le roi souleva les lourds rideaux qui isolaient le lit du reste de la chambre.

Soutenue par de nombreux oreillers, Anne, très pâle, les yeux cernés de mauve, les cheveux épars, recouverte d'une couverture de fourrure qui laissait apparaître ses épaules nues, reposait, les yeux clos.

Par le sang du Christ, même quelques heures après ses couches, que cette femme était belle! Et cette peau si blanche où le moindre attouchement un peu vif devait laisser sa trace! A cette pensée, Raoul de Crépy sentit son sexe se dresser. Devrait-il finir en enfer, il aurait cette femme; peu importait le temps nécessaire, il attendrait, mais par la Sainte Mère de Dieu, elle serait sienne, il en faisait serment! Le Ciel le prenne en pitié : pour elle il tuerait, et pire encore...

Dans son demi-sommeil, Anne frissonna. Brusquement, elle avait froid et éprouvait comme un vague sentiment de danger. Les yeux toujours fermés, elle remonta la couverture jusqu'à son menton.

– Hélène, murmura-t-elle.

Hélène s'approcha et lui chuchota quelques mots dans sa langue natale tout en lui caressant les cheveux.

Le comte de Valois aurait donné Péronne pour prendre à pleine main cette chevelure flamboyante. Il fit sur lui-même un effort considérable pour ne point bousculer cette grosse femme qui ne quittait jamais sa maîtresse et qui le surveillait sans cesse quand il venait à la cour visiter le roi. A deux reprises, il avait tenté de la soudoyer pour qu'elle le laissât en tête-à-tête avec la reine; les deux fois, elle avait refusé sans dissimuler son mépris. Seule, pensait-il, avec le comte et la comtesse de Flandre, elle avait deviné le désir fou qu'il avait de posséder cette femme. Même le Bâtard, qui s'était ouvertement déclaré son chevalier servant, n'avait rien remarqué. Quant au mari, il suffirait de lui envoyer un ou deux valets mignons comme des pucelles pour qu'il ne se rendît compte de rien.

Lentement, la jeune accouchée souleva ses paupières.

Des yeux au regard brûlant, tels ceux d'un rapace, la fixaient; plus elle essayait de s'en arracher, plus elle se sentait attirée. Malgré ses efforts, elle ne pouvait ni bouger ni parler. Dans son esprit fatigué, des bribes de pensées se heurtaient : que faisait-elle, ainsi captivée?... mes frères, venez à mon aide... mon père, ne me laissez pas seule face à cet homme... que fait donc mon époux?... et le duc Guillaume, mon chevalier servant?... Seigneur Dieu, éloignez cet homme de moi!... Viétcha... Philippe!...

— Philippe!

Anne se redressa en criant, l'air hagard, tendant les mains par-devant elle comme pour repousser un agresseur.

— Retirez-vous, la reine a besoin de repos et réclame son fils.

Hélène, le visage empreint d'une grande tristesse, recoucha la reine, essuya son front couvert de sueur et, sans plus s'occuper de ces grands personnages qui tournoyaient autour du lit, appuya la tête aimée contre son sein et fredonna la berceuse qui chassait les mauvais rêves. Peu à peu, Anne cessa de trembler et s'endormit, un sourire aux lèvres.

Raoul vit ce sommeil et ce sourire. Une jalousie sauvage lui tordit le cœur. Nul ne devait voir ce sourire, lui seul avait le droit de le faire naître... ou de le faire disparaître!

Alors il mit un genou en terre et, sans cesser de dévorer Anne des yeux, murmura d'une voix sourde :

— Reine, acceptez mes plus sincères félicitations pour la naissance de votre gentil fils. Vous honorez ainsi grandement le roi et la couronne de France. Gloire vous en soit rendue!

– Comte, je vous en prie, la reine s'est endormie, elle ne vous entend pas. Le roi et moi-même lui ferons part de vos propos courtois. Elle en sera vivement touchée, chuchota Adèle de Flandre en le tirant par la manche.

Il ne bougeait toujours pas. Instinctivement, Hélène serra plus fort sa fille aimée contre elle. Anne gémit. Un profond silence tomba sur les assistants qui contemplaient, gênés, la scène. Les cris du nouveau-né les tirèrent de leur hébétement.

– Eh bien, comte, ne dirait-on pas qu'on vous a jeté un sort? Vous voilà pétrifié comme la femme de Loth.

Lourdement, Raoul se releva.

– Pardonnez-moi, Henri, il n'y a aucune sorcellerie dans tout cela. J'ai chevauché tout le jour, je suis un peu las.

– Je préfère cela. Un moment, j'ai cru que vous alliez enlever la reine sous nos yeux!

– Hé, seigneur, plus d'un homme aimerait enlever une femme aussi belle que la reine.

– Valois, oubliez-vous à qui vous parlez!

– Non, Henri, ce n'était qu'un compliment, une manière de parler, rien d'autre.

– Je n'aime pas vos manières, comte. Il conviendrait dorénavant d'en changer quand vous vous présenterez devant moi.

Sans répondre, le comte s'inclina devant le roi, si profondément que celui-ci dut lui faire signe de se relever d'un geste agacé. Baudouin et Adèle lui rendirent sèchement son salut; seule Mathilde eut un sourire aimable.

– Enfin un visage avenant! Dieu vous ait en Sa sainte garde, gentille duchesse, et vous donne, ainsi qu'au duc Guillaume, une noble descendance...

– Quel est le chevalier qui appelle sur moi la

bénédiction de Dieu? Que Notre-Seigneur fasse de même pour lui. Ah, c'est vous, comte de Valois? fit le duc de Normandie en entrant.

— Cela n'a pas l'air de vous être agréable, venant de ma part?

— Je ne vous aime pas, comte, et vous le savez. Mais en ce jour de joie, je veux bien oublier nos querelles. Henri, dès que j'ai su l'heureuse nouvelle, j'ai tenu à venir moi-même vous féliciter. J'ai fait dire des messes à travers toute la Normandie.

— Je vous remercie, mon cousin. Qu'on apporte mon fils!

Une sage-femme présenta au duc le bébé qui s'était assoupi.

Sans mot dire, Guillaume le contempla avec émotion.

— C'est un bel enfant, dit Mathilde en s'approchant. Ne trouvez-vous pas?

Semblant poursuivre un rêve, il la regardait sans la voir.

— Ne trouvez-vous pas? répéta-t-elle.

— Oui... bien sûr... Comment va la reine?

— Très bien, elle se repose.

— Puis-je la voir?

Le ton suppliant fut désagréable à Mathilde; elle prit sur elle pour répondre d'une voix égale :

— Je pense que le roi le permettra.

A son tour, Guillaume écarta la tenture et mit un genou en terre devant la jeune femme assoupie contre le sein de sa nourrice. Comme le comte, il sentit monter en lui, devant tant de beauté et d'abandon, un désir dont la violence le fit pâlir. Il crut défaillir comme une femmelette quand elle ouvrit les yeux et qu'elle murmura d'une voix dolente :

— Guillaume, je suis heureuse de vous voir.

— Mora!

Debout non loin du duc, le roi demanda à sa sœur :

– Mais pourquoi l'appelle-t-il Mora? Je l'ai déjà entendu lui donner ce nom...

– Mathilde m'a dit que c'était celui d'une fée du pays russe.

– Une fée!... Parce qu'il y a aussi des fées dans ce lointain pays?

– Mon oncle, fit Mathilde en souriant, il y a des fées dans tous les pays du monde.

– Comment osez-vous proférer de pareilles balivernes, duchesse, vous qui êtes une bonne chrétienne, malgré votre mariage? dit Froland, l'évêque de Senlis.

Cette allusion à l'interdiction de son mariage par le pape attrista la fille du comte de Flandre. L'Église ne voulait toujours pas de ces épousailles et les menaçait d'excommunication, perspective qui la faisait frémir. Comment vivre sans les sacrements, les offices quotidiens, comment être privée de l'amour de Dieu? Est-ce que Lanfranc, longtemps hostile à cette union, envoyé par Guillaume à Rome, parviendrait à fléchir le pape? Le prieur du Bec s'était montré confiant. L'enfant qu'elle portait bougea pour la première fois, elle y vit comme un heureux présage et souhaita faire partager sa joie au futur père. Mais celui-ci n'avait d'yeux que pour la reine à qui, ensemble, ils avaient juré amour et fidélité. Mathilde aimait tendrement Anne, de façon aussi entière qu'irrévocable. Quand Guillaume lui avait narré leur rencontre et l'amour qui en était résulté, non seulement elle l'avait compris, mais elle en avait été heureuse :

– Comme nous allons l'aimer! s'était-elle écriée.

Le duc l'avait baisée gentiment et lui avait fait don d'une grosse ferme près de Falaise. Chaque jour, ensemble, ils priaient pour elle.

Mais là, aujourd'hui, pour la première fois, elle se sentit dépossédée et envahie par la jalousie.

– Mathilde, je veux voir Mathilde!

Cet appel d'Anne chassa ses noires pensées.

— Je suis là!

— Ma bonne Mathilde, que je suis heureuse de vous avoir tous les deux près de moi, dit la reine en prenant leurs mains qu'elle tint serrées contre elle. J'ai fait un cauchemar : un homme noir se penchait sur moi et voulait m'enlever, j'appelais à l'aide, personne ne venait, je luttais contre lui, mais il était le plus fort et me soumettait à lui...

— Anne, dit Adèle de Flandre en l'interrompant, ces méchants rêves viennent de votre fatigue et sont naturels après une naissance. Vous devez vous reposer. Mathilde et Guillaume, il faut vous retirer.

Le duc et la duchesse de Normandie obéirent et quittèrent la chambre, suivis du roi et du cortège des visiteurs. Seules restèrent les sages-femmes et les servantes qu'Hélène s'empressa de renvoyer.

— J'ai encore rêvé de Philippe, n'est-ce pas?

CHAPITRE QUINZIÈME

Philippe

MALGRÉ leur insistance, Philippe n'avait pas suivi ses compagnons au moment où Anne, quittant la Pologne pour la France, s'était séparée de l'escorte de ses compatriotes.

Il avait regardé partir sans regret ceux qui, depuis son enfance, partageaient ses joies, ses combats, l'honneur de faire partie de la *droujina* du prince de Kiev où seuls les meilleurs, les plus courageux, les plus nobles étaient admis. En ne retournant pas en Russie, Philippe devenait traître et déserteur. Il avait prié pour tenter d'y voir plus clair et, d'avance, avait demandé à Dieu de lui pardonner.

Dans la nuit, il troqua ses vêtements trop riches et trop voyants contre les hardes que portaient les misérables recrutés par le lieutenant de Gosselin de Chauny au fur et à mesure des besoins du voyage. De sa splendeur passée, le jeune guerrier ne garda que le poignard offert par Anne, une dague, cadeau de Iaroslav, et quelques pièces d'or et d'argent dissimulées dans une bourse de cuir cachée sous sa chemise. Sans être vu, il suivit la caravane. Décidé à se rendre méconnaissable à tous, et surtout à « Elle », avec le poignard dont il baisa la lame il coupa ses cheveux, rasa son crâne, ne conservant qu'une longue mèche sur l'arrière de la tête, à la façon des guerriers tatars; sa barbe et ses moustaches subirent le même sort.

– Grand Vladimir et vous, saint Georges, mon saint patron, donnez-moi le courage d'aller au bout de mon entreprise!

Avec un calme terrible, il se lacéra le front et les joues et s'ouvrit la gorge de l'oreille droite à la base du cou. Aveuglé par le sang, titubant de douleur, il se prit le pied dans une racine et tomba en avant dans le feu qu'il avait allumé pour se protéger du froid. L'espace de quelques instants, l'horrible souffrance lui fit perdre connaissance. Quand il revint à lui, transformé en torche vivante, son visage entier grésillait. Le hurlement qu'il poussa fut entendu, malgré la distance, par l'arrière-garde du convoi princier, glaçant d'épouvante ces hommes pourtant habitués aux cris de mort. Les mains plaquées sur ses yeux qu'il lui semblait sentir fondre, il se roula dans la neige qui éteignit ses vêtements mais fut impuissante à calmer le feu qui lui brûlait le visage. Il perdit de nouveau connaissance.

Combien d'heures demeura-t-il ainsi? A demi mort de froid, il se traîna jusqu'à son cheval qui tremblait, le corps déjà recouvert d'une légère pellicule de glace, et, à tâtons, il détacha de sa selle une gourde contenant de l'alcool. Une lampée dégourdit quelque peu ses membres. Il voulut alors se relever et tomba brutalement sur le sol; sa cheville droite, sans doute foulée dans sa chute, refusait de le soutenir. Soufflant comme une bête, il coupa de larges bandes dans le tissu d'une cape et les serra fortement autour de sa tête. Son visage presque gelé ne le faisait plus trop souffrir. Ses doigts gourds et brûlés ne rencontrèrent que boursouflures et crevasses, ses yeux n'étaient plus que deux minces fentes. Quant à sa bouche!... son nez!... Un gémissement sourd monta en lui, devenant peu à peu grondement issu du plus profond de ses entrailles, pour éclater en une clameur de dément qui s'éteignit dans le gargouillement du sang jaillissant de sa gorge ouverte. Avec une poignée de mousse, il colmata la plaie.

Dans un ultime effort de volonté, il se hissa sur sa monture qui partit droit devant elle au galop. Miraculeusement, il ne fut pas désarçonné, maintenu en selle par son instinct de cavalier virtuose. Au bout d'une très longue course, le cheval, réchauffé et calmé, prit le trot.

Pendant quelques jours, hébété de fièvre et de douleur, Philippe suivit la trace de la caravane, traînant sa jambe estropiée, lapant tel un animal l'eau des flaques du chemin après en avoir cassé la glace et, plus tard, quand il eut recouvré l'usage de ses yeux, se nourrissant du sang des lièvres qu'il abattait à la fronde. Pour atténuer le feu qui ne cessait de lui mordre le visage, il portait un masque de mousse. Un matin, faible et amaigri, la fièvre le quitta et il put avaler, malgré sa plaie, quelques morceaux de la chair crue d'un jeune faon. Cela suffit à lui redonner quelques forces.

Marchant jour et nuit, le cheval et son cavalier parvinrent à rejoindre le convoi. Le moment était venu pour Philippe de se séparer de son fidèle compagnon. Il n'eut pas le courage de le tuer. Après l'avoir attaché à un arbre et serré une dernière fois contre lui, il s'enfuit en clopinant. Longtemps, il entendit ses hennissements, puis plus rien. Les loups ?...

Cette nuit-là, Philippe connut une souffrance si grande qu'il eût sans doute attenté à sa vie s'il n'avait cru entendre dans son délire comme un appel :

– Viétcha !... Viétcha !...

Trois jours plus tard, il tua un homme de la suite des évêques et se fit embaucher à sa place, en dépit de l'horreur qu'il inspirait. Comme on lui demandait son nom, il se borna à montrer la cicatrice purulente qu'il portait à son cou. On le surnomma le « muet-boiteux ».

Ses atroces blessures semblaient avoir décuplé ses forces, aussi lui confia-t-on les plus rudes travaux : arbres tombés en travers de la route à déplacer, litières enlisées à redresser, larges pierres à glisser sous les roues, chasse au sanglier ou au cerf pour la table princière, au loup pour protéger les voyageurs, combat contre les brigands qui accompagnaient plus ou moins discrètement le cortège, attendant le moment opportun pour passer à l'attaque.

A deux reprises, il déjoua une embuscade et occit cinq bandits à lui tout seul. Gosselin de Chauny demanda à le voir et tint à le féliciter. Cette stature et ce visage détruit lui semblèrent vaguement familiers. Mais, grâce au ciel, aucun de ses hommes n'avait cette mine sauvage et déchirée. Le malheureux ne parlait pas, sans doute par suite de la blessure dont il portait trace au cou. Apparemment, quelque soldat abandonné sur un champ de bataille... Quoi qu'il en soit, une bonne et solide recrue. Si l'homme n'était pas mort d'ici là et se conduisait bien, il le ramènerait en France.

A la suite de cette rencontre, Philippe se tint soigneusement à l'écart de Gosselin et des évêques, redoutant par-dessus tout la perspicacité de Gautier.

Il crut bien être découvert le jour où il retira Anne des débris de sa litière tombée dans le fleuve. Il faillit se trahir quand il la tint, plus longtemps que nécessaire, inanimée contre lui. Avec douceur, Hélène lui prit des bras son cher fardeau qu'elle porta seule, malgré les vêtements alourdis par l'eau, jusqu'à la plus proche litière. Là, dévêtue, frictionnée, réchauffée par les braseros, la princesse reprit connaissance. Son sourire joyeux rassura tout à fait la nourrice et les évêques accourus en hâte.

– J'ai rêvé qu'un homme jeune et vigoureux m'emportait, leur dit-elle.

– Ces rêves ne sont pas convenables pour une future épousée! s'exclama Roger de Châlons.

L'évêque de Meaux eut du mal à retenir un ricanement sardonique devant la pudibonderie de son collègue qui, dans sa jeunesse, ne s'était pourtant pas montré des plus vertueux.

Peu de temps après, Hélène fit porter à Philippe un pot de pommade pour aider ses plaies à cicatriser. Ému, le jeune homme reconnut un onguent dont Anne avait le secret. « Sans le savoir, elle veille sur moi », pensa-t-il.

Bientôt, son courage et sa loyauté forcèrent le respect de ses compagnons qui s'habituèrent peu à peu à sa présence taciturne, à son visage torturé, à son aspect barbare autant qu'étrange. Ne parlant pas, il écoutait beaucoup et parvint bientôt à comprendre la langue des soldats francs.

Chaque jour, il se cachait dans un arbre ou sous un chariot pour apercevoir la princesse; chaque jour, il retenait l'élan qui le poussait à lui dire :

– Regarde, c'est moi, Viétcha!

Ils arrivèrent un soir, au coucher du soleil, devant un large fleuve, le Rhin. Gosselin de Chauny le fit appeler sous sa tente :

– Ici, on t'appelle le Muet ou le Tailladé, ce ne sont pas des noms chrétiens, il faudra t'en trouver un autre. Le Muet, comprends-tu notre langue?

« Oui », fit Philippe en hochant la tête.

– Bien. Nous allons bientôt entrer dans le pays de France. Par ton audace au combat, je t'ai distingué. Je ne sais d'où tu viens, ni même si tu es baptisé...

Philippe hocha la tête avec énergie.

– Tu es baptisé? Voilà qui facilitera les choses. Je ne sais rien de toi, mais je m'y connais en hommes. Malgré ta figure détruite, tu m'inspires confiance, je ne saurais dire pourquoi. Veux-tu venir avec moi en

France et entrer à mon service? Plus tard, si tu en es digne, tu seras peut-être écuyer, et, qui sait, bien que tu ne sois pas de noble famille...

Philippe eut un mouvement de colère qui n'échappa pas à Chauny.

— ... tu pourras être fait chevalier. Qu'en penses-tu?

Pour toute réponse, le jeune boïar mit un genou en terre en présentant sur ses deux mains tendues l'épée qu'il avait arrachée à un chef de brigands.

— Bien, tu es donc à moi. Maintenant, il te faut un nom.

Sur le sable de la berge, Philippe traça quelques lettres sous l'œil ébahi de Gosselin.

— Tu sais écrire!?... et lire?...

Philippe hocha la tête affirmativement, ce qu'il regretta aussitôt devant l'air soudain méfiant de Gosselin.

— Tu dois être un moine défroqué?... Non?... Alors, je ne comprends pas. Moi, je ne sais pas lire, ajouta-t-il fièrement, un chevalier n'a nul besoin de cela. Va-t'en, je dois réfléchir.

Ce fut Gautier de Meaux qui l'arracha à la contemplation des caractères tracés par l'étrange guerrier défiguré.

— Vous avez l'air bien songeur, Gosselin. Que regardez-vous si attentivement?

— Seigneur évêque, pouvez-vous me dire ce que signifient ces signes?

Gautier s'accroupit et, après un bref examen, se releva :

— Ce sont des caractères de la langue grecque, cela signifie : *Georges*.

— C'est un nom chrétien?

— Bien évidemment! Saint Georges était un des soixante-douze disciples de Notre-Seigneur. Il mourut de mort subite et ressuscita au bout de six jours, après que le bâton de saint Pierre eut touché son tombeau. C'est un saint très vénéré des chrétiens grecs et russes. Pourquoi me demandez-vous cela?

– Je ne sais. J'ai trouvé ces signes, je me suis demandé ce qu'ils voulaient dire...

– Avez-vous vu celui qui les a tracés?

Grâce au hâle du visage de Gosselin, l'évêque Gautier ne remarqua pas la brusque rougeur qui envahit les joues du chef du convoi.

– Non, je n'ai vu personne.

– Ce sera sans doute un de nos clercs, dit l'évêque en poursuivant son chemin.

Après son départ, Chauny retourna vers le campement, indécis et mécontent. Pourquoi l'homme lui avait-il menti? La question le tourmenta toute la soirée. La confusion qui régnait dans son esprit simple était si grande qu'il ne s'aperçut pas d'emblée de la présence de Philippe, debout non loin de la litière de la princesse, montant la garde, appuyé à une lance. La lueur mouvante des flammes du foyer devant lequel s'était allongé Gosselin rendait les mutilations du jeune homme plus terribles encore, accentuant son aspect farouche. Comment, de simple portefaix, était-il devenu une des sentinelles? Qui avait permis cette mutation? Il n'avait pas souvenir d'y avoir été pour quelque chose.

Il s'endormit lourdement, d'un sommeil peuplé de balafrés qui le harcelaient, poussant des cris inarticulés et traçant de leur sang des signes énigmatiques que rien ne pouvait effacer.

Au matin, il demanda qu'on lui amenât le Muet, mais celui-ci demeura introuvable. Il ne réapparut que trois jours plus tard, hâve et défait, portant sur ses épaules un grand cerf qu'il jeta aux pieds de Gosselin avec un large sourire. Chauny, touché par ce cadeau, n'essaya pas d'en savoir davantage. Au surplus, on venait de lui signaler qu'une troupe de brigands les suivait depuis deux jours.

– Chevaliers, et vous soldats, tenez-vous sur vos

gardes, ces bandits peuvent passer à l'attaque à tout instant. Que veux-tu?

Philippe retira sa main posée sur le bras de Gosselin et articula :

– Morts.

– Ah, tu parles!... Que veux-tu dire?

– Tous... morts...

– Combien?

– Sept, fit-il en montrant ses doigts.

– Où?

Philippe indiqua la direction.

– Montre-nous.

Philippe s'enfonça sous les bois, suivi de Gosselin et d'une dizaine de guerriers. A une centaine de pas, la petite troupe s'arrêta net : sept corps déjà raidis par le froid gisaient éparpillés. L'état du sol témoignait de la violence de la lutte. Deux avaient la tête tranchée, deux autres étaient éventrés. Devant pareil carnage, Gosselin de Chauny considéra Philippe avec une admiration craintive. Comment un homme seul avait-il pu en massacrer sept autres sans que leurs cris ou le bruit du combat leur fussent parvenus? Il y avait là quelque chose d'étrange, de diabolique peut-être.

Gosselin se mit à genoux, fit un large signe de croix et s'abîma dans la prière, imité par ses hommes. Après un moment d'hésitation, Philippe se joignit à eux. Puis l'ordre fut donné de ramasser les armes et de dépouiller les cadavres.

– Ton nom est bien Georges?

– Non.

– Alors, quel est ton nom?

– Je n'ai plus de nom.

Gosselin le regarda, à nouveau méfiant.

– Tout homme a un nom.

– Appelez-moi le Taillade ou le Boiteux, puisque vous m'avez surnommé ainsi.

Sentant qu'il n'obtiendrait rien de plus, Chauny haussa les épaules :

– Bien. A dater de ce jour, je te prends à mon service, tu demeureras près de moi, tu auras le vivre et le couvert quand ce sera possible, droit de pillage raisonnable en cas de combat, en dehors bien sûr de la Trêve de Dieu... Mais tu ne sais sans doute pas ce qu'est la Trêve de Dieu : tout chevalier, tout guerrier doit s'abstenir de se battre durant cette période, sous peine de péché mortel. Il doit aussi se comporter avec respect envers les dames et protéger la veuve et l'orphelin. Mon écuyer te fera tenir un habit complet. Tu es bon cavalier?... Alors tu auras un cheval dont tu devras prendre le plus grand soin; sinon, tu seras sévèrement puni. Pour les armes, choisis, tu les as gagnées. Maintenant, retire-toi et demande pardon à Dieu pour tes péchés. Souviens-toi de ne pas me trahir, et d'être fidèle à la reine et au roi.

Philippe ne comprit pas grand-chose à ce long discours, mais au son de la voix de Gosselin, il comprit qu'il était accepté. Il mit un genou en terre et, la main droite sur sa poitrine, baissa la tête en signe d'assentiment. Puis, son butin sous le bras, il rejoignit le convoi qui venait de faire halte. Là, assis dans un coin, il se laissa aller, pour la première fois depuis qu'il avait abandonné la *droujina*, à un sentiment proche de l'euphorie. Il avait réussi!... Il était dans le royaume de France!... Il respirait le même air que sa princesse!... Le dos contre un arbre, il leva vers le ciel sa pauvre face couturée, laissant une larme couler le long d'une de ses vilaines cicatrices. « Saint Georges, don e-moi la force de tenir mon serment! »

Un souffle chaud, suivi d'une caresse légère, le ramena sur terre.

– Molnia!

D'un bond, malgré sa cheville encore douloureuse, il se releva, serrant contre la sienne la tête de l'animal qui hennissait de joie.

– ... Molnia... ma belle... tu m'as reconnu! tu ne m'as pas oublié... Ah, si tu pouvais parler! Tu lui dirais que je suis là près d'elle, que jamais son image ne me quitte! Molnia, dis-le-lui...

– Molnia! Molnia! s'écria une autre voix. Ah, tu as réussi à l'attraper!... Cette bête me rend fou. Sans cesse elle cherche à s'échapper, elle me mord, me donne des coups de pied! Tiens, démon, ça t'apprendra!... Aïe!

Le fouet n'eut pas le temps de s'abattre qu'il était déjà entre les mains de Philippe, lequel, posément, lacéra d'un coup le visage de l'écuyer chargé de s'occuper du cheval de la princesse.

L'homme tira sa lourde épée avec un cri de rage.

– Manant, tu vas me le payer!

Dès la première charge, Philippe le désarma et le blessa au bras.

– Arrêtez! s'écria Gosselin de Chauny.

Philippe, qui s'apprêtait à administrer le coup de grâce, suspendit son geste.

– Que se passe-t-il?

Blême de rage et de peur, le blessé se redressa :

– Cet homme est fou, il s'est jeté sur moi pour me tuer.

– Est-ce vrai?

– Non, fit Philippe en tendant le fouet et en montrant Molnia qui caracolait autour de lui.

– Tu veux dire qu'il voulait frapper le cheval de la princesse?

– Oui.

– Tu as bien fait de l'en empêcher, mais ça ne mérite pas la mort. C'est curieux, ce cheval te fait fête alors qu'il ne laisse personne d'autre que la princesse l'approcher. Tu es un drôle d'homme. Un jour, quand tu reparleras, tu me raconteras ton histoire. En attendant, va-t'en.

Tranquillement, Philippe essuya son épée dans l'herbe avant de la remettre au fourreau, et se dirigea vers le chariot des cuisines. En échange de deux oiseaux tirés de sa chemise, on lui tendit un beau morceau de viande de cerf dégoulinant de jus, enveloppé dans une galette. D'un signe de tête, Philippe remercia.

– Tu es un fameux tueur d'hommes et d'animaux. Tu reviens toujours avec l'un ou avec l'autre, lui dit le cuisinier en suçant ses doigts.

Après son repas, Philippe s'éloigna en quête d'un trou d'eau pour se laver et raser son crâne et sa barbe. Ce qui lui valut, à son retour, les sarcasmes de ses compagnons de route dont certains ne s'étaient pas lavés depuis Kiev. Sans leur prêter attention, il s'allongea sous un chariot, le visage tourné vers la litière d'Anne.

Les cérémonies du mariage et du couronnement furent pour lui un supplice. Il tenta de l'oublier dans le mauvais alcool des ignobles tavernes des faubourgs de Reims, et entre les jambes de vieilles putains ou de maigres gamines à peine pubères qui, terrifiées par son apparence, fermaient les yeux de dégoût et d'épouvante. Au lendemain de ces beuveries et de ces tristes débauches, nul n'osait s'approcher de lui, tant le désespoir fou qu'on lisait dans ses yeux injectés de sang arrêtait les plus téméraires comme les plus amicaux.

Il ne fit pas partie de ceux qui accompagnèrent la nouvelle reine et le roi à Senlis. Il suivit Gosselin sur ses terres de Chauny où l'attendaient sa femme et ses fils. Là, le maître des lieux fit en sorte qu'un bon accueil fût réservé à cet homme pour lequel il éprouvait une sorte d'amitié.

Quelques semaines s'écoulèrent ainsi sans que Philippe revît Anne. Peu à peu, il se remit à parler sans souffrance, d'une voix rauque et basse qui ajoutait à son mystère. L'onguent donné par Hélène avait hâté sa cicatrisation et atténué les bouffissures. Il passa son temps à chasser en compagnie du fils aîné de son maître, un garçon de neuf ans qui ne le quittait plus et le harcelait de questions auxquelles il répondait une fois sur deux.

— Mon père dit que tu es l'un de ses meilleurs guerriers. Combien d'hommes as-tu tués?... Allez, réponds-moi!

— Je n'en sais rien.

— Je ne te crois pas. Mon père dit que l'on connaît toujours le nombre d'hommes qu'on a tués de sa main. Alors, combien?... Combien?

Lassé, il finit par répondre :

— Une dizaine, peut-être.

— Seulement! mon père en a tué des milliers!

— Je crois que tu exagères, fils.

Depuis un moment, Gosselin les observait. Il était très fier de la virile assurance de son fils et de son adresse aux armes. Le Tailladé se montrait un excellent professeur, et Thibaut un bon élève.

— Va, mon fils, retourne à tes jeux.

— Mon père, je ne suis plus un enfant qui joue, mais un homme.

— Bientôt, mon fils, bientôt... Va, j'ai à parler au Tailladé. Le roi me mande auprès de lui. Nous partirons demain à l'aube... Que t'arrive-t-il, tu es tout pâle...

Philippe retint à grand mal un cri de joie. Il allait donc *la* revoir!... Le sang à ses tempes battait tel un tambour. Seigneur, sois remercié de Ta bonté! Je vais la revoir!...

CHAPITRE SEIZIÈME

Henri

La naissance d'un héritier avait comblé d'aise le souverain, le rassurant sur l'avenir de sa race. Fini les pressions des évêques, les ricanements de la cour, le mépris à peine voilé des comtes! Maintenant, grâce à ce fils, il allait leur montrer à tous qu'il était vraiment le maître du royaume, et qu'ayant accompli son double devoir de roi et d'époux, il était libre de vivre comme il l'entendait.

Tout d'abord, donner une leçon au trop puissant Bâtard qui venait sous ses yeux faire la cour à la reine avec l'accord de sa sotte de femme : ne lui avaient-ils pas demandé d'être la marraine de leur premier-né, Robert? Pour cela, il ferait la paix avec Geoffroi Martel et s'allierait avec lui. Le comte d'Anjou, empêtré dans sa guerre contre Guillaume pour dégager les forteresses de Domfront et d'Alençon, ne pouvait que satisfaire à toutes ses demandes, d'autant que l'escarmouche de Sainte-Maure avait été victorieuse pour les Français.

Le 15 août 1052, Henri convoqua Geoffroi et, contre l'avis de Baudouin de Flandre, conclut avec lui, à l'issue d'une grand-messe célébrée à l'abbaye de Saint-Germain-des-Prés, une paix solennelle.

Des réjouissances furent offertes à cette occasion, pour le plus grand plaisir du peuple de Paris : joutes sur la Seine, luttes et tournois où la reine elle-même vint remettre le prix au vainqueur, ce qui conféra à ces fêtes un éclat tout particulier. Une reine dont Henri avait cependant de plus en plus de mal à supporter la présence. Et il ne fallait surtout plus lui parler de cette Hélène qu'elle avait amenée avec elle et qui le regardait avec un dégoût non dissimulé tout en s'obstinant à ne parler que leur langue barbare. Plus d'une fois, il avait été tenté de la renvoyer dans son pays, mais il craignait les colères d'Anne. Ah, la terrible scène quand elle l'avait découvert, quelques jours après ses couches, en train de se mignarder avec un tout jeune valet! Elle avait employé les mêmes mots que sa mère, durs, crus, violents, et il s'était senti redevenir le garçonnet que la reine Constance traitait de femmelette. Depuis la naissance de Philippe, il ne l'avait plus approchée. Bientôt, il reprendrait le chemin de sa couche. Non qu'elle lui manquât, mais il devait sauver les apparences. A elle aussi, il montrerait qui était le maître. Il l'avait prise pour donner des enfants à la couronne, elle en donnerait de gré ou de force. Ou bien il la répudierait.

— Sire, vous êtes bien songeur... Vous aurez un baiser si vous me dites pourquoi cet air sombre.

— Mon Olivier, je songeais à la reine.

— Alors, pourquoi cette tristesse sur votre visage? La reine Anne est une bonne et belle femme.

— Tais-toi, tu ne sais pas de quoi tu parles. Ce n'est pas parce qu'elle aime chanter avec toi que tu dois prendre sa défense.

— Gentil roi, je vous trouve injuste. Ne vous a-t-elle pas donné un fils? Je crois, moi, que vous êtes jaloux, car tout le monde l'aime, à commencer par moi.

— Tu es stupide : comment peut-on aimer une femme, toujours bavarde, coquette, méchante et impudique, et ce corps répugnant avec ces mamelles, cette fente humide et puante, ce sang!... Pouah! tout cela me dégoûte. Rien que d'y penser, j'ai envie de vomir. Tandis que le corps d'un garçon, ferme et lisse à la fois, cette poitrine plate, ces fesses rondes et serrées, ce sexe fragile qu'une caresse de l'aimé rend dur comme le marbre. Ah, la beauté est dans l'homme!

— Je ne suis pas de votre avis. Comme vous, je chéris la beauté de l'homme et il me plaît de caresser son corps, mais j'aime aussi celle de la femme, la souplesse de ses membres, la profondeur de son ventre. Rappelez-vous celui de la reine : vous-même m'avez avoué le plaisir que vous avez eu à la prendre.

— Il le fallait bien, mais j'ai beaucoup souffert. Pour me donner courage, je pensais à toi, je fermais les yeux et imaginais te tenir dans mes bras.

— Nous sommes différents. Moi, j'aurais ouvert grand les yeux pour voir la belle Anne se tordre sous moi.

— Modère tes paroles! Oublies-tu que tu parles de la reine?

Olivier d'Arles, qui était étendu avec une grâce nonchalante sur des coussins, se releva d'un bond gracieux et, la main posée sur le cœur, s'inclina avec ironie :

— Pardonnez-moi, sire, j'oubliais que je parlais au roi, et non à mon amant.

— Je te pardonne pour cette fois, si tu me promets de ne plus faire le joli cœur auprès des pucelles de la chambre des dames.

— Beau sire, je vous le promets volontiers, car je n'aime guère les pucelles, mais les gentes dames bien en chair avec cul, ventre et seins bien débordants...

Un carreau de velours expédié par Henri lui coupa la parole. En riant, le jeune troubadour le lui renvoya. L'aimable bagarre qui s'ensuivit les jeta sur les coussins où ils s'aimèrent sans retenue.

Allongé près d'Olivier endormi, à demi dévêtu, le

roi regardait par l'étroite fenêtre les nuages menaçants qui annonçaient l'orage. Depuis plusieurs jours, il régnait sur Paris une touffeur écrasante que la nuit atténuait à peine. L'eau de la Seine elle-même était si chaude qu'elle n'apportait qu'un piètre bien-être aux Parisiens de toutes conditions qui s'y baignaient, croyant y trouver un peu de fraîcheur. Accablée, la population se traînait, ne retrouvant un peu de vigueur que devant un gobelet de vin de Montmartre ou d'Argenteuil pour les plus riches, ou d'une redoutable piquette pour les autres. On buvait beaucoup en croyant se désaltérer, et, l'ivresse aidant, disputes et rixes se multipliaient. Chaque jour, les soldats de la garde ramassaient une vingtaine de cadavres; chaque jour, les moines de l'Hôtel-Dieu soignaient de nouveaux blessés; chaque jour, le bourreau pendait. Il régnait dans la ville une atmosphère accablante, ponctuée par les sonneries de cloches des églises qui s'égrenaient dans un ciel grisâtre. On entendait au loin des grondements. Bien que l'après-midi fût peu avancé, il faisait sombre comme au cœur de l'hiver. Un éclair aveuglant illumina la pièce, révélant la blancheur du corps d'Olivier. Le roi tendit les doigts et caressa la nuque du troubadour où frisottaient ses noirs cheveux collés par la sueur. Au même moment, un coup de tonnerre d'une rare violence fit sursauter les deux hommes. Henri fit le signe de la croix et marmonna une prière. Olivier se redressa en se frottant les yeux.

— Dieu n'a pas l'air très content, il se met en colère, dirait-on.

— Tais-toi, tu blasphèmes! Nous sommes de pauvres pécheurs, que la Sainte Mère de Dieu nous protège. Rhabille-toi, ta nudité est une offense...

— Et celle d'un roi?

— Oh!...

138

Henri rajusta ses vêtements avec des gestes maladroits qui firent sourire son compagnon.

– Va-t'en... laisse-moi... Je veux prier Dieu de nous pardonner...

A genoux, la tête entre les mains, le roi de France demanda à Dieu de l'absoudre une nouvelle fois du péché de sodomie.

CHAPITRE DIX-SEPTIÈME

Olivier d'Arles

SANS répondre aux appels des valets qui jouaient aux dés malgré les interdits de l'Église, Olivier se dirigea à grandes enjambées vers la cour du château. Il étouffait! Il avait grand besoin d'air frais. La passion du roi lui devenait de jour en jour plus insupportable.

Dernier enfant d'une famille autrefois riche et noble, il avait été amené vers l'âge de dix ans, par un ménestrel de son pays, auprès de l'archevêque d'Orléans, Isambard, qui aimait à s'entourer de chantres. La voix claire de l'enfant et son joli visage avaient fait la conquête du prélat et du maître de musique. Moyennant un honnête dédommagement, le ménestrel l'avait laissé entre les mains des moines qui lui avaient enseigné, outre la musique, le chant et la psalmodie, la lecture et l'écriture, et certains jeux auxquels il était vivement recommandé de ne pas parler en confession. C'est au cours d'une cérémonie dans la cathédrale d'Orléans que le roi avait entendu cette voix à la fois pure et chaude qui laissait l'assistance sous le charme. Henri avait demandé à rencontrer le jeune chanteur. Là, les boucles brunes, les yeux d'un vert de printemps, les lèvres rouges s'entrouvrant sur des dents parfaites, la petitesse des pieds et des mains lui avaient fait une impression si profonde qu'il n'avait point trouvé de mots pour féliciter le jeune chanteur et s'était retiré précipitamment. Le garçon croyait avoir déplu. Mais, le surlendemain, le maître de musique avait ordonné à Olivier de préparer son mince balluchon et l'avait conduit à l'évêque.

– Mon fils, tu as été remarqué par le roi. C'est un très grand honneur pour toi et un grand chagrin pour moi. J'espère que tu sauras te montrer digne de l'enseignement que tu as reçu ici, que tu seras toujours fidèle à ton maître, et respectueux de tes devoirs envers Dieu et son Église. Va, mon fils, que notre Sainte Mère te protège!

Isambard le renvoya après lui avoir donné sa bénédiction et remis une pièce d'or.

Olivier quitta les moines et ses compagnons sans regrets. Ces trois années passées à Orléans n'avaient pas été heureuses; jalousé par les élèves, poursuivi par les assiduités de certains professeurs, il s'était réfugié dans l'étude et dans une indiscipline moqueuse qu'on lui pardonnait en raison de ses talents multiples : aucun instrument de musique n'avait de secret pour lui, il composait de ravissantes chansons de circonstance, dessinait et dansait à ravir.

A cette époque, la cour du roi se tenait près de Dreux. Il y fut reçu à l'égal des fils de comtes. Henri le confia au maître d'armes Roscelin, chargé de l'instruction des valets de compagnie. Très vite, Olivier surpassa les meilleurs d'entre eux, tant au bâton qu'à l'épée. Ces nouveaux talents lui assurèrent le respect de ces adolescents qui avaient cru pouvoir facilement prendre sous leur coupe le nouveau favori du roi; il avait peut-être l'air d'une pucelle, mais se battait avec le courage d'un preux!

Olivier céda aux caresses du roi sans répugnance; sans plaisir non plus. Henri, malgré son âge, était plutôt beau, il savait se montrer doux, tendre et généreux, et... c'était le roi! Il avait pu craindre un moment que son mariage ne l'éloignât de lui : ce fut le contraire qui se produisit. Chaque nuit passée auprès d'Anne lui ramenait l'époux de la reine plus empressé que jamais. Cependant, il arriva une chose à laquelle Olivier était loin de s'attendre : lui-même tomba amoureux de la jeune femme qui, de son côté, se prit d'affection pour cet insolent musicien, si savant dans l'art de la distraire. Et il passa de plus en plus de temps en la compagnie des dames et de la reine, apprenant de celle-ci des chansons dans la langue de son pays et lui enseignant en retour des airs et des refrains de France. Le parler d'oc, banni depuis la mort de la reine Constance, revint alors en force avec la fougue de la jeunesse, si bien que les gens de la cour ne comprenaient plus guère le sens des paroles fredonnées, au grand déplaisir d'Henri qui en vint à interdire qu'on chantât autrement qu'en français ou en latin. Interdiction que ni Anne ni Olivier ne respectèrent vraiment.

La jalousie du roi devint si grande qu'en bonne épouse, la reine finit par éloigner le troubadour. Depuis la naissance de Philippe, il n'était pas reparu devant elle. Cependant, il lui avait fait parvenir un long poème où il célébrait sa beauté, saluant la femme et la mère et pleurant sur l'exil auquel elle le condamnait. Anne l'avait remercié en lui faisant envoyer une pièce d'un tissu de Damas.

Sous les trombes d'eau, le jeune homme quitta le château. Hors les murs, il descendit vers les berges de la Seine où des filles et des garçons dansaient en rondes, le visage levé pour mieux recevoir l'eau du ciel. Les pieds nus glissaient sur l'herbe, tout le monde tombait, bras et jambes se mêlaient; on eût dit une copulation des tout premiers âges, illuminée par les éclairs, scandée par les roulements du tonnerre. Arrachant ses vêtements, Olivier se précipita : une telle frénésie érotique ne pouvait se manquer !

Épuisé, les sens assouvis, Olivier rampa dans la boue jusqu'à la Seine dans laquelle il plongea. L'eau était chaude. Allongé sur le dos, il se laissa porter par le léger courant, recevant avec volupté les lourdes gouttes de pluie qui s'écrasaient sur son visage, frappant ses paupières comme de mille coups d'épingle ou coulant dans sa bouche ouverte avec l'onctuosité du miel. Il avait l'impression que l'eau du ciel le purifiait de tous ses péchés, le rendait à l'innocence de l'enfance. Des images de bonheur passaient mollement dans son esprit alangui : caresses de sa mère quand il lui faisait hommage du produit de ses premières chasses, fierté de son père quand il avait battu à la course le fils du comte de Provence, jeux et bagarres avec ses frères et ses cousins... Il n'avait pas huit ans que tout avait pris fin, à la mort de ses parents et de ses frères aînés, emportés en quelques jours par le mal des ardents. Depuis lors, il lui avait fallu se battre, encore et toujours se battre. Pour chasser ses mauvais souvenirs, il nagea longuement sous l'eau. Puis il prit pied sur la berge de l'île de la Cité, nu.

Appuyé contre un arbre, un homme grand et fort, crâne rasé, longues moustaches, visage semblable à une terre monstrueusement labourée, le dévisageait avec insistance.

– Pourquoi me regardes-tu ainsi ?

L'homme ne répondit rien, continuant à le fixer. Olivier avait l'impression de l'avoir déjà vu, tout en se disant qu'il n'aurait jamais oublié un faciès pareil. Sans ces hideuses cicatrices et cette absence de cheveux, l'inconnu aurait certainement été beau.

– Que me veux-tu ? Ma nudité te gêne ?... J'ai laissé mes vêtements sur l'autre rive entre les mains des filles. A moins... je te plais, peut-être... Non ? Bon, je renonce à comprendre. Comment t'appelles-tu?... Tu ne veux pas répondre? Tu m'ennuies, à la fin, laisse-moi passer!

L'homme fit un pas, la main sur la garde de son épée.

— Lâche! Je suis sans armes, tu veux me tuer?

L'autre fit non de la tête et, détachant son manteau, le lui tendit. Après un bref instant d'hésitation, Olivier prit le vêtement dans lequel il s'enveloppa.

— Merci. Mais j'aimerais comprendre. Où veux-tu en venir?... Tu veux que je te suive?... Bah, pourquoi pas?

Sous la pluie et l'orage qui redoublaient de violence, les deux hommes partirent en courant jusqu'à un cabaret si plein de monde qu'ils eurent de la peine à y pénétrer. Le Balafré devait y être connu, car une servante bien en chair, comme les aimait Olivier, leur fit signe d'approcher. A coups de coude, malgré les protestations et les jurons, ils parvinrent au fond de la salle dans un recoin où la faible lumière des torches fixées aux murs parvenait à peine.

— Seigneur, installez-vous là, je vais vous chercher notre meilleur vin.

— Tu es là comme un coq en pâte, ami, et la garce a l'air pleine de bons sentiments pour toi. Maintenant que nous voici parvenus là où tu voulais, vas-tu me dire ce que tu attends de moi?

La fille revint avec des gobelets d'étain et un pichet sur les flancs duquel se condensaient des gouttelettes.

— Merci, Gisèle.

— Buvez, messire le Tailladé, il est bien frais, c'est moi qui l'ai tiré au tonneau, dit-elle en le servant.

Elle attendit qu'il eût bu, claqué la langue d'un air connaisseur, avant de servir le musicien. A son tour, Olivier goûta le vin.

— Hum, elle ne s'est pas moquée de toi, messire le Tailladé. C'est bien ton nom?

– Oui, répondit-il de sa voix rauque, c'est mon nom.

– Le mien est Olivier.

– Je sais.

– Ah bon. Et toi, qui es-tu? J'aime bien savoir avec qui je bois.

– J'appartiens à messire Gosselin de Chauny.

– Je comprends maintenant pourquoi, tout à l'heure, j'ai eu l'impression de t'avoir déjà rencontré quelque part. Tu faisais partie de l'escorte qui a amené la reine Anne?

La brusque rougeur qui envahit le visage de Philippe fit ressortir ses larges cicatrices blanchâtres, et n'échappa pas au troubadour.

– Tu faisais partie de l'escorte? répéta-t-il.

– Oui.

– Es-tu du même pays que la reine?

– Non.

– Dommage. J'aurais bien aimé que tu me parles d'elle et de ce pays qu'elle semble toujours regretter. On dit à la cour qu'elle a laissé un amoureux là-bas. Qu'en penses-tu?

Une nouvelle fois, le pauvre visage s'empourpra. Olivier éprouva de la sympathie mêlée de pitié pour cet homme torturé dans sa chair et sans doute aussi dans son cœur. D'une voix radoucie, il questionna :

– Je vois bien que tu souffres... Tu as un secret?... Je ne tiens pas à le connaître, mais si cela peut t'apporter quelque peu de réconfort, parle-m'en. Je saurai être discret.

Philippe n'avait que préventions envers le favori du roi qu'il avait observé à la dérobée quand il accompagnait Gosselin à la cour, mais il avait remarqué qu'Anne le traitait avec amitié et que le jeune homme, en dépit de ses mœurs honteuses, était courageux et ombrageux sur les questions d'honneur.

– C'est au service du seigneur de Chauny que tu as été arrangé de cette façon?

– Non, j'ai été attaqué par des brigands, le feu a fait le reste. Bois, le vin est bon.

Pendant un moment, les deux hommes burent en silence dans la chaleur d'étuve du cabaret où la pénombre se faisait de plus en plus dense.

Un moine, à la robe si déchirée qu'elle laissait apparaître ses jambes maigres et tordues, se hissa sur une table en poussant de grandes clameurs :

– Ce sont vos péchés, maudits, qui ont irrité le Divin Fils de Marie... Repentez-vous!... Les ténèbres s'avancent... le feu du ciel va fondre sur vous... A genoux!... Implorons la Très Sainte Mère de Dieu pour qu'Elle intercède en notre faveur auprès du Dieu fait homme... Ô femme choisie entre toutes les femmes, regarde-nous, misérables que nous sommes... Chaque jour, nous offensons ta pudeur par nos fornications abominables... Chaque jour, la puanteur de nos ruts est une insulte à ton odorat virginal... Ô mère toujours Vierge, nous t'implorons... Prie ton Très Saint Fils d'éloigner de nous Sa colère... Qu'Il nous pardonne nos crimes, à nous, misérables créatures que le Père a créées à Son image... A genoux, mes frères, repentez-vous, sinon vous serez tous anéantis!...

Les premières, les femmes obéirent, bientôt imitées par les hommes. Seuls Olivier et Philippe ne bougèrent pas.

Le moine promenait sur l'assistance agenouillée un regard brillant et satisfait quand il remarqua dans la pénombre les deux compagnons.

– Seriez-vous rebelles à la parole de Dieu, païens?

– Je n'entends de parole que la tienne, moine. Celle de Dieu est suave, la tienne pue la vinasse!

– Tu oses faire injure à son serviteur?... Redoute sa vengeance!

– Je ne redoute que ta bêtise, bonhomme.

– A l'aide, mes frères, sus au blasphémateur, donnons une leçon à ce suppôt de Satan!

– Partez, dit la servante, ce moine est un méchant, il va vous faire tuer...

En effet, une dizaine d'hommes à la mine menaçante s'étaient relevés et, bousculant les agenouillés, tentaient d'atteindre les deux rebelles.

– Je n'ai pas d'arme, passe-moi ton poignard...

Après avoir marqué une imperceptible hésitation, Philippe lui tendit le poignard offert par Anne la veille de son départ.

– Vite, venez, il y a une porte derrière, là...

L'épée à la main, Philippe sortit à reculons.

– Attention! ils nous échappent!...

Olivier courait vers le château royal, croyant son compagnon derrière lui. Le vent de la course faisait flotter son manteau, révélant sa nudité. Mais personne n'était sur son chemin pour lui en faire la remarque; l'orage avait claquemuré les Parisiens chez eux.

– Ami, nous serons bientôt à l'abri, cria-t-il en se retournant.

Pas la moindre trace du Tailladé! Soudain, il crut entendre des cris, un cliquetis d'armes. Il fit demi-tour. Ils s'étaient mis à cinq pour attaquer le Balafré. Déjà deux gisaient à terre, leur sang répandu se mélangeait à la pluie. Olivier attaqua par surprise un des agresseurs et lui trancha la gorge avec son poignard. Il s'étonna de la facilité avec laquelle on tue un homme. C'était la première fois. Il n'éprouva que stupeur devant tant de simplicité.

Philippe venait de passer son épée au travers du corps d'un des deux survivants. Le dernier, devant ce carnage, prit ses jambes à son cou, suivi du moine qui n'avait cessé de les exciter au combat.

– Je vous retrouverai, maudits!...

La nuit qui venait de tomber les absorba.

– Merci d'être venu à mon aide.

– Tu n'as pas à me remercier. Pardonne-moi de ne pas avoir été auprès de toi dès le début, je croyais que tu me suivais. Mais... tu es blessé?

– Ce n'est rien, un de ces bandits m'a donné un coup de couteau dans le dos.

– Viens, je vais te soigner.

– Comme tu veux. Si nous allons chez toi, tu pourras en profiter pour t'habiller.

Olivier éclata de rire :

– Tu as raison, ami, j'avais oublié que ma guillerette était à l'air!

La sentinelle de garde à la petite porte du château connaissait bien le troubadour et le laissa entrer avec son compagnon, sans émettre le moindre commentaire. Les deux hommes descendirent dans une vaste cuisine au plafond bas soutenu par de larges colonnes; dans une des cheminées d'angle brûlait un feu d'enfer devant lequel s'affairait le chef cuisinier entouré de trois de ses aides.

– Imbert, appela Olivier, peux-tu me donner de la charpie?

– Que t'arrive-t-il? Tu as encore reçu un mauvais coup?

– Non, c'est pour mon ami.

Imbert s'avança, examina Philippe de la tête aux pieds, puis, le poussant de la main, le força à s'asseoir. Il écarta le vêtement déchiré pour inspecter la blessure.

– La plaie est profonde, mais bien nette. J'envoie chercher la vieille Ermengarde.

Le cuisinier attira Olivier à l'écart.

– Je n'ai jamais vu cet homme ici. Tu le connais? Tu es sûr de lui?

– J'ai fait sa connaissance cet après-midi, on a été attaqués par la bande du moine Lancelin. Il en a tué trois, et moi un. Les autres sont partis sans demander leur reste.

– Il a été salement abîmé, on dirait qu'un animal sauvage lui a labouré la face.

– Tu as raison, je n'y avais pas pensé. Quoi qu'il en soit, il me semble de bonne compagnie.

– Peut-être. Mais je me méfie des hommes qui ont trop souffert, et celui-là, vois-tu, souffre encore.

– Tu as sans doute raison, mais au lieu de philosopher comme un clerc, tu ferais mieux de me procurer de quoi couvrir mon cul, sinon la vieille Ermengarde me violera.

Imbert éclata d'un gros rire et arrêta un marmiton.

– Hé, toi! prends la clef de mon coffre et va chercher des braies et mon bliaud[1] brodé. Mes chausses, je n'en ai qu'une paire et je la porte.

– Je te remercie, je n'en ai pas besoin, cela ira très bien.

– Toi, va quérir dame Ermengarde et ne traîne pas en chemin, ordonna-t-il à un autre gamin. En attendant la vieille, vous allez manger un morceau et boire un coup.

– Ce n'est pas de refus, cuisinier, cette bagarre m'a creusé l'appétit.

Quand Ermengarde arriva, elle les trouva tous trois attablés, occupés à déchiqueter une chèvre rôtie en buvant de grandes lampées de vin.

– On m'a parlé d'un blessé et je vois trois goinfres en train de s'empiffrer comme des pourceaux!

– C'est le camarade au crâne rasé, il a reçu un coup de poignard dans le dos.

– Cela ne doit pas être bien grave. Fais voir ça, mon gars.

Philippe se retourna.

– Mon Dieu!... Il y a bien des années que je m'occupe à soigner, panser, recoudre, mais je n'ai jamais vu figure abîmée de la sorte. Qui a pu te

_____
1. Sorte de chemise.

malmener ainsi? Il fallait qu'il eût bien de la haine, celui qui t'a arrangé d'aussi horrible façon... Cela te fait sourire?... Tu as bon caractère. Montre-moi ta blessure... Passez-moi un couteau, que je coupe sa chemise.

Après l'avoir examiné, Olivier tendit le poignard d'Anne que lui avait prêté Philippe pour se défendre.

– C'est une bien belle arme que tu as là. Il me semble avoir déjà vu une écriture semblable à celle gravée sur la lame. Connais-tu sa signification?

– Non, je l'ai gagnée en combattant.

– Tu as de la chance, la lame a glissé le long de l'os, sinon tu serais mort, dit la femme en fixant l'emplâtre qu'elle maintint avec de longues bandes. Tu devras rester au calme pendant dix jours.

De la bourse pendue à son cou, Philippe tira une pièce. La vieille s'en empara avec avidité.

– De la monnaie d'argent! Seigneur, tu es plus généreux que le roi. Le Ciel soit avec toi! Quelle tristesse, murmura-t-elle après un dernier regard sur la face couturée. Alors, cuisinier, tu me l'offres, ce gobelet de vin? Ne l'ai-je pas mérité?

La vieille but d'un trait.

– Ce n'est pas de la pisse d'âne, fit-elle en claquant la langue. Salut, la compagnie!

Olivier avait revêtu les habits d'Imbert. Les trois hommes continuèrent à boire en silence. Bientôt les douze coups de minuit sonnèrent. Autour d'eux, le personnel de cuisine dormait dans les coins sur des bottes de paille. L'ultime feu jetait des lueurs de plus en plus faibles. Dehors, la pluie avait cessé, mais l'orage ne s'éloignait pas, les éclairs se succédaient, illuminant brièvement le visage de plus en plus pâle des buveurs, tandis que les coups de tonnerre faisaient vibrer le sol.

– Il faut que j'aille chez le roi, il doit avoir besoin de moi, dit Olivier d'une voix pâteuse. Merci, ami, pour ton vin et tes braies. Je te les rendrai avec usure...

– J'y compte bien! fit le cuisinier sans même redresser la tête.

Philippe se leva, regardant autour de lui d'un air indécis.

– Viens avec moi, je t'emmène dans la chambre des écuyers et des valets. Mets ton manteau pour cacher ton pansement et le sang de tes vêtements.

Ils montèrent des escaliers, traversèrent des salles où les gardes somnolaient, appuyés sur leur lance.

– C'est ici la chambre des dames.

– La reine y est? demanda Philippe, si bas qu'Olivier devina sa question plus qu'il ne l'entendit.

– Oui, si elle n'est pas chez le roi. Qu'as-tu? Tu es malade? s'inquiéta le troubadour en entendant le gémissement involontaire de son nouvel ami.

– Non, ce n'est rien.

Olivier poussa la porte d'une vaste chambre où planait une puissante odeur d'hommes en sueur, couchés nus à même le sol pour y trouver un peu de fraîcheur. Ils enjambèrent les corps des dormeurs.

– Voici mon domaine, dit le favori du roi en écartant une tenture derrière laquelle se trouvait un haut lit où deux jeunes gens dormaient enlacés.

– Amauri!... Richard!... Sortez d'ici.

Grognant, sans même se réveiller, les garçons glissèrent du lit et s'avachirent entre les plis des rideaux.

– Repose-toi, je vais chez le roi.

Resté seul, Philippe s'allongea sur le côté pour ménager son épaule... Je suis enfin sous le même toit qu'elle... Ma princesse dort à quelques pas de moi... Bénie soit cette blessure qui me met dans l'amitié du musicien et si près de ma dame... Je ne désire qu'une chose, Seigneur : l'apercevoir, ainsi que son fils auquel elle a donné mon nom.

Il s'endormit, serrant contre lui son poignard.

Le soleil était déjà haut quand Olivier regagna son lit. Philippe s'était dévêtu et dormait nu. Le troubadour admira ce corps harmonieux, mince et musclé, et le compara malgré lui à celui du roi. La comparaison lui fit pousser un soupir de lassitude. Il se coucha en prenant bien soin de ne pas effleurer son voisin. Malgré les rires et les éclats de voix des écuyers et des valets qui devaient prendre leur service, il s'endormit aussitôt.

Dans son rêve, Henri l'appelait, le mignardait, lui tirait les cheveux.

— Olivier... Olivier... réveille-toi!

— Qu'est-ce que c'est?... Laissez-moi dormir!

— Olivier! Lève-toi!

Soulevé sur un coude, Philippe regardait cet homme aux cheveux grisonnants qui secouait son compagnon de lit. Il avait les yeux cernés, l'haleine mauvaise, des jeunes gens rieurs l'entouraient et il ressemblait vaguement au roi.

— Seigneur, laissez-le dormir, il a eu une rude journée.

— Qui es-tu? Tu ne fais pas partie des écuyers... Je ne t'ai jamais vu. Que fais-tu dans ce lit?

— J'y dors.

— Je le vois bien, face du diable! Olivier!

Enfin le dormeur ouvrit péniblement un œil, puis l'autre.

— Seigneur!... Vous ici? Je suis confus.

— Que fait cet homme dans ton lit?

— C'est celui qui m'a sauvé la vie, je vous en ai parlé hier soir.

— J'avais oublié. Tu ne m'avais pas dit qu'il était aussi laid. Comment t'appelles-tu?

— Le Tailladé, Sire, j'appartiens au seigneur de Chauny.

— Bien, c'est un vassal fidèle. Es-tu chevalier?

— Pas encore.

– Je verrai ce que je peux faire pour toi. Tu as sauvé mon doux ami, je t'en suis reconnaissant. Maintenant, lève-toi.

– Roi, je suis...

– Ne fais pas tant de manières, j'ai déjà vu des hommes nus. Obéis.

Philippe quitta le lit en tentant vainement de cacher une superbe érection matinale qui emplit le roi de mélancolie et fit pousser au reste de la petite troupe des glapissements admiratifs.

– Quel dommage qu'un si beau corps soit surmonté d'un tel visage! Si au moins tu laissais pousser tes cheveux... Habille-toi, tu vas m'accompagner à la chasse.

– Seigneur, il a été blessé hier, il doit se reposer, dit Olivier en enfilant ses chausses.

– Blessure bénigne, cela se voit. Ce n'est pas une petite partie de chasse qui peut l'aggraver. N'ai-je pas raison?... Rappelle-moi ton nom.

– Le Tailladé, seigneur.

– C'est ça, le Tailladé. J'ai raison, n'est-ce pas?

– Oui, seigneur.

– Allez, vous autres, dépêchons, le cerf s'impatiente. Olivier, occupe-toi de faire seller un cheval pour ton ami.

Henri s'éloigna, entouré de sa cour caquetante d'écuyers et de valets vêtus de couleurs vives. Tous rivalisaient de beauté.

– C'est bien la première fois que je vois le roi s'intéresser à un homme qui ne soit pas, excuse-moi, beau... Je pense qu'il a été ému par l'ampleur de ta queue!

– Il faut bien qu'il me reste quelque chose... Aide-moi donc à m'habiller, cette maudite épaule me fait mal.

– La vieille Ermengarde avait parlé de repos.

– Ai-je le choix?

– Non, fit Olivier en riant.

– Pourquoi es-tu allé raconter au roi que je t'avais sauvé la vie? C'est faux.

– Et alors? Si tu avais eu à le faire, tu l'aurais fait. Je n'ai pas trouvé d'autre moyen pour te mettre dans ses bonnes grâces.

– Pourquoi fais-tu cela?

– Je n'en sais rien. Tu me plais...

Philippe eut un brusque mouvement.

– Oh! pas comme tu l'entends. Tu me plais parce que tu es différent des autres et que tu as l'air aussi seul que je le suis en réalité.

– Cela ne fait pas très longtemps que je parle ta langue. Je ne comprends pas bien ce que tu me dis.

– Je te propose mon amitié. Vois si tu peux l'accepter. Non, ne dis rien maintenant... Hâte-toi, le roi nous attend.

CHAPITRE DIX-HUITIÈME

Septembre 1052

L'ÉTÉ touchait à sa fin, mais l'insupportable chaleur persistait. Malgré les orages qui s'étaient succédé, les récoltes avaient été bonnes, et le grain engrangé. La France voyait enfin le spectre de la disette s'éloigner. Les fêtes se multipliaient, pour la plus grande joie des nobles comme des manants; ce n'étaient à travers le royaume que chasses, courses nautiques, danses, jeux divers, et ces tournois dont la vogue ne cessait de croître. L'Église ne considérait pas d'un très bon œil ces manifestations païennes et s'ingéniait à y mêler des cérémonies religieuses en quoi le peuple, bon enfant, ne trouvait que nouveaux divertissements : il s'émerveillait de la splendeur des ornements lors des processions, de l'or dont irradiaient les vêtements des évêques et des princes lors de grandes messes célébrées en plein air, et il croyait entendre la voix des anges quand il écoutait les chanteurs. La nouvelle reine et son fils premier-né avaient apporté la prospérité, les églises étaient pleines de petites gens remerciant le Ciel, appelant sur leurs souverains la divine bénédiction.

Il avait fallu toute la diplomatie de Baudouin de Flandre et l'exigeante tendresse de la comtesse Adèle pour qu'Henri acceptât le voyage d'Anne à Rouen, où devait avoir lieu le baptême du fils de Guillaume et de Mathilde; on lui avait demandé d'être la marraine du petit Robert. En vérité, cette cérémonie l'arrangeait : l'absence de son beau-frère et de sa sœur allait lui permettre de mieux préparer la leçon qu'il comptait administrer au Bâtard.

Début septembre, Anne se mit en route avec une suite nombreuse : chapelains, médecins, écuyers, dames de compagnie, nourrices, berceuses, couturières, musiciens et, bien sûr, Hélène et Irène. Hélène ne laissait à personne le soin de porter le petit Philippe, le plus bel enfant, disait-elle, qu'elle eût vu depuis sa chère princesse.

La longue caravane royale s'étirait sous un soleil de plomb qu'atténuait à peine le feuillage des forêts traversées. Le cortège s'arrêtait souvent pour permettre à la reine et à ses dames de prendre des bains dans la Seine. Anne avait retrouvé son entrain et sa silhouette, seule l'ampleur nouvelle de sa gorge montrait qu'elle était devenue mère. Elle était fière de son fils qui faisait preuve d'une vigueur et d'un appétit exceptionnels.

Le comte de Valois avait tenu à faire escorte à la reine. Malgré les réticences manifestées par Anne, le roi avait donné son accord, préférant voir son puissant vassal éloigné de lui pendant quelque temps. Gosselin de Chauny avait été chargé plus particulièrement de veiller sur l'enfant, responsabilité qu'il avait déléguée à Philippe pour lequel il éprouvait une affection chaque jour plus grande. Comment n'être pas touché par le refus du Tailladé d'entrer au service du roi ? Il avait dit préférer la famille de Chauny à la compagnie dissolue des gardes royaux.

Philippe faillit se trahir quand il vit l'enfant dans les bras d'Hélène. Celle-ci le dévisagea d'un air soupçonneux et s'adressa à lui dans leur langue. Il craignit que le trop visible bonheur d'entendre cette langue chérie ne fût remarqué par ses yeux perspicaces. Il feignit de ne rien comprendre et prononça en français les compliments d'usage. La nourrice poussa un soupir et reprit la berceuse qu'elle fredonnait avant l'arrivée de Philippe. Le guerrier de la *droujina* de Iaroslav, en entendant cet air naïf, s'enfuit pour cacher ses larmes. Dans les bois, il se laissa aller au chagrin, le plus grand qu'il eût connu depuis le mariage de celle pour qui il avait renoncé jusqu'à l'idée même de bonheur.

Étourdi de douleur, il erra dans les taillis, frappant de son épée les fougères qui retombaient autour de lui avec une grâce molle. Il avançait, environné de l'odeur puissante du sang des plantes. Ce n'est qu'au tout dernier moment qu'il vit un vieil homme décharné levant sur lui une poigne dont la vigueur le surprit. Philippe porta sur l'intrus son regard noyé de larmes et, sans manifester le moindre étonnement, la moindre colère, se dégagea, murmurant d'une voix dont la calme indifférence fit frissonner l'autre :

— Tu cherches à te faire tuer ?

— Je ne le cherche pas, mais si telle est la volonté de Dieu et que tu es Son envoyé, je l'accepte.

— Il s'en est fallu d'un cheveu que je ne sois Son instrument. Qui es-tu, pauvre fou, pour t'être dressé ainsi sur mon chemin ?

— Je ne suis qu'un homme parmi les hommes, un arbre parmi les arbres, une plante parmi les plantes. Leur souffrance est la mienne. En les détruisant, tu détruis l'œuvre de Dieu.

— Prétends-tu que les arbres et les plantes souffrent comme les hommes ?

— Ils souffrent comme tout ce qui vit dans le monde pour la plus grande gloire de Dieu. Je connais le langage de mes amis du monde végétal, depuis le chêne le plus robuste jusqu'à l'herbe la plus frêle, et également celui des animaux, du loup mal aimé et pourchassé à la belette furtive.

Philippe remit son épée au fourreau et s'assit sur une souche en contemplant, songeur, le vieillard.

— Comme toi, enfant, je parlais aux arbres des forêts de mon pays, je leur racontais mes peines et mes joies, et cela me faisait du bien. J'étais convaincu qu'ils me comprenaient.

— Et tu avais raison. Si tu avais été plus attentif, tu aurais, en retour, entendu leurs confidences.

— Bah! c'étaient des idées d'enfant. J'ai grandi, et il y a bien longtemps que je ne me suis pas plus confié à un arbre qu'à un homme.

— Le moment est peut-être venu. Quelqu'un qui vit depuis de longues années au fond de la forêt est à même de tout entendre.

— Passe ton chemin, il n'y a rien à entendre!

— En tant que serviteur de Dieu, ermite en ce lieu, je me dois d'aider ceux de mes semblables qui sont dans la détresse. La tienne paraît grande. Ne veux-tu pas te décharger d'une partie du fardeau?...

— Le voudrais-je que je ne le pourrais pas.

— Je n'insiste pas. Mais ne veux-tu pas prier Dieu avec moi?

— Si tu y tiens, allons.

Philippe se leva.

— Où vas-tu?

— Dans ton lieu de prière.

— Regarde autour de toi. Tout ici est l'œuvre du divin créateur. Ces arbres ne forment-ils pas la voûte de son église, la mousse son tapis, le chant des oiseaux ses hymnes? Dieu est partout, l'air que nous respirons est chargé de Son amour. Prions-le, mon fils, afin qu'Il te donne la paix de l'âme. A genoux!

Longtemps, l'ermite et le guerrier prièrent. Quand Philippe se releva, son cœur était moins lourd, son esprit plus clair. Avec des mots simples, il remercia le moine qui le laissa repartir après lui avoir donné sa bénédiction.

Quand il rejoignit la caravane, la nuit était tombée, une nuit d'été chaude et douce, au ciel constellé d'étoiles que certaines quittaient dans une étincelante trajectoire pour rejoindre la terre. On avait fait halte à la lisière d'un bois, près d'une rivière où Anne et ses suivantes s'ébrouaient en riant à la lueur d'une lune pleine. Sur la berge, de grands feux rôtissaient volatiles, lièvres et marcassins tués en chemin par les chevaliers et les écuyers en mal d'exercice.

Caché sous les branches d'un saule baignant dans le courant, Raoul de Crépy ne quittait pas la reine des yeux. La nudité de la jeune femme, enfin contemplée, portait au plus haut point son désir. Elle avait beau le traiter avec mépris, repousser ses avances, refuser sa compagnie, alors qu'elle acceptait celle de cet Olivier d'Arles qui partageait le lit de son époux, il la possèderait un jour, il lui montrerait ce qu'un homme peut faire d'une femme; comme les autres, elle gémirait sous lui et demanderait grâce!

Un bruissement proche l'arracha à sa contemplation. Aussitôt sur ses gardes, la main empoignant le large couteau de chasse qui ne le quittait jamais, il retint son souffle. Mal dissimulé par un tronc d'arbre, un clerc, robe troussée, se masturbait en reluquant la jolie scène aquatique. Raoul s'amusa à observer le gros moine occupé à se donner du plaisir, suant et soufflant; quand il y parvint enfin, ses petits cris de goret eurent raison du sérieux du comte, qui éclata de rire. De peur, le malheureux moine faillit choir dans la rivière, se retint aux branches, glissa, retrouva son équilibre par miracle et, robe toujours troussée, s'enfuit sans demander son reste. Ce remue-ménage avait alerté les gardes royaux qui traversèrent à gué, mais ne trouvèrent qu'herbes froissées et branches cassées.

Aidée des servantes, Hélène sécha et rhabilla la reine qui refusa de mettre sa robe de dessus, trop lourde pour cette chaude soirée. Alanguie, elle se laissait coiffer, la tête rejetée en arrière, sans pensées, consciente seulement du bien-être de son corps, de la douceur de cette nuit, de la beauté de ce ciel de France d'où tombait de temps à autre une étoile filante. Elle repoussa le souvenir de Novgorod... Il ne fallait plus songer à son pays perdu!

Anne rassembla autour d'elle les plis du large voile posé par Irène sur ses tresses, et se leva. Dans l'éclat des foyers, elle ressemblait elle-même à une flamme avec sa robe et son voile écarlate bougeant à chacun de ses mouvements. Tous la regardaient, les hommes surtout. Elle s'approcha d'une table décorée de feuillages où étaient disposées des victuailles. Anne s'assit sur une chaise pliante à haut dossier. Un valet s'agenouilla, lui présenta un bassinet rempli d'une eau parfumée dans laquelle elle agita ses doigts, tandis qu'un autre lui tendait un linge blanc. Les oiseaux étaient cuits à point et la chair du lièvre, parfumée aux herbes de la forêt, succulente. Elle mangea avec gourmandise des pêches et des abricots séchés venus de Perse, envoyés par son frère Vsevolod, et but un vin capiteux offert par le comte de Provence.

Sur un signe d'elle, Gosselin de Chauny, qui s'était tenu à distance respectueuse, s'approcha.

— N'avez-vous pas vu le gentil Olivier? Je voudrais entendre de la musique.

— Je ne l'ai pas vu depuis le lever du soleil, reine, mais je vais le faire mander.

— Merci, messire Gosselin. Comment va votre fils? Est-il remis de sa chute de cheval?

— Tout à fait. Il est remonté en selle comme si de rien n'était. Je vous remercie beaucoup de prendre souci de ma famille.

— Hélène me dit que vous avez dans votre maison un homme de confiance d'une rare laideur, qui paraît tout dévoué à mon fils.

160

– C'est exact, reine. Je l'ai chargé tout particulièrement de veiller sur le jeune prince. Il est vrai qu'il est fort laid, mais d'une laideur faite par la main de l'homme, non de naissance, et si son visage est hideux, son âme est belle. J'ai pour lui estime et affection.

– Voilà un compliment rare dans votre bouche. Dites-moi, messire Gosselin, sont-ils fondés, ces bruits qui me parviennent d'une guerre entre les Normands et nous?

– N'étant pas le connétable du royaume, je ne suis pas non plus dans la confidence du roi, mais j'y prête peu de foi. Trop de liens unissent nos deux pays, et ce voyage que vous faites prouve que ce ne sont que commérages de guerriers désœuvrés.

– Notre Seigneur vous entende, Gosselin!

– Madame la reine, permettez-moi de vous souhaiter le bonsoir...

Raoul de Crépy venait de surgir à quelques pas sans qu'elle l'eût vu venir.

– Bonsoir, comte de Valois.

– N'êtes-vous pas fatiguée par ce voyage? Votre long bain vous a-t-il été agréable?...

– Je vous remercie de vous inquiéter de moi. Tout va très bien. Bonsoir.

Raoul feignit d'ignorer qu'il était congédié.

– Je vous ai entendue dire que vous désiriez de la musique. Voici des musiciens qui me sont attachés, ils viennent de la cour de l'empereur d'Allemagne. Voulez-vous les écouter?

Anne acquiesça d'un signe de tête.

Les musiciens, deux hommes et une femme, jouèrent un air lent et compassé qui n'avait rien à voir avec la légèreté et la gaieté de la musique provençale qu'elle aimait tant.

Est-ce la musique qui fit sortir Olivier de sa cachette? Il apparut en sautant et dansant comme un diable, jouant de la flûte. Décontenancés, les trouvères, après quelques accords, s'arrêtèrent.

– Continuez! gronda Raoul, furieux.

– Non, qu'ils cessent de jouer, je préfère entendre Olivier. Hélène!... Apporte-moi mon *guzli*.

– Ma sœur, il n'est pas convenable que la reine de France se donne ainsi en spectacle, dit la comtesse de Flandre en s'approchant.

– Adèle, ma mie, ne me grondez pas, il fait si beau, ce soir. Rassurez-vous, je n'oublie pas que je suis reine. Mon père, Iaroslav le Sage, qui est un grand prince, ne dédaignait pas de chanter au milieu de son peuple. Il avait coutume de dire que, par le chant, l'homme exprime le mieux son bonheur d'avoir été créé de la main de Dieu. Il disait aussi que par la musique, les hommes se rapprochent de Dieu et deviennent meilleurs.

– Vous avez toujours le dernier mot, dit en riant sa belle-sœur.

Adèle de Flandre fit signe aux dames et aux chevaliers de s'approcher. Les premières s'installèrent sur des coussins apportés par les servantes, tandis que les seconds se tenaient debout derrière elles.

Après s'être assuré que tout était en ordre, Philippe s'éloigna de la litière où reposaient les nourrices et l'enfant, et s'avança vers l'assemblée.

Il n'était plus qu'à quelques pas de sa bien-aimée, ses yeux s'emplissaient de sa beauté. Dès les premières notes échappées du *guzli*, il ferma les yeux et se laissa envahir par le souvenir de leurs chevauchées, de leurs jeux, des longs jours de l'été, des longues nuits de l'hiver, de sa main fine dans la sienne, de son sourire, de ses yeux tendres, n'éprouvant plus, à ces mélancoliques évocations, cette souffrance qui le changeait naguère en bête féroce, mais une nostalgie apaisée. Alors elle se mit à chanter...

En langue d'oïl d'abord, puis en langue d'oc, et enfin en langue russe. Il s'attendait à cette épreuve et y avait donc préparé son cœur. Ce que n'avait pu faire la berceuse d'Hélène, l'hymne aux moissons, qu'ils avaient si souvent chanté ensemble, y parvint, lui redonnant force et confiance. Soudain, il eut l'impression que s'ouvrait un nouveau monde où il aurait sa place. Il se jura de devenir un de ces chevaliers dont Gosselin de Chauny lui contait les exploits, et, pour l'amour de sa dame, d'être le meilleur d'entre eux. Bien sûr, il n'oubliait pas qu'il avait juré de ne jamais chercher à se faire reconnaître d'elle, mais il deviendrait un autre, et cet autre-là ne serait lié par aucun serment.

Dans son coin, Raoul de Crépy contenait mal son impatience. Cet Olivier prenait décidément trop d'importance, il fallait l'éloigner. Quant à la reine, il saurait, le moment venu, lui faire payer ses affronts. En attendant, il allait mettre à exécution une petite vengeance qu'il échafaudait depuis plusieurs jours : il avait noté qu'Irène, la sœur de lait de la reine, rougissait chaque fois que son regard l'effleurait, et qu'elle ne manquait jamais une occasion de se trouver sur son chemin, malgré le fiancé que lui avait donné le roi, un certain Clément de Tussac, d'une bonne famille poitevine. La vengeance serait d'ailleurs des plus plaisantes, car la fille était fraîche, avec de grands yeux bleus à fleur de tête, des lèvres très rouges et de beaux cheveux blonds. Cette agréable perspective lui rendit sa belle humeur et il décida de se mettre en chasse sur-le-champ. Il quitta discrètement le cercle des auc'teurs.

Le comte trouva facilement Irène. En compagnie de sa mère et de son fiancé, elle écoutait l'amie de son enfance avec ravissement. Elle leva les yeux sur l'ombre soudain dressée devant elle et crut se trouver mal en reconnaissant le comte. Absorbés par la musique, ni Hélène ni Clément ne remarquèrent le manège de Raoul qui faisait signe à Irène de le suivre. Le cœur battant, consciente de la faute qu'elle était en train de commettre, la jeune fille se leva et, sans éveiller l'attention, s'éloigna.

Cet homme l'attirait si fort qu'elle en oubliait la peur qu'elle éprouvait toujours à sa vue. Chaque partie de son corps tendu lui faisait mal. Elle suivit la haute silhouette noire qui s'enfonçait sous les arbres et qui bientôt disparut, tant était sombre et dense cette partie de la forêt. Au bout de quelques pas, Irène s'arrêta, scrutant les ténèbres. Nul autre bruit que ceux de la forêt, de plus en plus hostile. Enfin, elle se décida à appeler :

– Seigneur, où êtes-vous?... Ce n'est pas digne d'un chevalier de m'abandonner ainsi... Seigneur, je vous en prie, répondez-moi! Sainte Mère de Dieu, venez à mon secours...

Irène tomba à genoux et se mit à prier.

A deux pas d'elle, le comte s'amusait de la situation, pestant contre les feuillages touffus qui empêchaient la clarté lunaire d'éclairer la fille. Bah, pour ce qu'il avait à faire, il n'avait guère besoin de lumière, mais son plaisir en serait moins grand; il aimait bien lire la terreur, la jouissance, le dégoût, la haine sur le visage de ses victimes. Qu'il tuât ou fît l'amour, il était toujours attentif à contempler le résultat de son œuvre.

Tel un chat sauvage, il bondit hors de sa cachette et culbuta Irène sur la mousse, une main pressée sur ses lèvres.

– Ne crie pas, petite chèvre... Cesse de trembler... C'est moi, je ne te veux pas de mal... Arrête de remuer... Laisse-toi faire... Ta peau est douce, allons, ouvre tes cuisses... Tu m'as suivi, tu savais bien pourquoi... Oh, la coquine!... Toi aussi, tu en as envie, tu es toute mouillée... Ouvre-toi... c'est bien... tiens... Tu ne regrettes pas d'être venue?... Ah!...

Raoul s'immobilisa sur le corps docile et frémissant d'Irène. Essoufflé, il se laissa glisser sur le dos, les yeux ouverts sur la nuit, tandis qu'Irène se redressait lentement, éblouie par la fulgurance du plaisir. Ils restèrent un long moment sans bouger.

— Seigneur?...

— Va-t'en! Ne parle à personne, tu entends, à personne de ce qui s'est passé entre nous. Quand je voudrai de toi, je te ferai signe... Qu'attends-tu?... Va-t'en...

Comme assommée, Irène se leva, rajusta machinalement ses vêtements et ordonna ses cheveux, puis sortit de l'ombre complice de la forêt et s'éloigna, courbée comme une vieille femme, en direction de la rivière.

CHAPITRE DIX-NEUVIÈME

Baptême du fils de Guillaume
et de Mathilde

ANNE et Mathilde se retrouvèrent avec joie, heureuses de se montrer leurs fils respectifs. Guillaume manifesta son bonheur de voir la reine avec une exubérance que d'aucuns trouvèrent déplacée.

Toutes les villes du duché avaient tenu à être représentées aux cérémonies du baptême dans la cathédrale de Rouen en la personne de leur seigneur ou de leur évêque. Les rues de la ville n'étaient pas assez larges pour accueillir les nombreux cortèges et les milliers de badauds qui se pressaient sur leur passage. L'arrivée de la reine de France fut saluée par des ovations qui allèrent droit au cœur de Guillaume. Bien qu'il n'ignorât rien, grâce à ses espions, des préparatifs d'Henri ni de ses intentions belliqueuses, il s'efforçait de dissocier la reine du roi et mettait un point d'honneur à se comporter en honnête vassal; si son seigneur prenait les armes contre lui, il se défendrait, mais en aucun cas lui-même ne prendrait l'initiative de l'attaque. Au demeurant, l'heure était à la fête; plus tard, s'il le fallait, il irait au combat.

Ce n'est pas sans un certain agacement qu'il avait vu Raoul de Crépy dans le sillage de la reine. Il l'avait cependant accueilli selon son rang, tout comme il avait accepté que le second fils qui venait de naître au comte de Valois, Simon, fît le moment venu son éducation de futur chevalier à la cour de Normandie. Le comte était trop puissant seigneur pour que le duc le tînt à trop de distance.

En l'honneur de la reine de France, ils décidèrent de briser quelques lances à l'issue du premier tournoi. La cour normande se transporta à Fécamp où devaient se dérouler de grandes festivités.

Sur une haute falaise où paissaient habituellement les moutons de l'abbaye, on dressa des estrades tout autour du champ. Celle des dames, couverte d'un large dais pour les protéger des ardeurs du soleil et de la pluie, était ornée de riches tissus brodés et de tapisseries, et l'on avait garni les sièges de coussins. Des palissades contenaient les spectateurs. Juges, maréchaux de camp, hérauts et servants couraient en tous sens, vérifiant que tout était en ordre et chacun à sa place.

L'arrivée de la reine de France, de la duchesse de Normandie et de la reine d'Écosse fut saluée par de longues ovations. Les trois jeunes femmes prirent place côte à côte, entourées des comtesses de Flandre, de Valois, de Sens et de Chartres, de la mère du duc et de nombreuses autres dames. Les couleurs vives des robes, des tentures, des oriflammes, rendaient plus bleu le bleu du ciel, plus verte l'herbe de la prairie.

Le bruit éclatant des fanfares salua l'arrivée des chevaliers, suivis de leurs écuyers. Superbement vêtus et équipés, ils avançaient lentement, l'air grave et majestueux. Monté sur un cheval blanc harnaché à ses couleurs, une tunique rouge, ornée d'un lion brodé par Mathilde, resserrée à la taille sur sa cotte de mailles, le heaume sous le bras, Guillaume s'inclina devant la tribune d'honneur. Il présenta sa lance inclinée à Anne, qui y accrocha en souriant un voile bleu, puis à Mathilde qui y attacha un voile rouge. Un murmure monta de la foule. Le duc fit au galop le tour de la lice, tenant haut sa lance où flottaient les faveurs de sa dame et de son épouse.

Quoiqu'il sût, comme tout un chacun, que la reine de France avait accepté le duc de Normandie comme chevalier servant, Raoul de Crépy en fut irrité. Il avait espéré, un moment, que Guillaume combattrait sous les seules couleurs de sa femme. Montant un cheval du plus beau jais, au harnais noir souligné d'or comme ses vêtements, il s'approcha à son tour de l'estrade, visière relevée. Irène, placée derrière sa maîtresse, retint un cri. Raoul salua la reine et la duchesse, qui lui rendirent la pareille d'un léger signe de tête. Il inclina sa lance devant la mère de celui qu'il considérait à présent comme un rival. ll se fit dans la lice un profond silence, troublé seulement par le piaffement des chevaux. Il y avait là un affront, et nul ne s'y trompa : Guillaume ne pouvait triompher de celui qui arborerait les couleurs de sa mère. Mais Arlette, habituée à surmonter tous les écueils depuis que le duc Robert l'avait élue entre toutes les femmes de son duché, n'était pas femme à se laisser démonter. Elle sourit au comte avec grâce et, d'une voix forte, pour être entendue de tous :

— Seigneur, je vous suis infiniment reconnaissante de m'avoir voulu ainsi honorer, j'y suis fort sensible et vous assure que je ne l'oublierai pas. Mais, comte, votre magnanimité vous égare. Il n'est plus temps pour moi de permettre à un chevalier, si ardent soit-il, de porter mes couleurs. Je suis à l'âge des cheveux blancs, la naissance de mon bien-aimé petit-fils l'atteste. Tant de jeunes dames seraient fières de vous donner une enseigne, et particulièrement la comtesse de Valois...

C'était l'ordre d'une dame : il n'y avait pas moyen de s'y dérober, sous peine de faire grand outrage à sa femme et à la mère de son hôte. La rage au cœur, mais le sourire aux lèvres, Raoul de Crépy se courba profondément devant Arlette de Conteville, releva sa lance pour l'abaisser devant Adélaïde de Valois qui détacha un nœud de sa manche et le fixa à la lance, le regard noir.

Les deux adversaires se retirèrent sous les hautes tentes peintes à leurs couleurs, laissant place aux chevaliers tournoyants qui vinrent parader devant les tribunes avant de s'en retourner derrière les cordes au son des trompettes. Quand la lice fut remplie de chevaliers et d'écuyers tenant en main l'épée rabattue et la masse, le héraut des juges, ayant demandé silence, proclama :

– Hauts et puissants princes, seigneurs, barons, chevaliers et écuyers, s'il vous plaît, vous tous et chacun de vous lèverez la main droite en haut vers les saints, et tous ensemble, avant d'aller plus loin, promettez et jurez par la foi et serment de vos corps et sur votre honneur que nul d'entre vous n'en frappera un autre au tournoi escient d'estoc, ni plus au-dessous de la ceinture, en quelque façon que ce soit, ni ne poussera, ni ne tirera quiconque à moins qu'il ne soit accusé; et d'autre part, si par aventure le heaume choit de la tête de quelqu'un, personne ne le touchera jusqu'à ce qu'il ait été remis et lacé; sous peine, si vous en usez à votre escient, de perdre armure et destrier, et d'être criés bannis du tournoi pour une autre fois; de tenir aussi le dit et ordonnance en tout et partout, tel que messeigneurs les juges diseurs ordonneront les délinquants être punis sans contredit. Et ainsi vous le jurez et promettez par la foi et serment de vos corps et sur votre honneur...

– Oui, oui! hurla la foule des tournoyeurs.

Du haut de leur échafaud, les quatre juges diseurs hochèrent la tête. Au commandement du plus âgé, le roi d'armes cria à trois reprises :

– Coupez cordes et heurtez batailles quand vous voudrez!

Les serviteurs des combattants jetèrent un grand

« Hu! » et lancèrent le cri de leur maître tournoyant.

L'assaut fut rude, le vacarme devint rapidement assourdissant; de la lice monta une forte odeur d'herbes et de terre foulées, de crottin, de sueur animale et humaine, puis, très vite, celle, fade et sucrée, du sang. Blessures légères, mais nombreuses. Dans la mêlée, on distinguait mal qui avait le dessus. Bientôt, la confusion fut totale et les blessés évacués de plus en plus nombreux.

Un tournoyeur habillé d'une simple chemise de mailles, montant un cheval nerveux au harnais dépouillé, retint rapidement l'attention des dames, des juges et du public par son habileté de cavalier et son audace de combattant. Bientôt ne restèrent en piste que six tournoyeurs, dont celui-ci qui faisait hurler d'enthousiasme la foule.

— Qui est ce chevalier à la modeste vêture? demanda Anne.

— Nul ne le connaît, reine, dit la comtesse de Valois. Il paraît qu'Olivier d'Arles lui sert de valet.

— Sans doute est-ce un homme qui partage les goûts du troubadour favori de notre roi, pouffa la comtesse de Sens.

— Voilà qui expliquerait pourquoi il ne porte les couleurs d'aucune d'entre nous, commenta la jolie comtesse de Chartres.

— Il monte à cheval comme aucun des autres cavaliers, il est plus souple, plus agile... Regarde! Il se laisse glisser de sa selle... On dirait un cavalier de mon pays, dit Anne à Mathilde en pressant ses mains contre son cœur.

Quatre tournoyeurs demeuraient encore debout dans la lice. La reine fit un geste en direction du roi d'armes qui s'approcha aussitôt au petit trot.

— Allez dire à ce chevalier que je serais heureuse qu'il accepte de combattre sous les couleurs de ma sœur de lait, damoiselle Irène.

– Oh, reine, ce serait un trop grand honneur pour lui, nul ici ne le connaît, il n'est pas même chevalier et il a refusé de donner son nom. Sans l'appui du seigneur de Chauny, les juges l'eussent récusé.

– Il me suffit que le seigneur de Chauny l'ait en estime. Allez lui faire ma proposition.

Le roi d'armes s'inclina et se dirigea vers le cavalier sans nom.

– La reine, hôte de notre duc, demande que vous portiez les couleurs de sa sœur de lait, damoiselle Irène. Acceptez-vous?

– Dites à la reine qu'avec l'aide de Notre-Seigneur, je serai digne de l'honneur qu'elle me fait.

Après avoir transmis ces paroles, le roi d'armes héla l'inconnu qui détacha la chaînette retenant son épée à la selle, et, tenant celle-ci par la lame, la tendit vers Irène.

– Quel grossier personnage, il n'enlève même pas son heaume! murmura Mathilde à sa mère.

– Peut-être, ma fille, ne connaît-il pas les usages de nos tournois? Ils varient tellement d'un pays à l'autre... Chez nous, ce n'est pas courant, mais un chevalier tournoyant peut garder l'anonymat.

En rougissant, Irène attacha un morceau de son voile à la poignée de l'épée.

– Je vous confie mes couleurs, soyez dès cet instant leur défenseur.

Sans répondre, l'inconnu s'inclina, baisa longuement la lame de l'épée, et, la levant bien haut, poussa un cri qui fit, l'espace d'un court instant, défaillir la reine. Seule Mathilde remarqua sa soudaine pâleur.

– Qu'as-tu, ma douce, tu es souffrante?

– Non, j'ai cru entendre la voix de... Viétcha, dit-elle dans un souffle.

Sous l'œil inquiet de son amie, Anne se redressa en soupirant.

Les couleurs d'Irène firent merveille; son champion défit comme en se jouant son premier adversaire et ne laissa que peu de chances au second.

Les trompettes sonnèrent la fin de la rencontre. Le gagnant s'inclina devant les dames. Immobile à l'abri de son heaume toujours baissé, Philippe emplissait ses yeux de la beauté de celle qu'il aimait. Intriguées par cette immobilité et ce mutisme, les dames se regardaient et chuchotaient entre elles. Olivier d'Arles vint au secours de son ami et le poussa face aux juges, qu'il salua avant de s'éloigner sous les cris et les applaudissements de la foule. Dans les tribunes, des rafraîchissements circulaient.

Les trompettes retentirent à nouveau, annonçant la joute du duc de Normandie et du comte de Valois. Ils entrèrent sur leurs chevaux somptueusement harnachés, précédés de leurs bannières tenues par des pages, de leurs écuyers et de leurs serviteurs. Ils firent le tour de la lice sous les acclamations, s'inclinant à leur tour devant les dames. Enfin, ils prirent place de part et d'autre de la corde tendue sur toute la longueur du champ.

Après les salutations d'usage, ils placèrent leur heaume sur la tête. Un profond silence se fit. Au signal du roi d'armes, ils se précipitèrent l'un contre l'autre, lance en avant, protégés par leur écu suspendu autour de leur cou, qu'ils retenaient de la main. Le choc fut d'une violence inouïe. Les deux lances, brisées net, volèrent en éclats. Anne, qui avait involontairement fermé les yeux, les rouvrit. Soulagée, elle vit Guillaume, ferme sur son cheval, attraper une autre lance tendue par un de ses écuyers. Raoul de Crépy, également toujours en selle, s'armait de son côté pour un nouvel assaut. Après avoir essayé la flexibilité de leurs lances, ils regagnèrent leur place.

Doucement, Anne caressa la main de Mathilde qui, blême, ne quittait pas des yeux son jeune époux.

Au signal, le combat reprit. Rudement éperonnés, les lourds chevaux se cabrèrent et, d'un bond, s'élancèrent l'un vers l'autre dans un vacarme de sabots et de ferraille, soulevant des mottes qui retombaient jusque sur la foule. Pendant un temps qui parut à tous une éternité, les deux cavaliers restèrent face à face, debout sur leurs étriers. Puis tout alla très vite. Raoul de Crépy bascula dans la poussière. Guillaume, touché en pleine poitrine par la lance de son adversaire, roula également à terre. Une immense clameur s'éleva de la foule, mais déjà le duc se relevait, l'épée à la main. Le comte, encore étourdi, mit quelques instants à recouvrer ses esprits. D'un geste rageur, il déverrouilla son heaume qu'il arracha de sa tête et jeta loin de lui. Le public murmura, à la fois admiratif et réprobateur. Ce chevalier vêtu de noir, couleur maléfique, n'avait pas sa sympathie. Parmi les spectateurs, ceux qui le connaissaient savaient qu'en toutes circonstances, il cherchait à provoquer. Haï pour sa cruauté, pour le mépris avec lequel il traitait ses ennemis, et quelquefois même ses amis, ne respectant rien, ni Dieu ni les hommes, il séduisait néanmoins par son courage, sa magnificence, ses yeux au regard froid d'un bleu intense, bordés de longs cils. Une barbe, des cheveux et d'épais sourcils sombres soulignaient la pâleur de son visage.

À son tour, Guillaume retira son heaume, la tête protégée seulement par la coiffe de son haubert. Dans sa tribune, Mathilde serra fort la main d'Anne. On n'entendait plus que le cliquetis des épées et les han! des jouteurs.

Malgré son habileté aux armes, le comte de Valois n'avait ni la fougue ni la jeunesse de son adversaire. Chaque coup du duc portait et faisait mal, il avait la force d'un jeune taureau et avançait sans souci de se protéger, tout au désir de gagner sous les yeux de ses dames. Au mépris des règles, Raoul de Crépy porta un coup d'estoc que Guillaume détourna. Cette attitude excita la hargne du duc. Du plat de son épée, il fit voler celle du comte qui, beau joueur, tendit la main à son vainqueur et alla s'incliner devant les dames et les juges. C'est le moment que choisirent les juges pour faire retentir les cors. Quand ils se turent, les hérauts s'exclamèrent :

– Chevauchez, bannières, départez-vous des rangs et retournez au logis; et vous, seigneurs, princes, barons, chevaliers, écuyers qui, en cet endroit, êtes tournoyant devant les dames, vous avez tellement fait votre devoir que, désormais, vous pouvez à la bonne heure aller et rompre les rangs; car déjà le prix est assigné, et il sera ce soir baillé par les dames à qui l'a mérité.

Les trompettes sonnèrent la retraite, les lices furent rouvertes, les tournoyants les quittèrent dans un joyeux désordre.

Le soir, dans la grand-salle du château de Fécamp, après le fastueux souper offert par le duc à ses hôtes et aux participants au tournoi, les juges et le roi d'armes annoncèrent la remise du prix. Le chevalier d'honneur, accompagné du roi d'armes, s'inclina devant la reine de France, indiquant par là qu'elle était choisie pour accomplir ce rituel. Encadrée de deux damoiselles, tenant dissimulée la récompense sous un long morceau de toile fine, Anne suivit le chevalier d'honneur portant un tronçon de lance. Escortée des juges et des hérauts, elle fit trois fois le tour de la salle avant de s'arrêter devant le chevalier gagnant.

– ... Chauny! C'était donc vous! s'exclama-t-elle.

– Pardonnez-moi, ô reine, fit-il en mettant un genou en terre, ce n'est pas moi qui ai gagné le prix, mais un de mes hommes, trop honteux de son vilain visage et de n'être point chevalier, donc indigne d'être célébré par vous et par cette noble assemblée. C'est pourquoi, sur les conseils de la comtesse de Flandre et des juges, je suis venu à sa place recevoir ce prix, si toutefois vous nous en jugez dignes.

— Messire, je ne connais pas bien les règles de vos jeux, et m'en remets volontiers à l'arbitrage de la comtesse et des juges. Cependant, si je puis donner mon avis, un visage, si laid soit-il, doit être regardé, s'il est l'œuvre de Dieu, avec le respect dû au Créateur. Et si cette laideur a pour origine la main des hommes, il doit être regardé avec compassion, et avec horreur pour l'acte commis. Et si cette laideur lui est venue d'un combat pour son prince, ce courage doit être salué. J'ai souvent vu dans mon pays de tels héros, ils étaient hautement vénérés de tous, et d'abord de mon père, le Grand Prince de Kiev. Quant au fait que le vainqueur de ce tournoi ne soit pas chevalier, il me semble digne en tous points de le devenir, n'est-ce pas votre avis?

— Je réponds de lui comme de moi, et suis prêt à lui servir de parrain.

Le roi d'armes s'avança.

— Voici cette noble dame, Anne, reine de France, accompagnée du chevalier d'honneur et de messeigneurs les juges, qui vous vient bailler le prix du tournoi, lequel vous est adjugé comme au chevalier le mieux frappant d'épée, et le plus ardent à se trouver au premier rang qui est aujourd'hui en la mêlée du tournoi, et dame la reine vous prie que vous le veuillez prendre en gré.

Anne découvrit le prix et le tendit à Gosselin qui se releva et, selon la coutume, baisa la reine et les deux damoiselles. Tandis que le roi d'armes reconduisait celles-ci à leur place, les danses reprirent.

Allongés sur l'herbe d'un pré, les yeux perdus dans le ciel étoilé, Philippe et Olivier d'Arles se laissaient bercer par la musique qui leur parvenait de la grand-salle du château. Sans qu'aucune confidence n'eût été échangée entre eux, ils savaient qu'ils pensaient l'un et l'autre à la reine de la fête. Chacun en disposait dans le secret de son cœur, imaginant des mots, des gestes à lui seul adressés : Philippe la revoyait courir vers lui, ses longues tresses dénouées, les bras emplis de fleurs, riant et criant :

— Viétcha !... mon beau Viétcha !

Olivier admirait la ligne de son cou, la souplesse de ses doigts pinçant les cordes de la harpe qu'elle laissait retomber sur les coussins en soupirant, avec cette voix qui l'atteignait au ventre :

— Mon petit Olivier, jamais je n'arriverai à jouer correctement de cet instrument. Je préfère mon vieux *guzli* !

Avec un ensemble parfait, ils soupirèrent et se détournèrent pour dissimuler l'un à l'autre, en dépit de l'obscurité, l'érection suscitée par leur rêverie, qui les remplissait de confusion. Cependant, la simulta-néité de leurs soupirs les fit éclater de rire :

— Debout, ami, certains songes peuvent être funes-tes! Je connais un endroit au bas des remparts où de belles et bonnes filles ne sont avares ni de leur cul ni de leurs caresses. En ce jour de gloire, nous avons bien gagné le droit de nous distraire!

— Comme toujours, tu as raison. Entre sans moi, choisis-m'en une qui soit douce et tendre, et mène-la-moi. Dans le noir, je suis sûr d'être aimé sans réticence.

Olivier renonça à lui dire que ce qu'il avait perdu en beauté physique, il l'avait gagné en beauté inté-rieure, mais il savait que les filles voyaient rarement jusque-là.

Bras dessus bras dessous, à peine ralentis par la claudication de Philippe, ils dévalèrent le chemin rocailleux qui longeait les remparts.

Irène

TOUT au long de l'année 1053, les rapports entre le roi de France et son vassal le duc de Normandie se dégradèrent. Anne et Mathilde assistaient avec tristesse et angoisse à cette détérioration des liens entre les deux pays. Henri voyait avec crainte son jeune et turbulent voisin assurer son autorité par de nouvelles conquêtes, malgré les perpétuelles révoltes suscitées par les descendants de Richard II, oncle de Guillaume, que le roi soutenait parfois en hommes et en vivres.

L'excommunication lancée contre le duc par le pape Léon IX sous la pression de l'archevêque de Rouen, Mauger, pour n'avoir pas respecté l'interdiction frappant son mariage, envenima encore la situation. Guillaume, qui chaque jour assistait à la messe, fut bouleversé par cette condamnation, mais refusa de se séparer de Mathilde qui venait de mettre au monde un autre garçon. L'enfant fut baptisé par le prieur de l'abbaye du Bec, Lanfranc, qui repartit aussitôt pour Rome intercéder en faveur du couple ducal.

De nouveau enceinte elle aussi, Anne attendait sa délivrance avec impatience. Médecins et sages-femmes lui avaient recommandé le plus grand repos. Fini les chevauchées dans les forêts de Dreux ou de Senlis, les fêtes dans les châteaux d'Étampes, de

Paris ou de Melun, les glissades sur les étangs gelés! Il ne lui restait que des activités de vieille femme dans la chambre des dames. Le temps passait lentement à écouter le bavardage des comtesses, des nourrices, des brodeuses. Si seulement Mathilde avait été là, mais l'état de guerre entre les deux pays était maintenant bien installé...

Même Olivier d'Arles et ses chansons n'arrivaient plus à distraire la reine, et la jalousie d'Henri empêchait souvent le jeune troubadour de venir lui faire entendre un nouvel air ou quelque nouveau poème. Hélène, malgré le petit Philippe, avait le mal du pays et ne parvenait toujours pas à apprendre la langue des gens de France. Elle souffrait de l'inconduite d'Irène, qu'elle s'efforçait de cacher à la reine. La jeune fille avait rompu ses fiançailles sans fournir aucune explication, menaçant de se retirer dans un couvent si on s'obstinait à vouloir lui faire épouser Clément de Tussac. Sa passion pour Raoul de Crépy n'avait cessé de croître. D'être obligée de demeurer près de sa sœur de lait la rendait si morose qu'Anne finit par s'en offenser :

– Je conçois que rester cloîtrée te soit désagréable, mais, par égard pour moi, tu pourrais me montrer moins triste figure!

Irène ne répondit pas et se pencha sur son ouvrage, plus renfrognée encore. Oh, ces interminables journées d'hiver au fond de ces châteaux humides et sombres!

En janvier 1054, la reine mit au monde un fils que l'on prénomma Robert, en souvenir de son grand-père. Henri, à la veille d'envahir la Normandie à la tête d'une des deux armées françaises – l'autre était commandée par son frère Eudes avec lequel, pour la circonstance, il s'était réconcilié – vint saluer sa femme et lui offrit en présent une chaîne d'or.

– Ma dame, soyez remerciée pour ce nouveau fils, je suis heureux de vous. Je vous demande vos prières dans la guerre que j'entreprends pour protéger le royaume que m'ont légué mes pères et que je veux, à mon tour, léguer, avec la grâce de Dieu, à notre fils Philippe, augmenté de terres injustement possédées par le Bâtard de Normandie.

— Mais, seigneur...

— Je vous demande instamment, ma dame, de cesser tout commerce avec lui, y compris avec ma nièce Mathilde. Nous sommes en guerre et vous êtes reine de France. Si Dieu voulait qu'il m'arrivât malheur, souvenez-vous-en!

A peine remise de ses couches, Anne quitta Paris pour gagner Senlis, à la grande joie d'Irène qui se rapprochait ainsi des domaines du comte de Valois.

Avant son départ pour l'armée du roi, Raoul de Crépy demanda à saluer la reine. Devant l'insistance d'Irène, Anne accepta de le recevoir. Souffrante, elle s'était allongée sur un haut lit de repos aux courtines relevées, installé près de la cheminée de la grand-salle du château. Le comte lui parut encore plus grand, plus sombre qu'à l'accoutumée. Dès qu'il paraissait, son cœur battait plus vite, ses mains devenaient moites, elle pressentait comme un danger. Jamais elle n'avait éprouvé une répugnance si grande envers quelqu'un qui se donnait tant de mal pour lui être agréable, qui, chaque fois qu'elle séjournait à Senlis, lui faisait porter le meilleur produit de ses chasses, de ses pêches; mais aucun cadeau, pas même cet éper-vier grand chasseur qu'elle avait admiré un jour à son poing et qu'il lui avait offert avec grande cour-toisie, n'avait eu raison de ses préventions.

— Reine, je ne voulais pas partir à la guerre sans vous avoir revue. Je viens solliciter vos prières et vous assurer que vous n'avez pas plus dévoué, plus respectueux vassal, et qu'il ne tient qu'à vous que je le demeure à jamais.

– Que voulez-vous dire, comte? Je ne comprends pas. Vous vous dites tout dévoué à la cause du roi, car c'est du roi que vous êtes le vassal, et cependant, je sens dans vos propos je ne sais quelle menace...

Raoul de Crépy comprit qu'il était allé trop loin.

– Il n'y a point de menace dans mes paroles, reine, simplement l'expression, un peu excessive peut-être, de ma respectueuse amitié pour vous.

– Excessive, en effet, comte. Vous me rendrez heureuse en faisant votre devoir et en protégeant le roi.

– Par amour pour vous et pour mon roi, il ne saurait en être autrement, je vous en donne ma parole.

– Soyez-en remercié, seigneur de Crépy, et que Dieu vous protège.

Anne dit ces mots en les accompagnant d'un sourire. La chose était si inhabituelle qu'il tomba à genoux et, saisissant la main de la jeune femme, la porta à ses lèvres.

Devant ce geste qui lui était odieux, la reine se raidit et retira sa main avec violence, trop bouleversée pour parler. Le comte prit son silence et sa pâleur pour un acquiescement, se releva avec un air satisfait, s'inclina et sortit.

Irène n'avait rien perdu de la scène. Ainsi, cet homme pour lequel elle avait sacrifié son honneur en aimait une autre! Longtemps elle n'avait pas voulu se rendre à l'évidence qu'il s'agissait de la reine, mais là, elle ne pouvait plus ignorer la vérité. Surtout quand elle entendit le comte murmurer en passant près d'elle :

– Je l'aurai, par Dieu, je l'aurai!

Elle se signa devant le blasphème, non sans tuer du regard celle à qui, depuis leur commune enfance, tout était donné. Anne surprit ce regard, mais se refusa à croire qu'il lui était adressé. A ce moment lui revinrent en mémoire les rougeurs d'Irène quand elle se trouvait en présence du comte, ses mines coquettes quand il lui adressait la parole, son empressement à ramasser son gant, ses frôlements quand les circonstances s'y prêtaient, et surtout son refus obstiné d'un époux auparavant accepté avec joie. Sainte Mère de Dieu, faites que je me trompe!... Que ma petite Irène n'aime pas un homme tel que celui-là!... Un élan de pitié et de tendresse la porta vers son amie qu'elle appela dans leur langue.

– Viens près de moi... Tu es étrange, depuis quelque temps; j'ai l'impression que tu me fuis, que je n'ai plus de sœur... As-tu oublié nos jeux, nos fous rires?... N'es-tu pas heureuse auprès de moi?... N'as-tu pas tout ce que tu désires?... Je n'ai pas compris pourquoi tu ne voulais plus de Tussac, mais je peux te trouver un autre mari... Tu ne dis rien? Aimerais-tu quelqu'un d'autre en secret?... Je t'en conjure, parle-moi... Tu sais que je t'aime tendrement, je ferai tout pour t'aider...

Hélas, ces paroles ne pouvaient plus toucher Irène, elles venaient trop tard. La jeune fille n'éprouvait plus pour celle qui l'appelait sa sœur qu'une antipathie de plus en plus vive. Cependant, elle feignit l'amitié en se jetant dans les bras de la reine :

– Je ne désire rien quand je suis auprès de toi... Je n'ai pas voulu d'époux pour ne pas m'éloigner de toi, de tes enfants et de notre mère.

– Tu dis vrai? Que tu me rends heureuse!... Vois-tu, j'étais inquiète, j'avais peur que tu ne te laisses séduire par un homme comme ce comte de Valois que je déteste!...

Irène mordit ses lèvres au sang pour ne point hurler son amour. Anne perçut le brusque raidissement de son corps, mais poursuivit :

– ... Je sais maintenant que j'avais tort, pardonne-moi, petite sœur, en souvenir de notre beau pays. Viens, allons prier devant la Vierge de Novgorod.

Anne se leva, malgré les femmes qui tenaient à ce qu'elle restât allongée, et entraîna Irène derrière des tentures où elle s'était aménagé une sorte de chapelle. Y trônait la statue de la Vierge offerte par le sculpteur Sveinald et qui la suivait dans tous ses déplacements. Agenouillée, elle pria avec ferveur, tandis qu'Irène, envieuse de cette beauté qu'éclairait doucement la lampe brûlant jour et nuit, laissait la haine envahir son âme.

La bataille de Mortemer

TANDIS que Raoul de Crépy et Guy de Ponthieu ralliaient Eudes, le frère du roi, près de Pontoise, Henri, accompagné de Geoffroi Martel, rejoignait l'armée angevine au château de Tillières.

Gosselin de Chauny avait précédé le roi pour veiller à l'installation des troupes et s'assurer que, des cuisines aux écuries, tout serait en ordre. Il avait chargé Philippe d'inspecter les environs, afin de vérifier que nul espion du duc ne rôdait dans les parages. Tout était calme, noyé sous la pluie. Les rivières en crue, les champs inondés miroitaient sous la lune. De jour, sous ce déluge persistant, on ne rencontrait âme qui vive. Les paysans transis se terraient dans leurs chaumières humides et enfumées, terrifiés par cette multitude d'hommes en armes qui, tôt ou tard, se retourneraient contre eux. Entre deux averses, les pauvres gens se précipitaient dans les églises pour implorer la protection de Dieu.

Quand le roi arriva, la pluie avait cessé, remplacée par un froid vif qu'un pâle soleil n'arrivait pas à atténuer. A la lueur de grands feux allumés dans la cour du château, Henri vint saluer les chefs de son armée et s'assurer qu'hommes et bêtes ne manquaient de rien.

— Mes braves, je compte sur vous, avec l'aide de Dieu, pour m'aider à vaincre le Bâtard de Normandie et donner à Eudes, mon frère bien-aimé, le duché qui, réuni à la France, accroîtra la prospérité du royaume.

Cette brève harangue fut suivie d'acclamations. Puis les libations commencèrent. Contre l'avis de Chauny, on avait apporté sur des chariots d'innombrables tonneaux de vin, sous prétexte de donner du cœur au ventre aux soldats. Pour l'heure, l'ivresse des troupes était joyeuse, mais que se produise une attaque-surprise... Le roi, qui aimait la gaieté, même factice, avait grand tort d'encourager celle-ci. Il rabroua Gosselin :

— Tu te fais vieux, mon bon Chauny, j'ai l'impression d'entendre mon chapelain, toujours à faire la morale. Il faut que les hommes prennent un peu de bon temps, et ce n'est pas le vin qui les rendra moins vaillants, bien au contraire.

— En temps de guerre, le duc Guillaume interdit à ses hommes toute boisson forte.

— Il suffit! Le duc Guillaume fait comme il l'entend. S'il lui plaît de commander à une armée de moines, grand bien lui fasse!

— Ces moines-là, Sire, sont de redoutables guerriers, bien entraînés, bien équipés...

— Mais beaucoup moins nombreux que nous. Il est vrai qu'ils sont valeureux, j'ai pu en juger moi-même à Val-lès-Dunes, à l'époque où nous étions alliés, le Bâtard et moi. Rassure-toi, Gosselin, le nombre aura raison d'eux.

— Le Ciel vous entende! bougonna Chauny en se retirant.

C'est vrai qu'il se sentait vieux, à cinquante ans passés, et las de guerroyer. Il aspirait au repos, tout en sachant que les plaisirs de la chasse ne remplaceraient jamais ceux de la guerre. En bon chevalier, il devait commencer à se préparer à la mort, abandonner peu à peu tous ses biens à ses fils, sans oublier le Tailladé qu'il considérait comme tel.

Fatigué, il alla prendre un peu de repos. La pluie s'était remise à tomber.

L'amitié entre Olivier d'Arles et le Tailladé, comme tous l'appelaient désormais, ne cessait de grandir. Philippe avait appris à connaître le troubadour et comprenait mieux son comportement depuis qu'il savait quelle avait été son enfance. Les premiers temps, Gosselin de Chauny avait pris ombrage de cette relation, craignant que son protégé ne se laissât entraîner à des débauches contre nature. Très vite, il avait été rassuré : c'était Philippe qui prenait l'ascendant, devenant pour Olivier une sorte de frère aîné. Les deux amis se voyaient chaque fois que le permettait leur service respectif.

En cette fin d'hiver 1054, ils suivaient l'armée royale, commandée par le roi en personne pour anéantir la Normandie : blottis sous la même couverture de peaux de loups, alourdie par cette pluie froide qui n'avait cessé de tomber depuis leur départ de Dreux, ils bavardaient :

– Tu ne m'as toujours pas dit ce que tu me voulais, ce jour d'orage où nous avons fait connaissance... Rappelle-toi, tu me cherchais... J'ai toujours cru que cela concernait la reine... Est-ce que je me trompe?... Tu pourrais me répondre! Ne t'ai-je pas tout dit de moi, même ce dont je n'étais pas fier?... Je le vois bien, tu n'as pas confiance... Ton amitié n'est pas aussi forte que la mienne.

– Olivier, gentil Olivier, j'ai pour toi la plus tendre affection, tu le sais... Mais le temps a passé... J'ai renoncé à ce que je voulais te demander... Il n'y a plus rien à dire. Pour ce qui est de mon passé, il vaut mieux que tu n'en connaisses rien. Il n'y a pas là inimitié de ma part, mais désir de n'y plus penser.

– Pardonne-moi, je suis un fou de raviver tes souffrances par une mauvaise curiosité. N'y vois rien de malséant, mais la preuve de mon amour et le désir de te venir en aide.

— Grâce à ton amour, mon Olivier, à celui de messire de Chauny, la vie me semble moins amère. Il m'arrive même parfois d'oublier mon monstrueux visage et ma jambe folle.

— Puisses-tu dire vrai! Quant à moi, je ne vois plus que ton âme dans tes yeux.

— Pour les dames, une belle âme n'a jamais remplacé une belle figure. Je vois bien à quel point je leur fais peur, je les dégoûte.

— Pas toutes! As-tu oublié la gentille servante du cabaret sur les bords de Seine? J'ai bien vu qu'elle t'aimait, et pourtant tu étais plus abîmé que maintenant. L'élixir de la reine t'a fait du bien.

Heureusement que l'obscurité cacha la rougeur qui envahit le front de Philippe! Il connaissait cette pommade confectionnée par les médecins grecs de Kiev sur les conseils de la princesse, qui tenait elle-même sa composition d'un mage de Novgorod. L'onguent avait la propriété de calmer les brûlures et de favoriser leur cicatrisation. A la requête du troubadour, Anne avait dressé la liste des plantes nécessaires et ordonné la mise à mort de jeunes oies dont la graisse était indispensable. Songeuse, la reine lui avait remis cette préparation. Comment le gentil Olivier avait-il pu deviner son savoir en matière de médecine? Seules Irène et Hélène étaient au courant...

Olivier n'insista pas. Philippe crut que son ami s'était assoupi. Il se laissa aller à une douce rêverie toute peuplée d'Elle, rêverie sans tristesse, empreinte de mélancolie. Dans l'approche du sommeil, inconsciemment, il murmura son nom à voix haute :

— Anne...

Près de lui, son compagnon bougea. Philippe sentit son souffle contre son oreille.

— A toi, et à toi seul, je veux faire une confidence :

comme toi, je l'aime en secret et suis prêt à mourir pour elle... Ne crains rien et ne dis rien... Comme toi, je l'aime sans espoir. Pour elle, je ne suis qu'un musicien qui partage la couche de son mari. De cela, j'ai su par ses dames qu'elle ne me tenait pas rigueur...

— Tais-toi!

— Non, laisse-moi parler... Toi, tu peux me comprendre, puisque tu l'aimes et que tu la connaissais bien avant moi...

— Que veux-tu dire?

— Ne te mets pas en colère; tu étais bien dans l'escorte qui l'a conduite en France? Tu l'as donc connue avant moi. Non?

— Oui, bien sûr, mais je ne l'ai jamais approchée. Tandis que toi, elle aime à faire de la musique avec toi.

— C'est vrai, il y a la musique entre nous, et les chansons que nous écrivons : elle sur son pays, et moi sur... elle.

Philippe se redressa.

— Tu les connais, ses chansons? Tu pourrais me les montrer?

— J'en ai recopié une avant de partir.

— Montre-la-moi.

— Je te la montrerai demain, quand il fera jour.

— Non, maintenant!

Olivier fouilla dans son sac glissé sous sa tête et en sortit un rouleau que son ami lui arracha des mains. Serrant contre lui la précieuse chanson, il rampa jusqu'au feu dont les braises mourantes lançaient leurs dernières lueurs. Abritant le parchemin sous son manteau, il dénoua le ruban et lut en ânonnant à voix basse, à la faible lumière dansante :

> « *Grâce Vous soit rendue, Vierge Marie*
> *Dont l'image m'accompagne depuis Novgorod la belle,*

Par Votre intercession un doux fils m'est né,
Comblant de bonheur mon cœur attristé.
Que par le Vôtre, il ait longue et pieuse vie,
Afin de célébrer Vos louanges et celles de Votre
fruit.
Philippe je l'ai nommé, un nom cher à mon
cœur... »

Les yeux brouillés de larmes, Philippe ne put continuer sa lecture, mais tout son être était inondé de bonheur. « Elle ne m'a pas oublié, pensait-il, elle ne m'a pas oublié... » Qu'importait d'être devenu un monstre, de s'être exilé de la Rous'; tous deux respiraient le même air, et elle ne l'avait pas oublié!

Apaisé, il retourna se coucher, tendit le rouleau de parchemin à Olivier et s'endormit aussitôt.

Le lendemain matin, la pluie avait cessé.

L'armée du roi envahit le comté d'Évreux, incendiant et pillant sur son passage, sans rencontrer de réelle résistance, puis se dirigea vers Mantes où se regroupaient des renforts venus de Paris. Henri décida d'attendre sur place des nouvelles de son cadet avant de marcher sur Rouen.

Assisté des comtes de Valois et de Clermont, Eudes, ayant concentré ses troupes dans le Beauvaisis, pénétra en Normandie en franchissant la Bresle, à Aumale qu'il saccagea. Là, comme devant l'armée royale, l'ennemi se dérobait, les soldats ne trouvaient en face d'eux que de pauvres hères qui tentaient de s'enfuir à l'approche des Français, assistant impuissants aux tueries, aux incendies de villages, au pillage des maisons, au sac des châteaux aux garnisons trop faibles. Raoul de Crépy s'étonnait que la conquête fût si facile. Il fit part de ses inquiétudes à Eudes et à Guy de Ponthieu.

– Seigneurs, vous me voyez soucieux. Depuis le début de la campagne, nous ne rencontrons que manants, femmes et enfants. De guerriers, point. Connaissant le duc Guillaume, je ne serais pas étonné qu'il y ait là une ruse et qu'il nous attaque au moment où nous nous y attendrons le moins.

– Vous vous trompez, Raoul. Le Bâtard sait nos forces plus nombreuses que les siennes et rechigne à se mesurer à nous, dit Eudes avec un rire méprisant.

– Je partage tout à fait votre avis, seigneur, notre armée impressionne les Normands.

– Le Ciel vous entende, Ponthieu, ou plutôt le diable, car pour avoir vu les Normands au combat, je puis vous dire que ce sont de redoutables guerriers. Avons-nous des nouvelles du roi?

– Votre question aura vite sa réponse, voici un de nos éclaireurs. Allez, fais-moi ton rapport. As-tu vu le roi mon frère? Quelle est sa position? As-tu rencontré les troupes ennemies? Où sont-elles? Combien d'hommes, de cavaliers?...

– Seigneur, l'interrompit le comte de Valois, laissez-le parler.

– Allez, parle, qu'attends-tu?

L'homme, couvert de boue, tentait de reprendre son souffle.

– Le roi est à Mantes... Il fait route sur Rouen en longeant la Seine... Il demande que la jonction des armées se fasse au pont de l'Arche, sous trois jours.

– Les combats ont-ils été durs?

– Aucune vraie bataille jusqu'à présent.

– J'aime de moins en moins ce qui se passe. Quoi! Nous envahissons un pays, nous tuons, nous pillons, et, hormis des rustres, nous ne rencontrons pas d'hommes d'armes? Le roi au moins s'inquiète-t-il de la situation?

– Il ne m'a pas semblé, seigneur.

Raoul de Crépy leva les bras au ciel.

— Il ne nous reste plus qu'à attendre le bon vouloir du duc, puisqu'il semble être le seul maître du jeu, et à ne pas nous inquiéter plus que ne daigne le faire le roi.

A Drincourt[1], le comte se montra fidèle à sa réputation. Il rattrapa dans l'église une toute jeune fille qui tentait de s'enfuir et la viola au pied de la croix, avant de l'abandonner à ses soldats. Encombrés de butin, les Français quittèrent le bourg après y avoir mis le feu.

Ils s'installèrent pour la nuit à Mortemer, sur les bords de l'Eaulne où les fortifications de terre, comme le village lui-même, étaient vides de leurs occupants.

On alluma de grands feux où l'on fit rôtir moutons, cochons, volailles, on mit plusieurs tonneaux de vin en perce, on fit descendre les ribaudes de leur chariot, plus quelques jolies filles enlevées dans les villages détruits. Une partie de la nuit se passa en beuveries et en débauches auxquelles le frère du roi ne fut pas le dernier à prendre part, pénétrant debout à tour de rôle trois malheureuses, tenues cuisses largement ouvertes par des soldats hilares qui se jetèrent sur elles quand leur maître en eut fini. L'une d'elles, qui était pucelle quelques heures auparavant, devint folle et se jeta dans l'Eaulne où elle périt noyée. Enfin tous sombrèrent dans un lourd sommeil. Seules restaient éveillées les femmes meurtries.

Peu avant l'aube, Gautier Giffard et Guillaume Crepin, qui commandaient l'armée normande, encerclèrent Mortemer, y pénétrèrent silencieusement, après avoir tué les sentinelles endormies, et y mirent le feu. Réveillés en sursaut, les Français se précipitèrent sur leurs armes et se défendirent avec acharne-

1. Actuellement : Châteauneuf-en-Thymerais.

ment. Aidés par la population sortie des bois environnants, les Normands massacrèrent et massacrèrent encore. Pendant dix heures d'affilée, les Français se battirent avec la furie du désespoir. L'un des plus acharnés fut Guy de Ponthieu qui tenait à venger son frère Engucrrand, mortellement blessé durant le siège d'Arques. Vers la fin de l'après-midi, la plupart des chevaliers avaient été tués; Eudes, le frère du roi, parvint à s'enfuir en compagnie de Raoul de Crépy et d'une poignée de soldats. Ceux qui restaient furent faits prisonniers. L'un des chefs de l'armée normande, le comte d'Eu, donna l'ordre d'achever les blessés et laissa la population prendre sa part des dépouilles des vaincus. On vit de simples gueux se saisir d'un ou deux destriers, de belles et bonnes armes.

Le duc, qui se trouvait sur la rive gauche de la Seine, surveillant les déplacements de l'armée commandée par le roi, reçut avec joie la nouvelle de sa victoire. Dans la nuit, Guillaume de Normandie envoya un messager à Henri. Du haut d'un petit monticule dominant le camp royal, l'homme cria à tue-tête :

– Oyez, Français... Je vous annonce une lugubre nouvelle... Oyez, je me nomme Raoul de Toeni et vous apporte grande tristesse... A Mortemer, envoyez des charrettes pour emporter les cadavres de ceux qui vous sont chers... Oyez, ils sont tous morts, ceux qui voulaient envahir la Normandie... Venez prendre leurs pauvres corps...

Dans le camp, ce n'était que colère et consternation. Les chevaliers voulaient partir sur l'heure venger leurs frères d'armes. Il fallut toute l'autorité du comte d'Anjou pour les retenir.

– Ce n'est peut-être qu'une manœuvre pour nous obliger à nous disperser. Attendons le retour de nos envoyés.

Un seul revint au camp, blessé :

– A Mortemer, la plupart sont morts, les autres prisonniers, quelques-uns ont pu fuir.

– Mon frère? demanda le roi.

– Il ne fait partie ni des morts ni des prisonniers.

Accablé, Henri baissa la tête.

– Je te remercie, fais-toi soigner et va prendre du repos.

Tous se taisaient devant l'étendue de la défaite, respectant la douleur du roi. Geoffroi Martel parla le premier :

– Sommes-nous des femmes pour nous laisser abattre de la sorte? Nous laisserons-nous une nouvelle fois dominer par le Bâtard?

– Comte d'Anjou, il n'a jamais été bon pour nous de nous aventurer sur les routes de Normandie; le duc Guillaume connaît la moindre parcelle de ses terres, le plus petit de ses ruisseaux, le plus perdu de ses villages. Il n'hésite pas à crever sous lui une dizaine de ses meilleurs chevaux pour aller défendre, à l'autre bout de la Normandie, une de ses possessions menacée. Au combat, il paie de sa personne comme nul autre, et il n'a pas son pareil pour entraîner ses troupes. Je pense, quant à moi, que s'il avait voulu nous assaillir, nous serions à l'heure actuelle aussi morts que ceux de Mortemer, malgré toute notre vaillance. Je propose que nous nous retirions, dit Gosselin de Chauny.

Tous regardaient avec stupeur ce chevalier qu'on savait d'un courage sans égal, chatouilleux sur l'honneur et fidèle lieutenant du roi. Henri vint à lui et le contempla longuement d'un air songeur :

– Tout autre que toi, je l'aurais fait tuer pour trahison. Tes propos sont terribles, mais, hélas, je crains que tu n'aies raison. Comme toi, je connais bien Guillaume. Respectueux envers son seigneur, il ne m'attaquera pas le premier. Il attend que je porte le premier les armes. Alors il se dérobera et nous attirera dans un piège où nous succomberons... Oui, nous devons nous retirer et rassembler nos forces... Avant, que l'on aille ramasser nos morts!

C'était la première fois que Philippe participait à une action militaire en France. Il pensait y trouver l'occasion de se distinguer. Qui sait, peut-être serait-il fait chevalier sur le champ de bataille? Soudain, tous ses rêves de gloire s'envolaient. Il ne comprenait pas que l'armée du roi ne se lançât pas à la poursuite des Normands : n'avait-on pas obligation de venger les morts? Dans la Rous', il en allait toujours ainsi. L'attitude, les propos de Gosselin surprenaient et décevaient Philippe. Jamais son maître ne l'avait habitué à pareil langage. Était-ce l'âge qui éteignait son ardeur? Maudite soit la vieillesse qui transforme un preux en vieille femme! Il demanda à faire partie du détachement pour Mortemer. Olivier d'Arles s'en étonna :

– Que veux-tu faire là-bas? Ce n'est pas à toi de jouer les fossoyeurs!

– Je n'ai pas l'intention de jouer les fossoyeurs. Viens avec moi, tu verras bien.

– Jamais le roi ne me laissera partir.

– Tant pis pour toi. Je t'aurais donné matière à faire un long poème.

– Que veux-tu dire? Ai-je jamais eu besoin de toi pour composer mes chants?

Philippe ne répondit pas, finit d'équiper son cheval, sauta en selle et s'éloigna au petit trot...

Dans la nuit, Olivier le rejoignit :

– Si tu t'es moqué de moi, je te tuerai, dit calmement le jeune troubadour en s'allongeant près de son ami.

CHAPITRE VINGT-DEUXIÈME

Le champion des morts

COMME annoncé, ils ne trouvèrent à Mortemer que des cadavres, des cadavres par centaines, dépouillés de leurs armes, de leurs cottes de mailles et même de leurs chaussures. On ne leur avait laissé que leur chemise, pour la décence. L'état des lieux témoignait de la violence des combats; celui des corps, du courage des Français.

Goguenards, les Normands regardaient les soldats ramasser les restes de l'armée d'Eudes, frère du roi de France.

Bouchard de Montmorency, qui avait reçu le commandement du funèbre détachement, avait du mal à retenir des larmes de rage et de honte. Vieux soldat et vaillant chevalier, il connaissait bon nombre de ceux qui étaient morts pour rien, pas même pour la gloire :

— Qui vous vengera, mes amis?

— Avec votre permission, moi!

Bouchard se retourna en essuyant ses yeux du revers de la main. Il reconnut l'homme que son ami Gosselin avait ramené de son voyage au pays de la reine. Comme à chaque fois, il fut surpris par cette face figée d'où toute expression avait disparu. Seul le regard direct et franc était resté vivant.

— Que veux-tu dire? Parle.

194

– J'irai provoquer le duc et je serai le champion des morts.

Une profonde stupeur se peignit sur le visage de Bouchard de Montmorency.

– Le champion des morts! Provoquer le duc?... Tu es devenu fou!... On n'a jamais entendu ni vu une chose pareille!...

– Ce n'est pas une raison.

– Tu divagues. Un grand prince comme le duc ne s'abaissera pas à se battre en combat singulier avec un homme aussi insignifiant que toi.

La main de Philippe se porta avec colère à son épée.

– Calme-toi, je ne voulais pas te faire injure! Je connais l'amitié de Chauny pour toi, il n'est pas homme à accorder sa confiance à n'importe qui. Mais il serait de mon avis : qui es-tu pour vouloir te mesurer avec le duc de Normandie?... Tu n'es même pas chevalier, et ta naissance est obscure...

– Ma naissance vaut largement celle de Guillaume, et il ne dérogera pas en combattant avec moi. Dites-lui que je fus le vainqueur du tournoi de Fécamp.

Montmorency haussa les épaules.

– Tu dis peut-être vrai, mais nous n'en avons pas la preuve.

– La preuve, la voici! dit Philippe en tirant l'épée de son fourreau et en la brandissant devant le lieutenant du roi.

– Si tu me demandais raison, je combattrais contre toi, car je vois qu'il y a une vraie noblesse en toi, mais je ne suis pas duc!

– Avant d'être duc, c'est un homme qui aime Dieu et Sa gloire, dit-on, et un chevalier respectueux des règles. Or donc, il ne peut que relever mon défi, car je l'accuse d'avoir par traîtrise fait tuer tous ces gens. Par la Très Sainte Vierge Marie et tous les saints, je fais serment de demander raison à Guillaume de Normandie et de le combattre jusqu'à la mort!

— Le Tailladé est dans le vrai, le Bâtard ne peut ignorer le défi, s'écria Lancelain de Beauvais qui avait suivi leur conversation. Je regrette de ne pas avoir eu l'idée de ce combat singulier. Si tu le permets, je serai ton écuyer.

— Non! C'est une place qui me revient, s'écria Olivier d'Arles qui n'avait pas perdu un des propos de son ami.

— Oserais-tu, mignon, me contester ce droit?

— Je te le conteste d'autant plus que je vais te donner une leçon, dit l'amant du roi, l'épée à la main.

— Allons, mes amis, calmez-vous! Le seigneur de Beauvais ne voulait pas t'insulter, Olivier, les mots auront dépassé sa pensée, n'est-ce pas, Lancelain?... Donnez-vous la main et escortez tous deux le Tailladé pour le soutenir dans son défi.

Un moine qui avait accompagné le détachement français s'approcha.

— A genoux, soldats, que je vous donne la bénédiction de Dieu!

Les trois jeunes gens s'agenouillèrent.

— Mes fils, que Dieu vous ait en Sa sainte garde et donne la victoire à votre juste cause. Allez en paix.

Bouchard de Montmorency alla demander à parler au commandement normand :

— Le champion de nos morts, accepté par nous, veut porter un défi au duc Guillaume. Nous vous prions de le conduire sain et sauf auprès de lui, afin qu'il le combatte en champ clos pour l'honneur du royaume de France, ainsi qu'il en a fait serment devant la Vierge Marie et les saints.

— Je ne peux prendre sur moi d'accompagner votre champion. Je vais envoyer un messager au duc.

S'il répond favorablement, par le sang du Christ, je vous conduirai moi-même, répliqua Hugues de Gournay.

– Devrons-nous attendre longtemps?

– Vous aurez la réponse ce soir même.

– Très bien, nous attendrons jusque-là.

La fin de la journée fut occupée par les Français à charger les cadavres dans les chariots qui n'étaient pas en nombre suffisant pour les emporter tous. Un premier convoi partit sous la conduite d'un moine. Les populations rescapées de Mortemer, Aumale, Drincourt, se massèrent sur le passage, riant, applaudissant et insultant les morts.

Les corps restants furent entassés dans les ruines fumantes de l'église où un très vieux prêtre dit la messe. Philippe et ses compagnons y prièrent avec dévotion.

Peu avant le coucher du soleil, l'envoyé d'Hugues de Gournay revint :

– Le duc se souvient très bien du tournoi de Fécamp et de celui qui l'emporta. Son premier mouvement a été de refuser le défi d'un homme qui n'est pas chevalier. Il voulait désigner un champion pour combattre à sa place. Mais, après avoir réfléchi, il a estimé que pour se faire le champion d'hommes morts à la guerre, il fallait être noble et courageux. Il accepte donc le combat, à condition qu'il se déroule à Rouen selon les règles habituelles : à pied, les cheveux taillés au-dessus de l'oreille, avec des bâtons recouverts de cuir et une harasse pour parer les coups. Acceptez-vous ces conditions?

– Au nom de nos morts, nous acceptons.

– Alors à genoux, tous, et prions.

Après les prières, Hugues de Gournay fit bander les yeux de Philippe, Guillaume et Lancelain, en dépit de la nuit noire qui était tombée, et, encadrés par une escorte, ils partirent.

A l'aube, on leur retira leur bandeau. Devant eux,

étincelante sous le soleil levant malgré quelques traînées de brume, la Seine déployait son large ruban aux pieds de la ville de Rouen d'où montait la fumée des foyers. Les yeux éblouis par la lumière matinale, le cœur serré, Philippe contempla cette ville qui lui rappelait tant Novgorod...

Hugues de Gournay conduisit les Français dans une auberge où ils furent reçus avec les égards dus aux hôtes du duc.

On leur servit un copieux repas, puis on les mena aux bains. Quelques heures plus tard, Guillaume les reçut dans la salle du château de Rouen, entouré de sa cour, de la duchesse Mathilde, de son frère l'évêque de Bayeux, de Gautier Giffard, vainqueur de la bataille de Mortemer, de Guillaume Crespin, comte de Vexin, et de Robert d'Eu. Hugues de Gournay s'inclina, puis se rangea auprès de son seigneur. Philippe s'approcha :

— Duc, on m'appelle le Taillé, je vous accuse d'avoir provoqué la mort par traîtrise de centaines de mes compagnons d'armes. Leur sang appelle vengeance. Par la Vierge et les saints, j'ai juré de les venger et d'être leur champion. Voici mon gant.

Philippe jeta son gage de bataille aux pieds du duc. Un silence attentif planait sur l'assemblée. Guillaume resta un long moment immobile à considérer cet homme au visage si cruellement meurtri, qui le défiait dans une langue hésitante, mais d'une voix ferme et fière... Sur un signe de lui, un écuyer ramassa le gant et le lui porta.

— J'accepte ton défi, dit-il en jetant à son tour son gantelet aux pieds de Philippe. Tu n'es pas chevalier, mais tu es digne de l'être. On me dit savoir peu de chose sur toi, sinon que des hommes de chevalerie te regardent comme leur égal. Je ferai comme eux. Je combattrai avec toi comme un homme vulgaire, à pied et avec un bâton. Cependant, je jure devant Dieu et les hommes qu'il n'y a pas eu traîtrise de ma part ni de celle de mes lieutenants, mais artifice normal de guerre. Maintenant, retire-toi et passe les heures qui te restent à prier la Très Sainte Vierge Marie.

Philippe et ses compagnons furent conduits dans un monastère de la ville jusqu'au « jour assis à faire la bataille ».

Ce jour arriva le surlendemain.

Levés longtemps avant l'aube, Philippe et ses compagnons assistèrent à la messe et reçurent les sacrements. Une heure avant midi, le duc les fit chercher par Hugues de Gournay et une escorte de six hommes. Ils entrèrent à cheval et tout armés dans la lice. Lancelain de Beauvais et Olivier d'Arles, après avoir aidé Philippe à ôter ses vêtements guerriers, lui serrèrent les reins dans une large ceinture. Ils se retirèrent au moment où le duc de Normandie en grand apparat pénétrait à son tour dans le champ clos. Comme Philippe, il se laissa dépouiller de ses vêtements et de ses armes. Les deux champions s'agenouillèrent face à face, leurs mains entrelacées, jurant à tour de rôle sur la Croix et l'Évangile qu'ils avaient le bon droit de leur côté et que l'autre était faux et déloyal; ils jurèrent également de ne porter sur eux ni charme ni sortilège. Un prêtre les bénit. Le héraut d'armes porta l'annonce du duel aux quatre coins de la lice :

– Oyez! Il est interdit aux spectateurs et aux témoins du combat tout geste ou cri qui pourrait encourager ou troubler les combattants, sous peine de la perte d'un membre ou même de la vie.

Des valets apportèrent harasses et bâtons.

– Choisis, dit Guillaume.

Philippe s'inclina, prit au hasard l'arme et la grande plaque de bois.

Le roi d'armes fit ses dernières recommandations et l'on évacua tous ceux qui se trouvaient encore sur la lice. Puis, par trois fois, le cri retentit :

– Laissez aller!...

La petite assistance fit silence. Le duc avait tenu à ce que le duel eût lieu hors la présence de la foule, ordinairement friande de ce genre de combat.

– Par respect pour les morts, avait dit Guillaume.

Jusqu'au soir, ils luttèrent avec courage et sans pitié. Ils avaient oublié qui ils étaient, ils ne cherchaient qu'à vaincre. Le premier, Guillaume fut douloureusement touché à la tête par un coup qui lui ouvrit le cuir chevelu. Aveuglé par le sang, il s'appuya des deux mains sur sa harasse. Le combat fut suspendu, le temps qu'un valet vînt essuyer son visage et que le duc eût repris des forces. Elles semblèrent décuplées quand il se précipita sur Philippe qui, sous le choc, lâcha son bâton. Pendant près d'une heure, il subit les assauts du duc, se protégeant derrière son bouclier, le bras ballant. Enfin, il parvint à se ressaisir de son arme en poussant le cri de guerre de la *droujina* du Grand Prince de Kiev. Ce cri surprit Guillaume qui abaissa sa garde : frappé en pleine poitrine, il fut brutalement projeté sur le sol boueux. Pour éviter les coups de Philippe, il roula sur lui-même et parvint à déséquilibrer son adversaire. Ce fut au tour du Taillladé de s'appuyer sur sa harasse.

Le combat reprit, plus lent. On entendait le souffle haletant des rivaux. De leurs corps transformés en statues d'argile montait une buée qui dégageait une forte odeur de sueur mêlée à celle, douceâtre, du sang. Les attaques, amorties par la fatigue, se faisaient plus rares. Peu à peu, Guillaume prit l'avantage. Il rassembla ses dernières forces et, comme le pâle soleil allait disparaître, mettant fin au duel, il assena un ultime coup. Le front ouvert, Philippe s'affaissa et ne bougea plus. Mais le Bâtard avait atteint les limites de sa propre endurance. Après quelques pas vers le vaincu, il s'effondra contre lui.

Les valets, les écuyers se précipitèrent pour soutenir le duc. Il ne revint à lui que plus tard, quand on lui eut glissé entre les dents quelques gouttes d'un élixir de vie. Ses premières paroles furent pour celui qu'il avait battu :

– Est-il mort?

Olivier d'Arles, retournant avec précaution son ami, répondit avec brusquerie, le visage couvert de larmes :

– Je ne sais pas.

– Qu'on appelle mon médecin! s'écria le duc en se relevant péniblement.

– Je suis là, seigneur.

– Alors, fais ton travail. Il ne faudrait pas que meure un si vaillant guerrier. Quel combat! Il y a longtemps que je ne m'étais autant amusé. C'est la première fois qu'au bâton je trouve un adversaire à ma taille...

– ... dont vous avez été aisément vainqueur, seigneur, dit un chevalier.

– Aisément?!... Ta servilité t'égare, Jean de Coutances! A moins que tu ne veuilles faire allusion à mes origines?...

– Oh, non! se récria en rougissant le courtisan.

– Seigneur, il reprend connaissance...

Guillaume de Normandie se pencha sur Philippe.

– Eh bien, suis-je toujours un assassin?

– Dieu en a décidé autrement, dit Philippe en tentant de se soulever.

– Ne bouge pas, laisse mon médecin te soigner.

– A quoi bon ces soins, puisque je dois mourir?

– Qui te parle de mort?

– N'ai-je pas été vaincu? Ne dois-je pas perdre la vie?

– Ou une main!

– Prenez ma vie, vous l'avez gagnée, mais ne me mutilez pas davantage!

– Tu oublies que je suis ton vainqueur. C'est à moi d'en décider.

– Pour l'amour de la Mora, tuez-moi!

Empoignant les vêtements du blessé, Guillaume le redressa brusquement.

– Que dis-tu?... Comment connais-tu la Mora?

– Peu importe, je la connais... Pour l'amour d'elle, tuez-moi.

– Pas avant que tu ne m'en dises plus!

– Seigneur, lâchez-le, il étouffe.

– Qu'on le transporte sous ma tente.

Quelques instants plus tard, Philippe, débarrassé de ses vêtements boueux et déchirés, lavé, reposait, encore très faible, sur le lit de camp ducal. Auprès de lui, Olivier d'Arles et Lancelain de Beauvais finissaient d'essuyer son corps profondément meurtri en maints endroits. Le duc entra et se laissa dévêtir en silence. Quand il fut nu, il se glissa dans un baquet rempli d'eau chaude dans laquelle avaient macéré des herbes propres à guérir les hématomes.

– Qu'on nous laisse!

Tous sortirent. Les deux hommes restèrent seuls. Dans son bain, les yeux mi-clos, Guillaume poussait de petits soupirs de contentement. Il enfonça sa tête sous l'eau pour en ôter la terre et le sang. Quand il la releva, il surprit le regard de Philippe posé sur lui. Pendant un long moment, ils se défièrent. Le duc céda.

– Parle-moi de toi.

– Il n'y a rien à dire, seigneur.

– Désires-tu toujours mourir?

– Plus que jamais!

– Alors, dis-moi pourquoi tu as invoqué le nom de la Mora. D'où tiens-tu ce nom?

– Vous souvenez-vous de votre chute dans les forêts allemandes?

– Continue.

– Une belle jeune femme vous a soigné, et une femme plus âgée a prononcé ce nom devant vous.

– Comment sais-tu tout cela?

– J'y étais.

– Faisais-tu partie de la suite de la reine?

– Si on veut.

– Ce n'est pas une réponse. Tu as trop parlé ou pas assez. Je t'ordonne de me dire qui tu es.

– Sachez, duc Guillaume, que vous n'êtes pas mon maître. J'appartiens par choix au seigneur de Chauny. Seule ma vie est à vous, vous l'avez gagnée en loyal combat, prenez-la.

– Si je la prenais maintenant, je me rendrais coupable d'un crime et Dieu ne me pardonnerait pas. Tu t'es fait le champion d'hommes morts à la guerre, c'est pour cela que j'ai accepté de relever ton défi. Je savais ne pas pouvoir être vaincu, car il n'y avait pas eu traîtrise de ma part, ni de celle des chefs normands. C'est la légèreté des Français qui fut cause de leur défaite.

– Cela m'importe peu. Pour l'amour de la reine Anne, tuez-moi!

– Qui es-tu?

Philippe cacha son visage entre ses mains. De lourdes larmes coulaient le long de ses joues blessées. Guillaume fut touché par ce désespoir. Il sortit de l'eau et, ruisselant, s'approcha du malheureux.

– Ne peux-tu me faire confiance?... Je jure sur la Croix de Notre-Seigneur de ne jamais révéler ce que tu pourrais me dire.

– Jurez-vous aussi que, quoi qu'il arrive, vous ne lui direz rien?

– Je le jure.

Alors, Philippe raconta.

Tout au long du récit, Guillaume, enveloppé dans un drap de lin, demeura silencieux et impassible. Quand Philippe se tut, visiblement épuisé, le duc le fixa longuement, dissimulant la profonde émotion qu'il éprouvait. Ce regard et ce silence qui se prolongeaient portèrent à son comble le désarroi du blessé. Péniblement, il se redressa.

— Vous ne dites rien... Vous voyez bien que j'ai raison de rechercher la mort.

— Ce n'est pas par moi que tu la trouveras.

— Après ce que je vous ai dit, je ne peux plus vivre, car la reine doit toujours ignorer ce que je suis devenu.

— Qui le lui dira ? En tout cas, pas moi. Oublies-tu mon serment ?

— J'espérais que, sachant mon amour pour elle, vous me tueriez.

— Un autre que toi, sans doute. Mais toi, comme moi, tu aimes la reine de pur amour, et ce que tu as fait pour elle, je n'en aurais pas eu le courage. Tu espérais trouver la gloire dans les combats pour que le récit en parvienne à ses oreilles et qu'elle se demande : quel est ce vaillant chevalier à la si vilaine figure ? Et tu voulais plus encore : que l'éclat de tes exploits lui fasse oublier la laideur de tes traits ?

— Je n'ai pas trouvé la gloire, ni n'ai été fait chevalier...

— Si tu l'acceptes, ce sera pour moi un honneur de t'introduire dans le noble ordre de la chevalerie.

Philippe le regarda avec surprise.

— Mais je ne vous appartiens pas !

— Cela n'a aucune importance. Étant chevalier, je puis adouber qui je veux, et surtout qui en est digne !

CHAPITRE VINGT-TROISIÈME

La décision d'Irène

La mauvaise humeur du roi Henri était à son comble. Cette année 1054 était la pire de son règne. Profitant de la cuisante défaite de Mortemer, le Bâtard nargua son suzerain en faisant construire un château à Breteuil, non loin de Tillières, et en en confiant le commandement au valeureux Guillaume Fitz-Osbern. Le démon exigeait, pour libérer les nombreux prisonniers faits à Mortemer, que lui fût reconnue la possession légitime des terres conquises, y compris celles de Geoffroy de Mayenne, également détenu par le duc.

De plus, le roi devait affronter les reproches des comtes et des barons qui lui faisaient grief d'avoir confié la responsabilité du détachement français à son frère Eudes, qui ne montrait son courage qu'en pillant les fermes isolées, en trafiquant les biens de l'Église et en violant les filles. Le plus sévère était Raoul de Crépy, qui disait avoir mis le roi en garde.

Mais le comble était que la reine, bravant son interdiction formelle, continuait d'entretenir une correspondance avec sa nièce Mathilde, et même, lui avaient rapporté ses espions, avec le duc. Anne n'avait pas nié et avait supporté avec dédain les sévères remontrances de son époux.

Et comment supporter l'attitude d'Olivier d'Arles

qui ne cessait de louer la magnanimité du duc? N'avait-il pas osé écrire une chanson à sa gloire!... Henri était trois fois blessé dans son orgueil de roi, d'homme et d'amant, car le jeune homme trouvait de plus en plus souvent de nouveaux prétextes pour se refuser à lui. Ces refus exacerbaient la passion du roi, lui faisant perdre toute retenue et toute prudence. Les méchantes langues de la cour avaient même cancané que le troubadour lui préférait ce boiteux défiguré dont il avait une fois admiré la virilité. A ses questions, Olivier avait répondu en éclatant de rire. Le Tailladé était son frère, non son amant : jamais pareille idée ne lui serait venue à l'esprit!

Fatigué, Henri était fatigué. Tant d'années passées à guerroyer pour assurer son état de roi face à sa mère Constance, son autorité face à ses vassaux, au pape, à l'empereur, et depuis plusieurs années au duc de Normandie, l'avaient prématurément vieilli. Il aspirait à la paix, au calme. Il avait dû promettre sa neutralité aux envoyés normands dans le conflit qui continuait entre son ancien allié d'Anjou, Geoffroi Martel, et Guillaume.

C'est dans les derniers jours de l'année qu'Anne apprit la mort de son père, survenue au printemps. Depuis son mariage, elle n'avait cessé de correspondre avec lui, et les sages conseils de Iaroslav lui avaient été maintes fois utiles. Elle fit dire de nombreuses messes à travers le royaume pour le repos de l'âme du prince et demanda au roi la permission de se retirer quelque temps dans un couvent afin d'être tout à son chagrin.

Quand elle revint du monastère de Senlis où elle avait séjourné plusieurs semaines, elle était toute pâle et amaigrie. Le comte de Valois fut l'un des premiers à lui rendre visite. Plus épris que jamais, il essaya de la distraire en lui envoyant des jongleurs de toutes sortes. Comparées à l'indifférence du roi, ces attentions la touchèrent, et elle le regarda avec moins d'antipathie. Il venait de perdre son épouse, Adélaïde de Bar. Anne se laissa prendre à la feinte affliction du comte pour qui elle eut des paroles de consolation. Le troubadour aussi lui apportait quelque réconfort. Mais la jalousie du roi leur interdisait de trop fréquents entretiens.

Le petit Philippe allait sur ses trois ans. C'était un enfant vigoureux, gourmand et batailleur. Il vouait à sa mère un amour passionné et refusait obstinément de parler une autre langue que la sienne. Il se jetait sur tous ceux qui l'approchaient, son père comme les autres. Anne jouait volontiers quelques instants avec lui, puis le repoussait comme un jeune chien. L'enfant n'aimait rien tant que l'entendre chanter des airs de ce pays extraordinaire où il rêvait d'aller un jour combattre le génie des eaux, celui qui entraîne les fils de roi dans son humide palais pour en faire ses esclaves... Hélène, quant à elle, était tout à sa dévotion et cédait à ses moindres caprices.

La naissance de son frère l'avait laissé indifférent.

Au début de l'été, Henri finit par céder aux demandes pressantes de sa sœur, la comtesse de Flandre, et permit à sa nièce Mathilde de venir visiter la reine. La duchesse de Normandie arriva avec ses fils par un beau jour de juin, en grand apparat, escortée de chevaliers flamands. Seules les nourrices et ses servantes étaient normandes. Après les compliments d'usage, les deux amies se retrouvèrent enfin seules. Leur joie était si grande qu'elles restaient muettes, se contentant d'échanger baisers, caresses, sourires mêlés de larmes. Anne se reprit la première.

– Comme tu m'as manqué, comme le temps m'a paru long, loin de toi!

– Pourquoi faut-il que nos époux guerroient sans cesse? Je le demande souvent à Guillaume. Tout ce qu'il sait me répondre, c'est : « Ce n'est pas moi qui ai commencé! »

– Oublions ces guerres. Parle-moi de toi, de tes fils, de mon doux ami Guillaume.

– Si le roi, mon oncle, t'entendait!

– Il s'occupe si peu de moi.

– Le regrettes-tu?

– Oui et non. Après tout, il est le roi.

On apporta de grands coffres de cuir aux lourdes ferrures. D'une de ses poches, Mathilde sortit un trousseau de clefs.

– Je t'ai apporté quelques présents, dit-elle en rabattant un couvercle.

La duchesse sortit une pièce de drap de Flandre, souple et douce comme de la soie, des rubans brodés et des dentelles de Bayeux. Éblouie par la délicatesse des étoffes, Anne remercia avec effusion son amie.

L'accueil d'Henri, froid au début, se fit plus chaleureux au fur et à mesure que les jours passaient. Il s'était étonné que Guillaume eût laissé ses deux fils venir dans le royaume de France :

– Ne craint-il pas que je les prenne en otages? avait-il demandé à sa sœur.

– Le duc connaît trop votre sens de l'honneur. Il sait que jamais vous ne vous en prendriez à de petits enfants.

Flatté malgré lui, le roi avait bougonné qu'il ne fallait pas tenter le diable...

Jusqu'à l'automne, ce ne fut que fêtes. La cour se transportait d'un château à l'autre, d'Étampes à Poissy, de Senlis à Melun. On n'alla qu'une fois à Paris, que la reine n'aimait guère, trouvant la ville sale et bruyante, et les Parisiens des gens insolents et malpropres. Rien de ce que pouvait lui en dire

Olivier d'Arles, pour qui c'était la plus belle ville du monde, ne la faisait changer d'avis. C'est à Paris qu'elle éprouvait le plus grand regret de son pays. Ici, tout lui semblait si petit, et la Seine, tant chantée par le gentil troubadour, lui faisait l'effet d'un ruisseau à côté du Dniepr, de la Volga ou du Volkhov.

Cependant, le moment du départ approchait. Les deux jeunes femmes promirent de se revoir au printemps suivant. Anne avait fait le vœu d'aller au Mont-Saint-Michel prier pour le repos de l'âme de son père. Le duc, avait dit Mathilde, aurait à cœur d'accueillir lui-même la reine de France sur le mont sacré. Malgré cette heureuse perspective, les deux jeunes femmes se quittèrent en pleurant.

L'hiver, cependant, passa vite. Chaque jour, après la messe, la reine allait chasser, ou, si le temps ne le permettait pas, rendait visite aux pauvres. Elle surveillait de près la construction d'un hospice à Senlis, ainsi que celle d'une école qui serait ouverte à tous. Pour mener à bien ces entreprises, elle n'hésitait pas à puiser sur ses fonds propres. A court d'argent, elle chargea même le chambrier Renaud, qui avait la garde du trésor royal, de vendre les bijoux qu'elle avait apportés de Kiev. Apprenant cette vente, Guillaume lui fit porter un sac de pièces d'or; de son côté, Raoul de Crépy racheta quelques-uns des bijoux et pria Irène de les lui remettre.

La jeune femme dissimula sa fureur à grand-peine. Elle avait espéré que la mort d'Adélaïde de Bar la rapprocherait du comte, et que, sans être épouse officielle, elle prendrait rang de concubine. Très vite, elle avait compris qu'il n'en serait rien. Le temps passant, Raoul était de plus en plus épris de la reine. Même au milieu des plus grandes débauches – auxquelles, pour lui complaire, elle participait –,

Irène voyait bien que son amant ne pensait qu'à Anne. Comment ne pas éprouver de haine envers une telle rivale?

Au lendemain d'une nuit d'orgie, elle avait annoncé qu'elle était enceinte. Le comte avait éclaté de rire. Au moins, connaissait-elle le père? Elle s'était jetée à ses pieds, en pleurs, jurant que ce n'était nul autre que lui. Brusquement, il avait cessé de rire, et, la saisissant par les cheveux, l'avait forcée à se relever.

— Ne dis pas de telles bêtises! Sous mes yeux, tu t'es prostituée maintes et maintes fois. Ce bâtard ne peut être le mien!

Elle s'arracha à ses mains, laissant entre ses doigts une poignée de cheveux.

— Tu oses m'insulter alors que c'est à ta demande que je me suis prostituée! C'est pour te plaire que j'ai accepté de me faire souiller par tes amis! Tout ce que j'ai fait, je l'ai fait pour toi...

— Et tu y as réussi, petite pute! Je n'ai jamais connu de femme aussi soumise que toi à mes fantaisies, même les plus ignobles. Continue, si tu veux toujours me séduire, et ne me parle plus de cet enfant. Débarrasse-t'en!

— Jamais! Ce serait un péché!

Le comte faillit étouffer de rire. Toujours riant, il la fit rouler sur le sol, et, la maintenant à plat ventre, releva sa jupe, lui souleva les reins qu'il flatta de petites tapes. Le cul large et blanc se marqua de rose et s'offrit encore davantage aux regards et aux coups. Raoul libéra son sexe et pénétra Irène avec une violence qui la fit crier de jouissance et de douleur mêlées. Son plaisir pris, il s'arracha d'elle et la repoussa méchamment.

— Va-t'en, laisse-moi!

Elle s'accrocha à ses jambes, balbutiant des mots tendres. Un coup de poing lui fit lâcher prise. Aussitôt, de son nez blessé, le sang coula, barbouillant son visage et sa poitrine. Le comte lui tourna le dos et sortit.

Longtemps, Irène resta prostrée, l'œil sec et fixe. Quand elle se releva, sa décision était prise.

Ni Anne ni Hélène ne remarquèrent l'arrondissement du ventre d'Irène, qui réussit jusqu'au terme à dissimuler son état. L'accouchement eut lieu prématurément, à la fin du printemps. Prise de douleurs à l'aube, elle courut se cacher dans une cabane de la forêt de Senlis habitée par une vieille femme appelée Irmeline, que l'on disait sorcière. Irmeline, qui avait été belle autrefois, fournissait maints seigneurs en poison et en liqueurs vivifiantes, et les dames en filtres d'amour. Raoul de Crépy était l'un de ses clients. Elle connaissait Irène pour l'avoir vue souvent en compagnie du comte, et ne montra aucune surprise quand la jeune femme s'écroula sur le sol couvert d'immondices de sa cahute.

— Te voilà en mal d'enfant, petite. Tu aurais mieux fait de boire ma potion. A l'heure qu'il est, tu serais souple et mince comme un jeune arbre.

— La vieille, écoute-moi. Je n'ai que faire de tes conseils. Ceux que j'ai suivis ne m'ont pas porté chance...

— Tu veux parler de mon filtre amoureux? Tu n'as pas fait ce que je te disais de faire...

— Je n'ai pas eu confiance.

— Tu as eu tort. Aujourd'hui, le comte serait à tes pieds.

— Qui te parle du comte!

— Ne me prends pas pour une sotte. Je t'ai bien vue tourner autour de lui, et je n'ai nul besoin d'être magicienne pour voir que tu l'aimes, et que lui ne t'aime pas.

— Tais-toi!... Oh, j'ai mal...

— Viens par là.

Irmeline la fit allonger sur un lit de mousse.

— Remonte ta robe et écarte les jambes... Là... bien!

A la fin de la matinée, Irène donna naissance à un petit garçon chétif. La vieille enveloppa l'enfant dans un morceau de tissu crasseux et le déposa près de sa mère. Irmeline contempla longuement la mère et son fils, songeuse. Au soir, après avoir fait boire une décoction amère à l'accouchée, elle lui demanda :

— Veux-tu toujours te faire aimer du comte?

— Que dois-je faire? répondit Irène en se redressant.

— Donne-moi ton enfant.

Le sabbat

La nuit était noire. Les chevaux trébuchaient dans les ornières du chemin recouvert d'une épaisse couche de neige. La torche portée par le cavalier de tête éclairait faiblement de sa lumière jaune les arbres aux branches chargées de givre. L'air était glacé, coupant; le silence, troublé de temps à autre par le hurlement d'un loup solitaire. Des bouches des hommes et des naseaux des chevaux sortait une buée lourde. Soudain, un long cri perça les ténèbres. Olivier d'Arles frissonna. La petite troupe s'arrêta, aux aguets.

— Tu as entendu? murmura Olivier.

Philippe lui fit signe de se taire.

— Éteignez la torche, dit-il à voix basse.

D'un coup, l'obscurité les enveloppa. Tous tendaient l'oreille, attentifs au moindre bruit. Rien ne bougeait. Philippe allait donner l'ordre d'avancer quand le cri se fit de nouveau entendre. Ces hommes, qui ignoraient la peur au combat, redoutaient plus que tout les mauvais esprits de la nuit. Ils se signèrent, terrifiés.

— Écoutez, chuchota l'un d'eux.

Des bribes de chants leur parvinrent.

— Ce doivent être des moines en procession.

— Tu as déjà vu des moines se promener la nuit en plein hiver dans la forêt?

– Silence!

Bientôt, à travers les branches, ils aperçurent des lueurs, tandis que les voix devenaient de plus en plus distinctes. Sur un geste de Philippe, ils mirent pied à terre, attachèrent leur monture et tirèrent leur épée.

Là-bas, des torches formaient un cercle de feu.

– Ils sont dans la clairière du diable, balbutia quelqu'un.

Une nouvelle fois, tous firent le signe de la Croix. Le Tailladé ordonna aux hommes de ne pas bouger, et à Olivier de le suivre. Les deux amis, rampant dans la neige, s'approchèrent. Une cinquantaine d'hommes et de femmes se balançaient sur place en fredonnant, ne s'interrompant que pour puiser, dans une cuve portée par deux moines hilares et titubants, un liquide fumant. Cette boisson donnait aux buveurs un comportement étrange : leurs corps étaient comme agités de rires nerveux, de spasmes incontrôlés. A milieu du cercle, un bûcher fut allumé près d'une sorte d'estrade. Soudain, le cri déjà entendu couvrit le chant qui s'arrêta. Un étrange cortège pénétra dans le cercle. Un évêque en grande tenue, suivi de filles portant pour tout vêtement une peau de loup autour de la taille, une vieille femme tenant à bout de bras un tout jeune enfant, des moines ivres aux robes déchirées laissant apparaître leur sexe tendu...

– En voilà qui bandent dru malgré le froid! murmura Olivier.

Sur un chariot tiré par de jeunes garçons, une femme voilée, couverte de bijoux, se prélassait, faisant lentement aller et venir entre ses jambes une croix qui brillait...

Philippe et Olivier fermèrent les yeux de dégoût et d'horreur. Derrière la litière, une troupe d'êtres difformes, monstres créés de la main de l'homme, se traînaient, armés de bâtons et de gourdins hérissés de pointes.

214

Quand tous furent entrés dans le cercle, les chants reprirent. Les nouveaux venus burent également une écuelle du liquide toujours fumant malgré le froid.

« Ils doivent y tremper une épée rougie », pensa Philippe.

L'évêque monta sur l'estrade, suivi de la vieille portant l'enfant, et enfin de la femme voilée qui brandissait la croix souillée de sang sous les acclamations de la foule de plus en plus agitée. Se saisissant d'une épée tendue par un moine, l'évêque ouvrit la robe de la femme de haut en bas. La vue du beau corps gras et blanc s'exposant complaisamment provoqua des cris de joie. Ces êtres à moitié nus ne semblaient aucunement souffrir du froid.

La femme s'allongea sur le sol de l'estrade, cuisses ouvertes, offrant son sexe barbouillé de sang aux regards de tous. Les chants se firent de plus en plus forts, de plus en plus fous. Des bouches sortait une bave rougie, les yeux brillants et hagards roulaient dans leurs orbites, les cheveux se hérissaient sur les têtes qui s'agitaient d'avant en arrière, de plus en plus vite, comme les pieds, comme les bras qui paraissaient doués de leur vie propre. Il montait de tout ce groupe des relents de crasse, de pourriture, d'excréments, d'encens, mêlés à un parfum sucré qui soulevait le cœur.

La vieille découvrit l'enfant et le présenta à l'évêque qui le prit. A trois reprises, il éleva le petit corps nu. C'était un garçon d'environ six mois qui se débattait en poussant des hurlements. Un moine tendit un ciboire d'or incrusté de pierreries.

Serrés l'un contre l'autre, tremblants, si fascinés par ce qu'ils voyaient qu'ils en étaient comme paralysés, incapables d'un mouvement comme d'une pensée cohérente, Philippe et Olivier assistèrent, impuissants, à l'inconcevable spectacle.

Une lame effilée apparut dans la main de l'évêque. De l'autre, il tenait l'enfant par les pieds.

Il se fit alors un grand silence. La foule poussa un grand han! quand il plongea la lame dans le ventre qu'il ouvrit d'un lent mouvement. Les gesticulations de la petite victime éclaboussèrent de sang les vêtements sacerdotaux et les visages des participants. Les viscères fumants tombèrent avec un bruit mou sur le ventre de la femme qui s'en saisit à pleines mains, les étalant voluptueusement sur elle. Tenant le petit corps pantelant par le cou, l'évêque lui ouvrit la gorge et recueillit dans le ciboire le sang qui s'en échappait. Quand la dernière goutte fut tombée, il arracha le cœur et lança le cadavre à la foule.

Olivier s'était évanoui; Philippe, pris de nausées, avait fermé les yeux.

Quand il les rouvrit, il vit l'évêque, d'un coup de dent, déchirer un morceau du cœur qu'il mangea avec gourmandise; la femme se souleva, main tendue, et s'empara du reste qu'elle fourra dans sa bouche avec avidité. Elle mâcha longtemps le muscle dur avant de l'avaler.

Au pied de l'estrade, on se disputait les restes de la lamentable dépouille, chacun voulant y goûter. Les hautes flammes du bûcher, l'horreur de ce qui se déroulait sous leurs yeux, firent croire aux deux spectateurs innocents qu'ils étaient morts en état de péché mortel et que c'était l'enfer qui s'ouvrait devant eux...

Bousculée, une femme tomba dans le brasier. En un instant elle fut transformée en torche vivante, courant pour échapper à un feu qui eut bientôt raison d'elle. Personne n'avait tenté d'intervenir. Quand elle ne fut plus qu'une informe masse fumante, certains s'approchèrent, fouaillant à l'aide de leur bâton, de leur épieu. Puis ils s'assirent, et, à l'aide de leur coutelas, entreprirent de découper ce rôti inattendu. Quand tous furent rassasiés et eurent repris de la boisson chaude, les chants et les danses recommencèrent.

Sur l'estrade, l'évêque disait une sorte de messe. Au moment de l'offrande, il sortit son membre et se branla, sans quitter des yeux le sexe de la femme d'où sortaient les intestins de l'enfant. Il jouit à longs traits qui furent recueillis. Il consacra la mixture impie, communia, fit communier la femme, puis, abandonnant le ciboire à un moine, il s'accoupla à elle. Ce fut le signal de l'apothéose du sabbat. Les sentinelles, postées çà et là, abandonnèrent leur poste.

Philippe hissa sur ses épaules Olivier, toujours sans connaissance, et poussa les soldats hébétés devant lui. Il fallait quitter cet endroit maudit au plus vite. Il n'avait pas fait trois pas qu'il s'arrêta et se retourna. Le bûcher, les torches plantées dans la neige éclairaient un grouillement d'êtres copulant dans les plus obscènes positions. Sur l'estrade, la femme se releva; ses longs cheveux blonds défaits étaient poissés de sang et d'excréments. Le corps agité de mouvements lascifs, elle tournoya sur elle-même... Elle n'avait plus de voile... elle riait! Philippe lâcha Olivier et tomba à genoux, secoué de sanglots.

La chute ranima le troubadour.

– Oh mon Dieu! Je croyais faire un cauchemar, murmura-t-il. Comment de telles horreurs sont-elles possibles? Comment une femme peut-elle manger le cœur d'un petit enfant? Cette femme, là-bas...

Non, cette fois, c'était bien un mauvais rêve! Il prit une poignée de neige et l'écrasa sur son visage, sur ses yeux. Mais non, il ne rêvait pas : s'il en avait encore douté, les sanglots de son ami étaient là pour attester la réalité de ce qu'il avait vu.

Il aida Philippe à se relever et le traîna jusqu'à leurs compagnons, terrés, tremblants, dans un fossé dérobant à leurs yeux l'affreux spectacle. Mais ce qu'ils avaient entendu suffisait à leur faire croire qu'ils étaient bel et bien aux portes de l'enfer.

« Heureusement qu'ils n'ont rien vu, pensa Philippe, sinon j'aurais dû les tuer! »

Tenant les chevaux par la bride, ils s'éloignèrent sans bruit.

Longtemps, le rire d'Irène roula sous les sombres frondaisons de la forêt de Senlis.

CHAPITRE VINGT-CINQUIÈME

Retrouvailles

Depuis le meurtre de son fils, la haine qu'Irène vouait à la reine semblait s'être apaisée. La jeune femme avait fait absorber à Raoul de Crépy l'infâme liquide recueilli dans le vase sacré; l'effet tant désiré ne s'était pas fait attendre : son amant n'avait d'yeux que pour elle. Malgré les cauchemars qui hantaient parfois ses nuits, elle était parfaitement heureuse. Des mois s'écoulèrent sans que rien vînt modifier le comportement du comte.

Enceinte une nouvelle fois, Anne passait le plus clair de son temps au château de Senlis, son lieu de résidence favori, s'occupant des pauvres, de l'éducation de ses enfants et, surtout, de l'école dont la construction venait d'être terminée.

A l'hiver 1056, elle donna naissance à une fille qui ne vécut pas. Mais la perte de Molnia lui fut peut-être plus pénible encore. C'était son plus fidèle ami, qui savait, dans le vent de la course, lui rappeler les longues chevauchées sur les bords du Dniepr ou du lac Ilmen en compagnie de Philippe. Son chagrin fut d'une violence telle qu'Henri lui-même s'en inquiéta.

Philippe... Qu'était-il devenu? Pendant des mois, elle avait attendu un signe de lui, une lettre. Rien! Elle ne parvenait pas à croire qu'il l'eût oubliée, qu'il en aimât une autre. Malgré la distance qui devait les séparer, Anne le sentait tout proche. Sans doute étaient-ce là de folles pensées. Souvent, pourtant, l'impression très forte que son regard était posé sur elle la faisait relever la tête ou se retourner. Mais non, personne : rien que les visages familiers de son entourage. Cher Philippe, comme il lui manquait malgré le temps passé! Le roi n'était point parvenu à lui faire oublier celui que, dans le secret de son cœur, elle continuait d'appeler Viétcha. Hélène, qui avait compris la force de ce souvenir, n'évoquait jamais le jeune capitaine de la *droujina* du Grand Prince de Kiev.

Adèle de Flandre, dont l'affection pour Anne ne se démentait pas, cherchait un moyen de chasser cette tristesse. Les circonstances politiques lui en fournirent l'occasion : le roi de Norvège Harald Hardrada venait visiter le comte de Flandre pour l'entretenir du possible retour en Angleterre d'Edgar Aetheling, dernier héritier direct du roi Éthelred. Harald s'opposait à ce retour, malgré l'accord de l'empereur d'Allemagne, et souhaitait que Baudouin se rangeât à ses côtés. La comtesse avait obtenu de son époux qu'il insistât auprès du Norvégien pour que la reine Élisabeth fût elle aussi du voyage...

Quand Élisabeth de Kiev débarqua dans le port de Bruges aux côtés de Harald de Norvège, elle arborait un air maussade. Fatiguée par la traversée, elle attendait avec impatience que l'évêque de la ville, le comte et les représentants des divers corps de métiers eussent présenté les compliments d'usage. Enfin, la comtesse de Flandre s'avança en compagnie d'une très élégante jeune femme. Élisabeth examina en connaisseuse la robe de lourd velours bleu aux manches ornées de broderies et de fourrures, à demi recouverte par un somptueux manteau de renard qui ressemblait si fort au sien... A quelques pas, l'élégante s'était arrêtée, pressant ses mains gantées de cuir vert et rouge contre sa poitrine. Élisabeth lança vers Adèle un regard interdit.

On vit alors la reine de France et la reine de Norvège, d'un même élan, soulever leurs manteaux et courir l'une vers l'autre :

– Élisabeth!

– Anne!

Les deux sœurs ne se lassaient pas de s'embrasser, de se caresser, de s'entre-regarder. Comme il leur semblait loin, le temps où, nattes au vent, elles se précipitaient au-devant de leur père! Anne, la cadette, arrivait rarement la première. Mais Élisabeth ne tirait pas parti de l'avantage de l'âge et lui faisait volontiers une place entre les bras de Iaroslav qui les emportait alors toutes deux, disait-il, au royaume des nymphes...

– Et moi, alors, on m'oublie?

– Harald!

– Venez que je vous baise, petite sœur. Comme vous avez embelli! Qu'est devenue la farouche chasseresse des forêts de la Rous'? Si je n'étais amoureux de mon Élisabeth, je vous enlèverais au roi de France.

Anne riait, pleurait, balbutiait des mots sans suite dans sa langue natale, sous l'œil attendri de la comtesse.

La joie des retrouvailles un peu calmée, on amena les chevaux de parade sur lesquels les souverains norvégiens, la reine de France, les comtes de Flandre, les évêques et les seigneurs de leur suite se hissèrent pour entrer en lent cortège dans Bruges en liesse.

Élisabeth retrouva avec plaisir Hélène et Irène qui accompagnaient le petit Philippe, lequel refusa de saluer ses cousins Magnus et Olaf.

... Un mois s'écoula, qui passa comme un jour. Il fallut se séparer. Longtemps, Anne resta sur la berge à regarder s'éloigner le haut navire. Quand il eut disparu dans la brume, elle se laissa entraîner par Hélène jusqu'à la litière où l'attendait la comtesse de Flandre.

— Vous cherchez la mort, à rester immobile par un froid pareil. Regardez-vous grelotter. S'il vous arrivait quelque chose, mon frère Henri ne me le pardonnerait pas... Et, de plus, vous pleurez!... C'est ainsi que vous me remerciez d'avoir tant insisté auprès de mon époux pour la venue de la reine de Norvège!

— Pardonnez-moi, Adèle, je récompense bien mal votre zèle affectueux. Je vous ai déjà dit tout le bonheur que m'ont procuré ces retrouvailles aussi inattendues qu'inespérées. Jamais je ne pourrai assez vous remercier. Pourquoi, ma chère sœur, faut-il que toute joie finisse en chagrin?

Anne accomplit au printemps 1057 le pèlerinage au Mont-Saint-Michel projeté avec Mathilde. Émerveillée par la beauté du sanctuaire qui semblait surgir des flots, elle pria avec une ferveur particulière. Les moines de l'abbaye furent très touchés des dons qu'elle prodigua à leur ordre. Reçue avec faste par les souverains de Normandie, elle s'étonna de l'attachement des populations à leurs princes, de la richesse des villes et des campagnes, de l'ordre qui régnait dans tout le duché. Rien de pareil dans le royaume de France où comtes et barons ne cessaient de se quereller. La reine fut également émue de voir l'amour qui unissait Guillaume et Mathilde. Un amour qui n'excluait pas la violence : le duc n'avait-il pas été jusqu'à traîner sa femme par les cheveux dans la rue Froide, à Caen, à la suite d'une dispute? La surprise d'Anne avait amusé Guillaume : selon lui, un bon mari se devait de battre sa femme chaque fois qu'elle le méritait.

– Dieu merci! jamais le roi ne s'est comporté avec moi de cette façon.

– Sans doute n'a-t-il de mari que le nom!

Cette remarque peina la reine. Guillaume s'en aperçut et bougonna des excuses. A défaut de lui-même, c'était un homme comme le Taillade qu'il lui eût fallu pour époux... Le temps passant, le duc s'était pris pour Philippe d'une véritable amitié, et avait obtenu de Gosselin de Chauny qu'il lui rendît sa liberté. Le jeune homme faisait maintenant partie de sa garde personnelle. Pour son nouvel ami, le duc avait commandé à un habile armurier de Tolède un masque d'argent doublé de soie qui s'adaptait si bien au pauvre visage que, très vite, on n'y prêta plus attention. Sauf les femmes, qui trouvèrent au cheva-lier masqué, comme elles l'appelèrent, un charme supplémentaire. Cette figure d'argent brillant au soleil, entourée de cheveux blonds que Philippe portait longs, ce corps souple et fort que l'on devi-nait beau, malgré sa légère boiterie, cette voix rauque et cassée : comment n'auraient-elles pas toutes été séduites?

Pendant toute la durée du séjour de la reine de France en Normandie, Philippe se tint à l'écart, refusant de participer aux festivités. A l'abri de son masque, il s'était néanmoins enhardi jusqu'à s'appro-cher d'Anne, d'assez près pour entendre le son de sa voix. Comme à chaque fois, il avait remarqué le brusque raidissement de son corps, puis cette manière lente, retenue, avec laquelle elle s'était retournée. Son regard l'avait effleuré, puis s'était porté au-delà, interrogateur... surpris... déçu... agacé quand il était revenu se poser sur lui. Il lui avait fallu faire appel à tout son courage, au souvenir de son serment, pour ne pas se précipiter à ses pieds et lui crier :

« Ouvre les yeux, regarde-moi... Ne me reconnais-tu pas?... Philippe!... Femme sans cœur! Même laide, défigurée ou vieille, je t'aurais reconnue entre toutes les femmes... Tu es à jamais mon aimée. »

Il n'avait pu supporter ce regard qui ne le voyait pas et s'était enfui en réprimant ses sanglots.

– Qui est-ce? demanda Anne à Mathilde.

– Je ne sais rien de lui, si ce n'est que mon époux l'a en grande amitié. On ne le connaît que sous le nom de Tailladé, de vilaines blessures lui ont détruit le visage. Mon seigneur n'a voulu répondre à aucune de mes questions et m'a ordonné de ne plus lui en parler.

– Tu as obéi?

Mathilde baissa la tête en rougissant.

– Pas vraiment.

Les deux amies éclatèrent de rire.

– Alors, ce Tailladé, tu lui as parlé? Qui est-ce?

– Oui, mais je n'en ai rien appris. Bien qu'il n'ait pas été adoubé, il dit être chevalier errant...

– Il n'est pas chevalier, et Guillaume l'honore de son amitié?

– Il sera fait chevalier à la Sainte-Anne...

– La Sainte-Anne? fit la reine, songeuse.

– Oui, le jour même de la fête de ta sainte patronne. C'est le duc qui en a décidé ainsi.

– Ah, c'est le duc?

– Cela semble te décevoir?

– Pourquoi serais-je déçue? Ce chevalier masqué ne m'intéresse nullement.

– Il te rappelle peut-être ce beau capitaine de ton pays dont tu m'as parlé peu après la naissance de ton premier fils?

– Tais-toi!

Mathilde, pourtant habituée aux éclats de voix de Guillaume, sursauta devant la violence de ton de son amie.

– Pardonne-moi, je n'ai pas voulu te blesser. Je croyais que ta confidence m'autorisait à t'en reparler.

– C'est moi qui n'aurais pas dû m'emporter, mais comment peux-tu comparer mon Philippe à ce boiteux défiguré, coureur de cabarets et de filles faciles, dit-on. Malgré toute l'estime que lui portait Gosselin de Chauny, j'avais demandé à ce qu'il fût éloigné de la cour.

– Pourquoi? Des boiteux et des défigurés, il n'en manque pas autour de nous. Cette attitude n'est pas très charitable et ne te ressemble guère.

– Je sais, dit Anne d'un air accablé. Je souffre chaque fois que je l'aperçois... Tu l'as bien remarqué... Quelque chose, chez lui, dans ses gestes surtout, me fait penser à mon ami perdu... Je le hais de me l'évoquer, de n'en être qu'un vague air. Sa présence est une insulte à mon souvenir... Tu ne peux pas comprendre, toi qui aimes ton époux!

– Viens, prions la Très Sainte Vierge Marie. Qu'Elle supplie Son doux fils de t'apporter la paix et l'oubli.

– Chaque jour, je demande à Dieu cette paix, mais l'oubli, jamais! Les réminiscences du temps heureux de ma jeunesse m'aident à vivre et à me rendre l'exil moins lourd.

– Comme je te plains! Te sentir en exil sur la terre de ton époux! de tes fils! Tous ici cependant t'aiment! Comptes-tu pour rien notre amour?

– Ma bonne Mathilde, ne crois pas cela. Ta tendre amitié est ce que j'ai de plus précieux dans ce pays, avec celle du duc, du gentil troubadour d'Arles et du fidèle Gosselin. Souvent, la nuit, je m'éveille en pensant : je reviendrai sous le ciel de Novgorod...

– Jamais tu n'y reviendras. Tu es reine de France, ton pays est à jamais celui-ci.

Anne releva la tête d'un fier mouvement :

– Je connais mes devoirs envers le roi, la France et moi-même. J'ai trop l'orgueil du rang où Dieu m'a placée pour jamais m'en montrer indigne. Je me dois à la mémoire de mon père, le Prince de Kiev, à mes glorieux ancêtres... Mais, vois-tu, plus le temps passe, plus la Rous' me manque...

– Dieu nous pardonne de ne pas avoir réussi, non à vous la faire oublier, cela ne se peut ni ne se doit, mais à vous faire aimer votre nouvelle patrie, dit Guillaume qui, depuis un moment, s'était approché et écoutait les deux jeunes femmes.

– Ne vous méprenez pas, Guillaume : j'aime la France, même si elle ne me fait pas rêver, lui répondit la reine en poussant un profond soupir.

– Mathilde, ma mie, et vous, ma dame Anne, je souhaite que vous assistiez aux cérémonies d'adoubement de mes écuyers pour fêter la naissance de mon fils Guillaume...

Sur l'autel, à la lueur des cierges, sept épées brillaient.

Après s'être confessé, Philippe avait passé la nuit en prières dans la chapelle du château de Falaise, en compagnie de six jeunes écuyers dont le plus âgé avait dix-sept ans. Il avait refusé d'être fait chevalier seul, comme le souhaitait le duc.

– Je ne suis pas digne d'un tel honneur, lui avait-il objecté.

Guillaume s'était incliné.

Toute cette nuit, l'ancien guerrier de la *droujina* du Prince de Kiev n'avait pensé qu'à Elle, elle qui fuyait l'homme nouveau qu'il était devenu, elle auprès de qui son serment lui interdisait à jamais de se faire reconnaître. Il pria Dieu de le prémunir contre le parjure, de le rendre digne de la confiance du duc de Normandie, et de faire de lui un chevalier sans peur et sans reproche. Il implora la protection de la Vierge Marie pour la reine.

A l'aube, il entendit la messe dans un profond recueillement. Il reçut la communion des mains de l'évêque de Bayeux. Sur l'autel, il lui semblait que son épée brillait plus fort que les autres. Il savait que Guillaume l'avait choisie avec un soin tout particulier et qu'une sainte relique, à laquelle il tenait fort, était enclose dans sa poignée.

En fin de matinée, précédés de la sonnerie des trompes, les sept candidats à la chevalerie se présentèrent en grand arroi dans la cour du château où les attendait, le front ceint de la couronne de son père, celui qui allait les adouber, Guillaume, duc de Normandie, entouré de ses barons, des chevaliers, du clergé. Dans une tribune, à laquelle on accédait par trois marches, se tenaient les dames. Au premier rang, Anne et Mathilde, l'une en robe bleue aux manches ornées de fourrure blanche, l'autre en robe rouge bordée de fourrure noire. Des broderies d'or et d'argent se perdaient dans les lourds plis de leurs jupes. Des voiles, retenus par des broches d'argent ciselé, encadraient leur joli visage attentif.

Un à un, les écuyers s'avancèrent vers l'officiant. Le duc attacha à leur taille le baudrier portant l'épée bénite, puis les chaussa des éperons. Tandis que les aides achevaient de les vêtir, chacun fit le serment de respecter les lois de la chevalerie et récita une prière. Quand les six jeunes gens furent équipés, Guillaume leur donna la colée en leur disant :

— Sois preux !

Malgré la violence du coup porté à la base du cou, aucun ne broncha.

Puis vint le tour de Philippe. Quand le baudrier fut bouclé autour de ses hanches et qu'il sentit le long de son flanc cette épée, don de Guillaume, baptisée par lui Mora, il eut un bref regard vers la tribune et pria de sa voix blessée :

— Seigneur Très-Saint, Père Tout-Puissant, Toi qui as permis sur terre l'emploi du glaive pour réprimer la malice des méchants et défendre la justice, qui, pour la protection du peuple, as voulu constituer l'ordre de la chevalerie, fais, en disposant son cœur au bien, que ton serviteur que voici n'use jamais de ce glaive ou d'un autre pour léser injustement personne, mais qu'il s'en serve toujours pour défendre la justice et le droit.

Pendant toute cette prière, les yeux de Philippe ne quittèrent pas ceux de Guillaume qui, reculant de deux pas, lui donna la colée.

– Sois preux, ami!

Enfourchant leurs montures, les nouveaux chevaliers allèrent saluer les dames, avant de faire montre de leurs talents de cavaliers et de leur adresse au maniement des armes. Le plus habile fut, de l'avis de tous, ce chevalier masqué que le duc semblait tenir en si grande estime.

CHAPITRE VINGT-SIXIÈME

Cris de guerre

PROFITANT du séjour d'Anne en Normandie, Henri rendit une longue visite à Geoffroi Martel en mars 1057. Les deux hommes renouvelèrent leur alliance, bien décidés cette fois à mettre le Bâtard à genoux. A Angers, on se préparait déjà à la guerre, prévue pour les tout prochains mois.

Le roi retrouva la reine à Senlis. Rajeuni, l'œil brillant, il la questionna gaiement sur la cour normande, demandant des nouvelles de son « cher neveu Guillaume » et de sa gente nièce Mathilde. Avait-elle bien remis, en son nom, les vases sacrés aux moines du Mont-Saint-Michel, avait-elle bien prié pour le repos de l'âme de son père, le Grand Prince de Kiev?

Étourdie de paroles, surprise par un tel entrain, Anne répondit avec confiance à toutes les questions de son époux.

– N'avez-vous pas remarqué quelques concentrations de troupes?

– Non, répondit-elle en souriant, tout est calme et ordonné dans le riche duché de Normandie.

– Je ne le sais que trop! gronda-t-il aussitôt d'un air sombre.

Qu'avait-elle dit pour qu'il prît si soudainement un air faux et méchant?

– Gentil sire, dites-moi en quoi je vous ai déplu...

– Non, ma mie, je pensais à l'amour que vous porte le duc et que vous encouragez...

– Mais, mon seigneur, vous ne l'avez pas désapprouvé!

– Ce n'était que manœuvre politique...

– Que dites-vous? Durant toutes ces années, vous avez laissé de nobles et purs sentiments se donner libre cours pour satisfaire à votre politique! Je ne comprends pas...

– Quelle importance? Ce n'est pas affaire de dames!

– Dans mon pays, il en allait bien autrement. Mon père ne manquait jamais de consulter ma mère et tenait souvent compte de ses avis.

Le roi se contenta de hausser les épaules. Attristée, Anne se retira dans le fond de la chambre, écarta la tenture qui masquait l'entrée de son oratoire et s'agenouilla devant une croix d'or renfermant des reliques de la Vierge de Novgorod, doucement éclairée. Bientôt, elle s'abîma dans la prière.

Au début de l'été, les armées françaises et angevines, stationnées dans le Maine, traversèrent les plaines d'Argentan et de Falaise et envahirent la Normandie. Le roi de France et le comte d'Anjou installèrent leur poste de commandement à l'abbaye de Saint-Pierre-sur-Dives, laissant leurs troupes progresser vers le nord, pillant et incendiant tout sur leur passage, comme à leur habitude. Quelques rares rescapés de la bataille de Mortemer s'inquiétèrent de ne rencontrer là encore qu'une faible résistance, mais les railleries de leurs compagnons eurent vite raison de leurs craintes.

Le duc s'attendait à une agression, mais la prévoyait pour la fin de l'été. Il s'enferma dans Falaise et convoqua son ost. Ordre fut donné aux guetteurs de le tenir quotidiennement informé de la progression des armées ennemies. Celles-ci, encombrées de chariots lourdement chargés de butin, revinrent sur Caen où elles traversèrent l'Orne, puis se dirigèrent vers l'embouchure de la Dives. Henri et Geoffroi Martel établirent leur camp sur la plage, entourés de leurs cours respectives. A la lueur des feux allumés sur le sable, les chevaliers jouaient aux dés, écoutaient un conteur narrer les exploits du valeureux Roland, buvaient de cette boisson douceâtre qu'ils avaient enlevée aux Normands, ou lutinaient des filles. Tout était calme, la nuit tiède et parfumée, le ciel constellé d'étoiles, la mer brillante et immobile sous la lune. Henri, d'humeur câline, se pencha sur Olivier d'Arles. Le visage renfrogné du jeune homme arrêta net son élan.

— Qu'as-tu, mon bel ami? Depuis quelque temps, je remarque en toi une grande tristesse... N'es-tu pas heureux auprès de moi? N'as-tu pas tout ce que tu peux désirer?... Ou bien n'aimerais-tu plus ton roi?... Tu ne réponds rien?... Est-ce donc cela? En aimerais-tu un autre?

Le troubadour hocha négativement la tête.

— Alors, qu'y a-t-il? Quelqu'un t'aurait-il manqué?

— Il serait mort, celui-là.

— Je ne comprends pas! Parle! Je te l'ordonne... Pardon, je t'en prie, rectifia-t-il devant le mouvement agacé de son ami.

— Seigneur roi, vous avez toujours été bon pour moi, mais je suis las de cette vie, de ces intrigues pour me faire perdre votre amour, de la haine des uns et de la jalousie des autres. Je voudrais que vous me donniez l'ordre de vous quitter...

— Jamais!

— ... pour m'élever par mon courage au rang de chevalier.

– Toi, chevalier?

Olivier reçut le rire méprisant du roi comme une gifle. D'un bond, il fut sur pied et tira son épée. Henri ne portait pas la sienne. Il ne bougea pas mais lança avec un dédain accentué :

– Tu oses lever la main sur ton roi?

– C'est un homme qui m'a offensé, et non un roi! Allez, bats-toi! Aurais-tu peur que je t'embroche de moins agréable façon que la nuit dernière?

– Pauvre Olivier, moi qui te voulais tant de bien!

Sans bruit, des hommes de la garde royale s'étaient avancés; ils ceinturèrent puis assommèrent l'amant du roi.

Enfin, suivi d'une centaine de chevaliers, le duc de Normandie se décida à quitter le château de Falaise. En chemin, il enrôla les paysans qui pleuraient sur les décombres de leurs chaumières, et, accompagné de cette troupe habitée par la haine et le désir de vengeance, il s'engagea dans la forêt de Bavent où il fit halte, attendant le moment opportun de passer à l'attaque. Ce moment n'allait point tarder. D'après les renseignements dont il disposait, l'ennemi s'apprêtait à traverser la Dives au pont de Varaville.

– Ils sont si chargés du produit de leurs pillages qu'il leur faudra plusieurs heures pour rejoindre l'autre rive, précisa un des espions normands.

– *Thor aïe!* hurla Guillaume en bondissant sur son cheval, sa marque de reconnaissance flottant à la garde de sa lance.

Au cri de guerre des Normands, chevaliers et vilains s'élancèrent, unis.

Le roi de France et le comte d'Anjou finissaient de gravir la colline après avoir passé la Dives. Ils s'arrêtèrent et se retournèrent, contemplant avec satisfaction le long ruban d'hommes, de chevaux, de chariots qui s'étendait loin devant eux.

Soudain, malgré les bruits montant de cette multitude, le cri de guerre si redouté leur parvint, tandis qu'au même moment, un spasme formidable agitait la foule à leurs pieds.

– Les Normands! s'exclama Geoffroi Martel.

Henri dut s'agripper à sa selle pour ne pas tomber de saisissement. Alors, glacés et impuissants, ils assistèrent au massacre de leurs guerriers.

Guillaume a bien calculé l'heure de l'attaque. Un tiers de l'armée française a déjà franchi la Dives, l'autre est sur le pont, le reste suit.

A coups de gourdins, d'épieux, de pelles, l'arrière-garde, commandée par le comte de Blois, est violemment chargée par une horde de paysans qui frappent, taillent et tuent. Épouvantés, les Français se bousculent sur le pont dans un enchevêtrement de chariots, de chevaux blessés, de cavaliers piétinés, de bêtes affolées. A leur tour, les guerriers normands entrent en action. Malgré le courage des Franco-Angevins, c'est la déroute. Certains se jettent à l'eau pour tenter de s'échapper, mais le flot montant de la marée les entraîne par dizaines, ils se noient sous les yeux hébétés du roi et du comte. Une partie du butin se trouve déjà entre les mains des Normands. Bientôt, le massacre devient méthodique... Sur la rive gauche de la Dives, il n'y a plus que des cadavres affreusement mutilés, des membres épars. Sur le pont, le carnage continue... Les vagues se teintent de sang, des mouettes emportent des lambeaux de chair... Le comte d'Anjou est tombé à genoux; ce que ses yeux incrédules contemplent, c'est la vision de saint Jean, l'Apocalypse :

« *Alors je vis un ange debout dans le soleil.*

Il cria d'une voix forte à tous les oiseaux qui volaient au zénith : " Venez, rassemblez-vous pour le grand festin de Dieu, pour manger la chair des rois, la chair des chefs, la chair des puissants, la chair des chevaux et de ceux qui les montent, la chair de tous les hommes, libres et esclaves, petits et grands... " »

A coup sûr, Dieu le punit de son désir insensé de puissance. Le comte bat sa coulpe, frappe le sol de son front, implorant la Très Sainte Miséricorde. Dieu ne l'entend pas. La marée culmine, les flots tourbillonnent autour des piliers de bois. La cohue est si grande, les mouvements si désordonnés!... Les combattants n'entendent pas le premier craquement; quand ils prennent conscience du danger, le pont s'effondre dans un bruit qui couvre les hurlements des malheureux entraînés dans sa chute. La Dives n'est plus que casques, bras, pattes, roues, jambes, chevaux, hommes mortellement enlacés. Pétrifiés devant le spectacle de leurs ennemis comme de leurs alliés irrésistiblement engloutis, les Normands suspendent un instant leurs coups. Mais leur duc a lancé son cri :

– *Thor aïe!*

Ceux que rejette le flot se traînent dans le limon marécageux et sont massacrés. A la tête d'une vingtaine de cavaliers, Guillaume, guidé par les paysans, passe à gué la Dives en amont et poursuit ceux qui ont réussi à gagner la rive opposée. Il combat avec la rage de tuer, il lui faut rendre impossible toute nouvelle tentative d'envahissement des Français et des Angevins.

Henri voit le bras du Bâtard, rougi jusqu'à l'épaule, se lever et s'abaisser inlassablement. Malgré sa fatigue et son âge, il bondit sur son cheval. D'un même élan, Geoffroi Martel et son neveu se jettent à la tête de l'animal qui, surpris, se dresse sur ses postérieurs, jetant le roi à terre avant de s'échapper en direction de l'ennemi. Un instant étourdi, Henri se relève.

— Il faut fuir, Sire!

Le petit-fils d'Hugues Capet secoue la tête, les épaules affaissées, le visage couvert de larmes, montrant d'une main tremblante le champ de bataille.

Un cavalier normand se dirige vers eux au galop, le visage étincelant, tenant par la bride un destrier couvert d'écume. Il s'arrête dans un jaillissement de terre devant les vaincus médusés.

— Le duc Guillaume renvoie au roi Henri son cheval afin qu'il puisse quitter ses terres rapidement. Il ajoute que le comte de Soissons et le comte de Blois sont ses prisonniers.

Un long moment, Français et Angevins regardèrent s'éloigner le chevalier masqué.

Alors s'en alla le roi de France, plein de colère et de douleur...

Le cachot

GEOFFROI MARTEL se retira dans son château d'Angers, Henri dans celui de Paris. Le roi fit dire à Anne, qui avait voulu se porter à sa rencontre, de ne pas se présenter devant lui sans son ordre. La reine resta à Senlis.

Olivier d'Arles fut jeté dans un cachot où l'eau montait jusqu'à ses chevilles. Une vague lueur tombait d'une étroite ouverture hors d'atteinte du prisonnier. Les premiers jours, son heureux caractère et la flûte qu'on lui avait laissée lui permirent de supporter l'attente et les chaînes qui entravaient ses mouvements. Il avait la conviction qu'Henri n'allait pas tarder à le faire libérer. Le roi voulait lui donner une leçon, son amour lui ferait vite oublier l'affront. Mais, les jours passant, affamé, transi de froid, le troubadour se prit à douter. Faisant fi de tout amour-propre, il supplia son geôlier de lui procurer de quoi écrire. L'autre refusa, ne sachant pas lire, mais proposa, moyennant des leçons de flûte, de prévenir le chef de la garde royale qui avait ses habitudes au cabaret de sa sœur. Une bouffée d'espoir envahit Olivier.

— Ta sœur ne tient-elle pas le débit sur les bords de Seine, face au château de notre roi?

— Oui.

— Ne se nomme-t-elle pas Gisèle?

– Si fait. Tu la connais? fit l'homme soudain méfiant.

– Il y aura beaucoup de pièces d'or pour toi si tu lui portes un message.

– De l'or? Tu n'as pas l'air d'en avoir jamais vu la couleur!

– Va chez ta sœur et dis-lui qu'Olivier, l'ami du Tailladé, est en prison.

– Je n'en ferai rien, je tiens à ma place. Tais-toi, on vient!

Le gardien sortit précipitamment. Le cœur serré, Olivier entendit le bruit sinistre des verrous repoussés, puis des pas qui s'éloignaient en crissant sur les graviers du souterrain.

Pendant dix jours, nul bruit ne se fit plus entendre autour du cachot. Depuis longtemps, le prisonnier avait avalé le dernier morceau de pain moisi, âprement disputé aux rats dont les morsures avaient ensanglanté ses mains et son visage. Il se désaltérait à l'eau croupie parmi laquelle surnageaient ses excréments et les cadavres gonflés des rats qu'il avait pu tuer. Pour s'isoler un peu de cette eau immonde, il avait accumulé sous lui la paille pourrie qu'on lui avait jetée en l'enfermant dans ce tombeau, et c'est accroupi sur cette infâme litière, les cheveux et la barbe dévorés de vermine, qu'il attendait la mort, trop épuisé de faim et de fièvre pour se révolter. Le peu de forces qui lui restait était occupé à tirer de sa flûte des sons d'une si grande beauté et d'une si grande tristesse que ceux qui les entendaient s'échapper par le haut soupirail ne pouvaient retenir leurs larmes. Deux amoureux, allongés dans l'herbe au pied de la muraille, furent transportés au paradis; un pêcheur tomba à genoux dans sa barque, croyant cette musique venue des ondines habitant le fleuve; un moine rendit grâces à Dieu, une lavandière laissa le courant emporter son unique chemise, les sentinelles se mouchèrent dans leurs manches...

Au matin du onzième jour, la porte fut ouverte. Quelqu'un entra, une torche à la main. Blessés par la lumière vive, les yeux du prisonnier clignèrent. Il tenta de lever un bras décharné pour se protéger, mais les forces lui manquèrent.

– Oh!... mon pauvre Olivier!

Des bras robustes soulevèrent le corps du malheureux qui poussa un cri : l'homme n'avait pas remarqué les chaînes qui le maintenaient attaché au mur. Il se défit de son manteau et le jeta sur la litière. Avec de tendres précautions, il y allongea son ami.

– Philippe!

Le Tailladé ne pensa pas à se demander comment le jeune homme avait appris son véritable nom. Pour le sauver, il l'eût crié à la face du roi et de la reine.

– Détache-le, ordonna-t-il au geôlier tremblant.

– Seigneur, je ne le peux pas. J'ai risqué ma vie par amour de la musique pour vous conduire jusqu'ici, ne m'en demandez pas plus.

– Maudit! Tu ne m'avais pas dit qu'il était mourant!

– Messire, laissez-moi lui faire boire ce lait, dit la femme qui l'accompagnait.

– Fais, ma bonne Gisèle.

Quelques gorgées du tiède liquide réconfortèrent Olivier. Il ouvrit les yeux et tenta de sourire. Saisi de nausées, il vomit à longs traits une bile fétide. Puis, épuisé par les spasmes, il perdit connaissance.

Quand il revint à lui, il fut frappé par la clarté baignant son cachot. Il tenta de se soulever et fut surpris de ne pas sentir le poids de ses chaînes, ni le froid humide qui lui transperçait habituellement le corps, mais, au contraire, une douce chaleur.

– J'ai soif, murmura-t-il.

Cette fois, il ne rejeta pas le lait. Au bout de

quelques instants, Gisèle put lui faire absorber de petits morceaux de pain trempé. Vite repu, il s'endormit.

— Seigneur, il faut maintenant le reconduire.

— As-tu préparé un autre cachot, sec celui-là, avec de l'eau fraîche, un pichet de vin, du pain et le pâté de chevreuil?

— Oui, seigneur.

— Tu n'as pas oublié une bonne paille bien saine et une couverture?

— Non, seigneur.

— Bien. Tu as déjà été largement payé. Tu le seras davantage si ton prisonnier est bien nourri et bien traité. Pour les chaînes, la nuit seulement. Un conseil : ne me trahis pas, il y va de ta vie et de celle de tes enfants.

— Je sais, seigneur, mais que je vous trahisse ou non, je suis un homme mort si mes chefs découvrent que je vous ai introduit ici. Ah, maudite soit la musique qui m'a ensorcelé!

— Randock, ne parle pas de cette façon, fit Gisèle en se signant.

— Il n'y a pas de sorcellerie là-dedans, tu es simplement un homme sensible et bon.

Le gardien regarda Philippe d'un air stupide : c'était bien la première fois qu'on lui disait qu'il était bon! Cet étrange compliment émanait d'un homme au visage d'argent semblable à ceux des anges – ou plutôt d'un démon!

— Mon frère, n'oublie pas que tu as juré sur la sainte Croix.

Après un dernier regard à Olivier toujours assoupi, Philippe quitta la prison, suivi de Gisèle.

Dehors, c'était la fin d'une belle journée. Le Tailladé respira à pleins poumons l'air de Paris. En homme habitué aux grands espaces de la Rous' et aux vastes forêts de France, l'enfermement lui semblait la pire des tortures. Il fallait faire sortir au plus vite le troubadour de ces lieux malsains. Ne pouvant approcher ni la reine ni le roi, il résolut de solliciter l'aide de Gosselin de Chauny qui, malgré son départ pour la Normandie, lui avait conservé toute son amitié. Dès le lendemain, il frappa à la porte de son ancien maître.

— Je ne peux rien faire pour lui, il a levé l'épée sur le roi.

— Je sais cela. Aussi, je ne vous demande que de prévenir la reine du sort d'Olivier d'Arles.

— La reine n'est pas la mieux placée pour parler en faveur de l'ancien favori de son époux.

— Sire de Chauny, je vous en prie. Vous savez que j'aime Olivier comme un jeune frère... N'a-t-il pas l'âge d'un des miens?... Je sais que, quoique courageux au combat, il n'a pas votre estime. Ne le jugez pas sur sa vie passée, ce sont de méchantes gens qui l'ont entraîné dans la débauche. Malgré tout, il est demeuré honnête et pur. Il voulait abandonner cette vie...

Gosselin de Chauny marcha de long en large, son visage buriné marqué de plis soucieux, ses larges épaules voûtées par l'âge, vivante image de la perplexité. Enfin il s'arrêta en face de celui qu'il avait accueilli et réconforté :

— Par amour de toi, je parlerai du troubadour à la reine, mais surtout à la comtesse de Flandre qui garde une grande influence sur son frère.

— Mais ne m'avez-vous pas dit qu'elle a toujours manifesté une grande antipathie envers le pauvre Olivier?

— C'est vrai, comme à tous les favoris du roi. Mais celui-ci s'était montré moins avide que les autres, elle en fit même un jour la remarque devant moi.

— Prions le Ciel qu'elle s'en souvienne!

— Va, retourne à Paris, je te ferai savoir de mes

nouvelles au cabaret que tu m'as indiqué. D'ici là, ne fais rien qui puisse compromettre nos plans.

– Je n'aurai pas assez de toute ma vie pour vous remercier...

– Garde tes remerciements pour plus tard, mon fils. Que la Très Sainte Mère de Dieu t'accompagne.

Quand Philippe arriva sur les bords de la Seine, un attroupement s'était formé au pied de la muraille derrière laquelle était emprisonné Olivier. La foule hilare montrait du doigt un corps qui se balançait au sommet de la tour, attaqué par les corbeaux. Pris d'un affreux pressentiment, le Taillé se précipita au cabaret. Des soldats finissaient de sortir les tonneaux, chassant les badauds à coups de bâton. Soudain, une haute flamme jaillit de la taverne. Le moine qui avait insulté Philippe et Olivier lors de leur première rencontre en cet endroit venait de sortir, une torche à la main, avec des ricanements sauvages. Cette silhouette environnée de flammes... ce rire... Une vision atroce vint se substituer à la scène à laquelle Philippe assistait.

– A genoux, mécréants, voici venu le temps de la vengeance du Seigneur!... Le feu de Dieu purifiera ce lieu de perdition... Il m'a envoyé comme messager pour exécuter Sa divine sentence... Implorez la Très Sainte Vierge Marie... Priez les martyrs et les saints... Si vous ne voulez pas brûler dans les flammes de l'enfer ou vous balancer au bout d'une corde, comme Randock le damné, repentez-vous, maudits! Le jour du Jugement dernier est proche... Ah, ah!... Fornicateurs abominables, femmes publiques aux entrailles pourries, voici venue la fin du monde... Qui ose porter la main sur l'envoyé du Très-Haut?

– Moi, démon!

– Qui es-tu, toi qui n'oses montrer ton visage?

241

– Je t'ai déjà corrigé, il y a quelques années, et suis prêt à recommencer si tu ne me dis pas où est celle que l'on nomme Gisèle.

– Crois-tu que je connaisse le nom de toutes les prostituées de notre bonne ville de Paris?

– Parle ou je te tue!

– Tu n'oserais pas porter la main sur un homme de Dieu, fit le moine d'un ton geignard.

– Si tu es celui que tu prétends, je veux bien être pendu comme le malheureux là-haut.

– Lui aurait pu te dire où est la femme que tu cherches : c'était sa sœur!

Philippe s'attendait à la nouvelle, mais cette confirmation l'accabla. Il desserra son étreinte, sans permettre pour autant à l'« homme de Dieu » de s'échapper. Mais celui-ci remarqua son émotion.

– Là où il est, il ne parlera plus. C'est sa langue qui l'a fait pendre. Ne disait-il pas qu'il avait reçu de l'or d'un ange pour faire évader un prisonnier du roi?... Mais il disait que cet ange portait un masque d'argent... comme le tien!... Ne serais-tu pas cet ange-là?... Holà, à l'aide!... Comme Dieu a détruit la puissante Babylone, Il détruira Paris, devenue demeure des démons, repaire de tous les esprits impurs... Car cette ville a abreuvé toutes les nations du vin, du péché, de sa fureur de fornication...

La pointe d'une dague arrêta ses cris.

– Continue et tu es un homme mort.

– Pitié... je suis un serviteur de Dieu...

– Ne blasphème pas son Très Saint Nom. Il y a en toi quelque chose de la Bête immonde... J'ai l'impression de t'avoir vu dans une clairière couvert du sang d'un enfant...

Le visage du moine vira au gris et se couvrit de sueur; une odeur pestilentielle monta de ses guenilles.

– Tu auras eu quelque cauchemar, bredouilla-t-il.

– J'espère pour toi que tu as raison. Maintenant, dis-moi où est Gisèle.

– Après qu'ils ont pendu son frère, ils sont venus la chercher...

– Qui?

– Les soldats du roi.

– Tu en es sûr?

– Est-on sûr de rien en ces temps maudits?

Tout en questionnant le moine, il ne perdait pas des yeux trois très jeunes gens aux figures à la fois cruelles et veules, qui se rapprochaient lentement. Soudain, l'un d'eux bondit comme un animal féroce, un poignard à la main. Comme il allait l'atteindre, le Taillade jeta l'homme qu'il retenait sur l'arme brandie. La stupeur du garçon n'eut d'égale que sa peur. Il resta stupide à contempler la tache de sang qui s'élargissait sur le froc. Il tomba à genoux, bavant, pissant sous lui.

– Maître!... Oh, maître!... Ce n'est pas ma faute!... Ne me battez pas, pitié, maître!

D'un geste violent, le moine arracha le poignard fiché en lui avec un cri sourd. Il tituba, mais ne tomba pas. Il considéra avec mépris le malheureux vautré à ses pieds, puis leva le bras le long duquel coula son sang et, d'un coup, transperça la nuque courbée.

Une troupe de soldats bouscula Philippe et le sépara du moine blessé. Celui-ci profita de la cohue pour s'enfuir, suivi des deux compagnons du maladroit qui achevait de se vider de son sang dans l'indifférence générale. Le Taillade renonça à les poursuivre.

La nuit était tombée depuis longtemps, noire, froide, sans la moindre clarté lunaire. Épuisé, grelottant, Philippe se laissa tomber sur le sable de la berge, à l'abri des roseaux. Les renseignements qu'il avait pu obtenir sur les événements de l'après-midi étaient contradictoires. Certains disaient avoir vu passer un cavalier correspondant au signalement d'Olivier; d'autres, qu'il avait été jeté à la Seine; d'autres encore, les plus nombreux, qu'ils n'avaient rien vu. Bientôt, la fatigue eut raison de lui et il s'endormit lourdement.

Un frôlement humide le réveilla en sursaut. Une main glacée parcourait son visage. D'un geste brusque, il empoigna la main. A sa taille, il devina qu'il s'agissait d'une main de femme. Doucement, il demanda :

— Qui es-tu?

— Je suis Gisèle, répondit une voix étouffée.

— Enfin je te retrouve! Raconte! Où est Olivier?

— Messire, vous me faites mal.

Philippe relâcha sa prise.

— Où est-il?

— Je crois qu'il est chez le roi.

— Chez le roi! Alors il est sauvé!

— Non, il est perdu!

La stupeur empêcha le Tailladé de répliquer.

— J'étais allée porter des provisions à votre ami. La sentinelle, qui me connaît, m'avait laissée passer. Je me dirigeais vers la salle des gardes quand j'entendis crier. Prise de peur, je me suis jetée dans un renfoncement. Des hommes armés de longs couteaux sont venus, tirant par une corde passée autour de son cou mon pauvre frère, le visage couvert de sang, le dos comme arraché par des griffes. Il hurlait : « Je vous ai tout dit... Je ne sais pas son nom... c'est un chevalier masqué... Pitié, ne me tuez pas!... Demandez à ma sœur... »

— Par Dieu, le traître!

— Ne dites pas cela, messire. Si vous aviez vu le mal qu'ils lui ont fait...

— Parle plus fort, je ne t'entends pas.

Depuis quelques instants, la voix de Gisèle se faisait de plus en plus faible.

– Pardonnez-moi, messire, mais je n'ai plus beaucoup de forces...

– Dis vite, je sais ce qu'il est advenu de ton frère, mais Olivier, qu'ont-ils fait à Olivier?

Essoufflée, elle reprit en hachant ses mots :

– Je suis allée... dans son cachot... Il n'y était plus... il y avait des traces de sang... Je les ai suivies... elles menaient à l'entrée des souterrains...

– Quels souterrains?

– Mon frère... m'a dit... Ils débouchent...

– Continue!

– Dans la cour... d'une petite maison... qui est au roi...

– Où est-elle?... Réponds!... Gisèle!

Penché sur elle, Philippe la secouait. La pauvre tête aux longs cheveux mouillés ballottait d'avant en arrière. La pauvre fille s'était évanouie. Avec précaution, il lui soutint la nuque. Un chaud liquide coula entre ses doigts.

– Gisèle, mon enfant!

– Votre enfant se meurt, messire...

– Mais non, ce n'est rien, je vais te sauver!

– Non... trop tard... pour l'amour de vous... Je n'ai rien dit... Olivier... la maison du roi... près de la fontaine du cloître Saint-Germain... avec une haute porte... Oh, Vierge Marie... j'ai mal... froid... messire... mettez-moi en terre bénie... Dieu vous protège... Comme il fait froid... si froid...

Longtemps, Philippe tint contre lui l'humble femme qui avait donné sa vie pour l'aider à sauver son ami. Il ôta son manteau, en enveloppa le corps qu'il dissimula entre les roseaux, sous la menthe sauvage.

– Bientôt, ma pauvre enfant, tu reposeras en terre chrétienne.

Une pluie violente se mit alors à tomber.

CHAPITRE VINGT-HUITIÈME

Les pleurs de la reine

DEPUIS le début de l'automne, la pluie n'avait cessé de tomber, transformant les sous-bois comme les champs en marécages, interdisant la chasse et la guerre. Dans leurs châteaux, les seigneurs grelottaient et s'ennuyaient, tuant le temps en beuveries. Celles-ci se terminaient le plus souvent en orgies avec les servantes ou avec des filles de serfs enlevées à leur famille en échange d'un sac de blé, dans le meilleur des cas.

Dans la grand-salle du château de Senlis, Anne, un ouvrage abandonné sur les genoux, regardait à travers les vitres verdâtres de l'étroite fenêtre le ciel obstinément gris d'où le soleil semblait avoir été chassé à jamais. Une larme glissa le long de sa joue et tomba sur sa main.

— Ma mère, pourquoi pleurez-vous?

La reine baissa la tête et sourit au petit garçon qui jouait à ses pieds.

— Pourquoi pleurez-vous? répéta-t-il.

— Je ne pleure pas, doux fils, c'est une goutte de cette pluie qui se sera égarée sur ma joue.

L'enfant la regarda d'un air incrédule.

— Va jouer avec ton frère.

— Je n'aime pas jouer, je veux rester avec vous, toujours, dit-il en se blottissant contre elle.

Ils restèrent quelques instants enlacés, silencieux,

tandis que les dernières lueurs du triste jour s'éteignaient.

Dans la cheminée, une bûche s'effrondra dans un jaillissement d'étincelles.

Soudain, de l'autre bout de la salle, retentirent des bruits de bottes, des ferraillements, des rires. Trois valets passèrent en courant, portant des flambeaux qu'ils fixèrent au mur.

– Eh bien, mon fils, dit le roi, toujours dans les jupes de votre mère?

Surpris dans leur rêverie, la reine et le petit Philippe sursautèrent. L'enfant se cacha derrière le dossier du siège abandonné par la reine.

– Il est temps que ce garçon soit retiré des mains des femmes. Quel âge a-t-il?

– Tout juste cinq ans.

– Vous le cajolez trop, vous allez en faire un couard.

– Cela m'étonnerait, seigneur. Il est le meilleur des cavaliers de son âge au château.

– C'est vrai, dit le roi d'une voix radoucie, le comte de Valois me l'a fait remarquer. Savez-vous que ma nièce Mathilde de Normandie a pris près d'elle Simon, le fils du comte, pour lui tenir lieu de mère?

– Elle m'avait dit que telle était son intention si le duc son époux n'y faisait pas obstacle. D'ailleurs, n'avait-il pas accepté, à la demande du comte de Valois, de le prendre dans sa maison comme *nourri*[1] dès qu'il aurait atteint l'âge de sept ans?

– Si fait. Raoul de Crépy n'a pas son pareil pour obtenir les bonnes places pour lui et les siens.

Un très jeune garçon aux longs cheveux blonds, aux lèvres trop rouges, aux yeux bleus rieurs, insolents, s'approcha du roi en minaudant.

1. Adolescent en service auprès d'un Grand.

– Sire, vous m'aviez promis d'écouter ma chanson.

– Je n'oublie pas, mon mignon. Installe-toi avec tes camarades. Je vous rejoins.

A la vue du joli chanteur, le cœur d'Anne se serra. Depuis la désastreuse expédition contre la Normandie, elle n'avait plus revu Olivier d'Arles. A ses questions, Henri avait refusé de répondre, et aucun des compagnons du troubadour n'avait pu ou voulu lui donner de nouvelles. Elle ne comprenait pas l'attitude de son époux, lui qui, naguère, ne pouvait passer un jour sans voir son amant.

Anne prit sur elle de le questionner à nouveau :

– Savez-vous ce qu'est devenu Olivier le troubadour? Pourquoi ne le voit-on plus à la cour? Vous a-t-il déplu? A-t-il commis quelque faute? Lui est-il arrivé malheur? Je me languis de lui.

– Languissez-vous tant que vous voudrez, mais ne m'en parlez plus jamais!

– Pourquoi tant de colère? Je vous en supplie, dites-moi qu'il va bien...

– Cela suffit! Plus un mot! Cela ne vous concerne pas... Mon fils, vous aussi osez lever la main sur moi? dit-il en soulevant l'enfant qui se débattait en criant. Calmez-vous, mon garçon, sinon je vous ferai enfermer vous aussi dans un cachot bien noir. Qu'on l'emmène!

Hélène lui arracha l'enfant des mains et s'enfuit aussi vite que le lui permettait son embonpoint. Anne la suivit en refoulant ses larmes et se réfugia derrière les tentures qui abritaient son lieu de prières. De la grand-salle lui parvenaient des chants et des rires.

Combien de temps resta-t-elle ainsi prostrée? Le froid la tira de sa triste méditation. Elle décrocha une cape de fourrure, s'en enveloppa et s'allongea sur le tapis, les yeux rivés sur la flamme de la veilleuse.

– Anna... Anna Iaroslavna, réveille-toi!

– Hélène, c'est toi? Je rêvais que j'étais dans le palais de mon père...

– Ma fille, le roi te demande.

– Le roi me demande?

– Oui, dans son lit.

– Pour le partager avec un de ses mignons?

– Ne sois pas amère, ma fille, c'est ton époux.

– Triste époux qui ne me touche qu'avec dégoût, ne m'a pas approchée depuis la naissance de ma pauvre enfant, et m'envoie dormir avec mes femmes et mes servantes! Je n'irai pas.

– Oublies-tu que ton premier devoir en tant que reine de France est de lui donner des fils?

– Je lui en ai déjà donné deux.

– C'est peu, à côté de ta mère Ingegerde...

– Ma mère et mon père s'aimaient. Faire l'amour leur était aussi naturel que boire et manger. Avec le roi, rien de tel. Ce qui lui paraît naturel, ce ne sont pas les caresses de sa femme, mais celles de ses valets. C'est à eux qu'il devrait faire des enfants!

– Tais-toi, si quelqu'un t'entendait!

Anne éclata de rire.

– Mais, ma pauvre Hélène, tout le monde sait que le roi préfère les garçons aux filles.

– La reine ne devrait pas le savoir!

– C'est assez parler d'Henri et de ses favoris. Va lui dire que je suis souffrante.

– Mais...

– Dépêche-toi d'obéir, je suis lasse.

Angèle de Lussac achevait de tresser les cheveux de la reine quand le roi écarta la tenture.

– Cette grosse bête d'Hélène me dit que vous êtes malade. Sans doute s'est-elle mal exprimée, selon son habitude, car je vous trouve une mine éblouissante. N'est-ce pas, gentil Thierry?

Thierry des Bois, comme on l'appelait, car il avait été trouvé par des chasseurs dans la forêt de Senlis, secoua ses boucles blondes avec une moue dubitative.

— Non?... La reine passe pourtant pour la plus belle femme du royaume de France. D'ailleurs, demande au Bâtard de Normandie ce qu'il en pense...

— Henri!

— Qu'y a-t-il, ma dame?

— Vous avez trop bu!

— Seulement pour oublier vos froideurs, ma mie. Mais je consens à vous pardonner. Venez réchauffer votre vieil époux... Il nous faut donner des princes à la France!

Ils traversèrent la grand-salle, précédés par deux jeunes hommes portant des flambeaux. Un peu partout, sur des matelas de paille, reposaient valets, écuyers et servantes.

Le roi écarta les rideaux du vaste lit sur lequel il fit tomber Anne qui, soumise, les yeux fermés, s'apprêtait à subir l'assaut de son mari. Bientôt, elle entendit des gémissements et perçut des mouvements qui ne lui laissèrent pas ignorer qu'Henri se faisait préalablement caresser par le joli blond pour être en état de remplir son devoir conjugal. Quand il fut prêt, il releva sa chemise et força, aidé par une main étrangère, l'entrée du ventre de sa femme. Anne détourna son visage pour cacher ses larmes de honte et de dégoût. Très vite, il se répandit et s'arracha à ce corps pour lequel il n'éprouvait que répugnance. Puis il se blottit en soupirant contre Thierry qui décocha à la reine un regard de triomphe.

Chaque nuit, pendant presque un mois, le roi fit ainsi l'amour à la reine, jusqu'au jour où elle lui annonça qu'elle était probablement de nouveau enceinte. L'un et l'autre en éprouvèrent un vif soulagement.

Une fois de plus, la disette s'était installée dans tout le royaume. Les pluies qui avaient gâté sur pied les maigres moissons achevèrent de pourrir la récolte. On revit sur les chemins détrempés des hordes de pauvres chassés de leurs masures par la faim. Ils se pressaient à l'entrée des villes, des châteaux et des monastères dans l'espoir de recevoir un peu de pain. Anne avait fait ouvrir les portes des églises pour accueillir des centaines de sans-abri. A l'hôpital fondé par ses soins, on s'occupait des malades et des petits enfants sans mère. Malgré sa grossesse, et en dépit d'un froid vif qui gelait la neige dans les rues, rendant périlleux le moindre pas, elle rendait chaque jour visite aux malades. Elle leur apportait un peu de réconfort, puis faisait ensevelir les morts de la nuit. Elle surveillait aussi les leçons des élèves de son école, aidait à servir une soupe chaude dans les églises, mettait à contribution seigneurs et nobles dames. Chacun devait apporter son obole. Le plus généreux de tous fut, comme à son habitude, Raoul de Crépy qui ouvrit à la reine un crédit illimité, au grand déplaisir d'Irène dont la jalousie, un instant calmée, se réveilla, plus violente que jamais.

Un soir qu'Anne quittait l'hôpital avec pour seule escorte un jeune valet, une femme se jeta à ses pieds en lui tendant un rouleau de parchemin, et s'enfuit avant que la reine eût pu prononcer un mot. Le page n'avait rien vu. Il faisait trop sombre dans la rue pour lire, aussi Anne se dirigea-t-elle vers son école. Les enfants étaient rentrés chez eux, les maîtres priaient à la chapelle, la salle de classe était vide. A la place du professeur, une petite lanterne était encore allumée. Elle s'y installa après avoir renvoyé l'écuyer.

Que voulaient dire ces signes maladroitement tracés? Ils lui rappelaient... non, ce n'était pas possible! Personne ici – sauf Hélène et Irène qui la parlaient, et le petit Philippe qui en balbutiait quelques mots – n'écrivait en langue kiévienne. Péniblement, elle déchiffra. A mesure qu'elle avançait dans sa lecture, elle éprouvait un sentiment de joie mêlé à une insupportable angoisse. C'est dans la langue et l'écriture de son pays qu'on lui donnait des nouvelles d'Olivier d'Arles! Elle remit à plus tard le soin d'élucider ce mystère. Pour l'heure, elle devait découvrir l'endroit où le roi retenait Olivier. L'auteur de la lettre prétendait que le troubadour ne se trouvait plus dans la petite maison de Paris, mais plus vraisemblablement dans un des châteaux royaux, peut-être celui de Senlis. Il la suppliait, au nom de l'amitié, et en souvenir de son enfance libre et heureuse, de l'aider à sauver Olivier.

Sauver le troubadour, c'était son plus cher désir! Mais n'était-ce pas un piège qu'on lui tendait? A qui demander conseil? A qui faire confiance? Mathilde, une fois de plus, lui manquait cruellement.

Anne n'ignorait rien des relations entre Irène et Raoul de Crépy, mais ce qu'elle ignorait, c'était la haine que lui vouait la jeune femme. Et, bien souvent, elle la défendait contre sa propre mère, Hélène, qui avait rêvé pour sa fille d'un riche mariage et qui vivait dans le chagrin et la honte. Ce fut donc à Irène qu'elle confia son désir de rencontrer en secret le comte de Valois.

Si elle ne mourut pas du poison versé le soir même dans le verre de vin qui lui était destiné, c'est qu'un valet trop gourmand l'avait porté avant elle à ses lèvres et trépassa dans d'horribles souffrances sous les yeux terrifiés de la cour. A la suite de cet incident, on emprisonna tous ceux qui avaient pu s'approcher du vin, et des valets furent chargés de goûter chacun des mets et des breuvages présentés à la table royale.

C'est ainsi qu'Irène se trouva contrainte de s'acquitter de sa mission.

Anne achevait de servir la dernière écuelle de soupe aux malades de l'hôpital quand Raoul de Crépy entra dans la salle, suivi de ses écuyers.

— Reine, vous m'avez fait demander, me voici.

La jeune femme eut un mouvement d'humeur qui n'échappa pas au comte.

— Vous semblez surprise de me voir. Aurais-je mal interprété vos désirs?

— Pardonnez-moi, comte, j'étais tout aux soins à donner à ces pauvres gens. Je voulais vous remercier en leur nom et vous dire ma gratitude pour vos largesses.

— Vous m'avez déjà remercié, dame. J'espérais que vous me demanderiez autre chose.

Anne soupira de soulagement. Il lui donnait l'occasion de l'entretenir en particulier.

— Venez, comte, je veux vous montrer une nouvelle salle que personne, pas même le roi, n'a encore vue. Mais cela doit rester encore secret quelque temps.

Raoul de Crépy donna l'ordre à ses écuyers de l'attendre, et suivit la reine.

— Comment trouvez-vous l'endroit? On pourra y mettre quarante lits.

— En effet, en effet, le lieu est intéressant, marmonna-t-il d'un air ennuyé.

— Seigneur, écoutez-moi et ne m'interrompez pas. Mais, auparavant, jurez sur la Croix que pas un mot de notre entretien ne sortira d'ici.

La surprise le cloua sur place. Quoi, cette femme qu'il n'avait cessé de convoiter depuis tant d'années voulait l'entretenir secrètement! Pour renforcer cette complicité, il était prêt à lui jurer tout ce qu'elle voudrait.

— Eh bien, comte, j'attends! Jurez sur la Croix, ou retirez-vous.

Cette pâleur, cette moue agacée, ce regard inquiet... Qu'elle était belle!

— Je jure sur la Croix de ne jamais vous trahir.

— Je veux que vous m'aidiez à retrouver Olivier d'Arles.

— Le...

— Ne m'interrompez pas. Je crois qu'il est enfermé dans ce château. J'en ai examiné chaque recoin, hormis les souterrains qui sont barricadés et gardés par des hommes en armes. Il faut que vous m'y introduisiez.

— Vous? La reine?

— Je vous en prie, je veux le retrouver vivant...

— Qu'est-ce qui vous fait croire qu'il n'est pas mort?

— Je le sens.

— Mais enfin, s'il est enfermé dans ce château, c'est sur ordre du roi; vous voulez que j'aille à l'encontre des ordres de mon roi?

— Si vous ne m'aidez pas, il le tuera.

— Pourquoi tenez-vous tant à ce troubadour? L'ai-mez-vous?

— Oui, comme un fils, comme un frère.

— Il était cependant...

— ... l'amant de mon époux, dites-le! Cela n'a pour moi aucune importance. Acceptez-vous de m'aider?

— C'est une chose d'une redoutable importance que vous me demandez là, reine.

— Auriez-vous peur, comte?

Raoul haussa les épaules.

— A votre tour, pouvez-vous me jurer qu'il n'y a pas en vous d'autre sentiment que celui de l'ami-tié?

– Je vous le jure.

– Que me donnerez-vous en échange de mon aide?

– J'y ai pensé. Je possède, non loin de vos terres de Crépy, une importante ferme, d'un très bon rapport. Un acte en bonne et due forme vous en rendra propriétaire.

– Je la connais, c'est en effet une très bonne ferme, mais je ne saurais l'accepter. Ce n'est pas cela que j'attends de vous.

– Qu'attendez-vous?

– Pour le moment, rien, si ce n'est un gage venant de vous.

– Comme à mon chevalier servant?

– Oui.

Anne détacha sa ceinture, longue bande de toile brodée de feuilles de chêne, travail exécuté par ses femmes, et la tendit au comte qui la reçut en mettant un genou en terre.

– Tenez, comte, voici un gage de ma confiance. Je place entre vos mains mon honneur et ma paix.

– Je saurai me montrer digne de l'une et mourrai pour défendre l'autre. Si ce troubadour est ici, pour l'amour de vous, je le trouverai.

Il baisa le bas de sa robe et se releva en glissant le précieux gage sous sa chemise, à même la peau. Il en éprouva une volupté à laquelle se mêlait un certain sentiment de puissance.

– D'ici deux jours, venez me rendre compte.

Raoul de Crépy s'inclina et sortit.

La fin de la rencontre avait eu un témoin : Irène. Elle avait reconnu entre les mains de son amant la ceinture qu'elle-même avait en partie brodée. Pour donner un gage aussi personnel, aussi compromettant, il fallait que la reine vît en Raoul autre chose qu'un grand seigneur. La passion d'Irène pour le comte lui faisait croire que toutes les femmes étaient des rivales prêtes à le lui ravir. Elle résolut de ne perdre de vue aucun de leurs mouvements, de connaître chacune de leurs paroles. Pour cela, elle ne recula pas à faire appel aux mendiants de Senlis, brigands à l'occasion, ceux que l'on engageait pour les basses besognes.

— Vous aviez raison, votre protégé est enfermé dans ce château.

— L'avez-vous vu?

— Non. On le tient dans un caveau qui, dit-on, date des Romains et que le roi Hugues Capet avait fait dégager pour enfermer les barons rebelles. Il est d'accès difficile, un seul couloir y mène, et il est profond comme un puits.

— Sait-on pourquoi le roi l'a fait enfermer dans ce trou?

— Il a tiré l'épée contre lui.

— Oh!

C'était un très grand crime, le plus grand peut-être. Pour moins que cela, son père avait fait mettre à mort de vaillants compagnons.

— Personnellement, je l'aurais tué sur-le-champ. Sans doute est-ce, de la part du roi, un raffinement supplémentaire dans la vengeance...

— Depuis quand un roi se venge-t-il d'un pauvre musicien?

— Olivier était bien plus qu'un musicien pour son maître. J'avais entendu dire, avant son emprisonnement, que le troubadour voulait le quitter. C'est là une chose impardonnable.

— Il mérite assurément la mort pour son geste, pas pour autre chose. Avons-nous une chance de le faire sortir de là?

— D'après ce que je sais de l'endroit, aucune. Cela ne pourrait se faire qu'en soudoyant les gardes, et encore, je doute fort qu'ils acceptent : ils sont bien payés et paieraient de leur vie cette évasion.

— Alors, que peut-on faire?

— Il n'y a qu'une chose à faire : obtenir sa grâce du roi.

— Depuis des mois, chaque fois que je lui ai parlé d'Olivier, il m'a donné ordre de me taire.

— Essayez encore une fois en lui disant que vous savez où il se trouve.

— Jamais je n'oserai!

— Dans ce cas, il ne vous reste plus qu'à prier, dans l'attente d'un miracle.

La reine réfléchissait, marchant de long en large dans la salle de classe vide. Tel un chasseur aux aguets, le comte ne la quittait pas des yeux, troublé par la présence de cette femme comme jamais il ne l'avait été par celle d'aucune autre. A ses yeux cernés, à ses gestes ralentis, à sa démarche, il avait deviné qu'elle attendait de nouveau un enfant. Il en éprouvait à la fois colère et tendresse. Comment cette femelle d'Henri arrivait-il à engrosser son épouse? D'une autre, il eût imaginé quelque faute, mais il la savait irréprochable, ce qui la rendait d'autant plus désirable. Il était sûr qu'elle ne connaissait pas le plaisir et qu'elle n'avait aimé aucun homme. Cet amour de jeunesse dont Irène lui avait parlé devait être oublié depuis longtemps... Dès qu'il l'avait vue, il s'était juré de la posséder un jour. Le temps avait passé sans émousser son désir. Il l'aurait, dût-il tuer son mari! En attendant, il devait gagner sinon son amour, du moins sa confiance.

— J'attends d'un des gardiens un plan détaillé de la prison. Si une possibilité existe, fût-elle minime, de sauver Olivier, vous verrez que l'on peut compter sur moi.

La neige avait cessé de tomber. Anne et Raoul se retrouvèrent quelques jours plus tard à une chasse au renard. Ils « s'égarèrent » et se retrouvèrent dans un ermitage abandonné. Le comte, aidant la reine à descendre de cheval, la tint serrée contre lui plus longtemps qu'il n'était nécessaire; contre toute attente, elle ne protesta point. Ils n'entendirent pas un gémissement qui se confondit avec le vent.

— Savez-vous que vous n'êtes pas la seule à vouloir faire libérer Olivier d'Arles?... Vous souvenez-vous de ce chevalier masqué que l'on appelle le Tailladé et qui est passé au service du duc de Normandie?

Pourquoi ce trouble soudain chez la reine?

— Oui.

— Il a su, ne me demandez pas comment, mon intérêt pour son ami. Il m'a proposé d'unir nos forces.

— Vous avez accepté?

— Oui, car il est plus avancé que nous dans sa connaissance des lieux. En outre, il a un homme dans la place.

— A-t-il des nouvelles d'Olivier?

La gêne de Raoul de Crépy n'échappa pas à la reine.

— Parlez! Que savez-vous?

— D'après le Tailladé, le troubadour serait très affaibli et ne pourrait pas marcher.

— Mon Dieu! Comment est-ce possible?

— Il aurait été torturé...

Irène vit Anne sortir de l'ermitage, pâle, presque portée par Raoul. Elle allait bondir, un poignard à la main, quand le couple fut rejoint par le roi et sa suite.

— Que se passe-t-il, comte?

— La reine s'est trouvée mal, je l'ai engagée à se reposer ici.

— Ma dame, vous savez que votre état ne vous permet pas de suivre la chasse. Qu'on aille chercher une litière pour la reine. Où sont donc passées vos femmes?

— Je suis là, sire, dit Irène en sortant de derrière un buisson.

— Occupez-vous de votre maîtresse. Vous venez, comte?

— Sire, on ne peut laisser la reine sans garde du corps.

— Vous avez raison. Eh bien, tant pis, restez!

Anne regarda avec soulagement s'éloigner Henri. Il lui faisait à présent horreur. L'attente ne fut pas longue, mais Valois se garda de quitter des yeux Irène, redoutant qu'elle ne portât un coup fatal à la reine. En la voyant surgir des bosquets, l'air hagard, une bave blanchâtre aux coins des lèvres, il avait deviné qu'elle les avait épiés. Lassé depuis longtemps de ses caresses comme de ses crises de jalousie, ne la gardant que pour assouvir ses plus vils penchants, il résolut alors de la faire disparaître.

CHAPITRE VINGT-NEUVIÈME

Dans les souterrains du roi

MALGRÉ toutes ses recherches, Anne n'avait pu percer l'origine de la lettre écrite en langue kiévienne. Une ultime prudence la retint d'en parler à Hélène, laquelle n'eût pas manqué d'en faire part à Irène.

Depuis la partie de chasse au renard, le médecin du roi, Jean de Chartres, avait interdit à la reine de monter à cheval. Il lui avait en outre prescrit purges et saignées, médecine qui avait eu pour résultat de l'affaiblir vraiment.

Raoul de Crépy vint prendre de ses nouvelles, mais ne put se trouver seul un moment avec elle. Il dut se résoudre à lui dire devant le médecin, Hélène, Irène et ses servantes, de ne rien accepter qui n'eût été préalablement goûté devant elle.

Tous se récrièrent, hormis Irène qui lança un regard de rage à son amant. Anne intercepta ce regard. Quoi, l'avertissement concernait sa sœur de lait? Une profonde détresse l'envahit.

– Sortez, la reine se trouve mal!

Trois jours plus tard, Anne, ayant chassé médecin et garde-malade, se rendit à l'hôpital, malgré les supplications d'Hélène et de ses dames d'honneur. Sous l'œil étonné des nonnes, elle avala deux écuelles de soupe qu'elle déclara fort bonne, puis en servit aux pauvres qui se pressaient autour d'elle. Soudain, elle sentit qu'on lui glissait dans la main, en même temps qu'une écuelle, un rouleau, mais pas un trait de son visage ne bougea. Celui qui lui avait remis le message lapait sa soupe à grands bruits. La reine leva les yeux sur lui et ne put réprimer un mouvement de répulsion à la vue du malheureux au corps contrefait, à peine dissimulé sous des guenilles nauséabondes; son visage n'était que boursouflures, sans nez, sans cils ni sourcils. Dans cette face morte, seuls vivaient encore les yeux, d'un éclat intolérable.

Anne abandonna le service des pauvres dont certains s'accrochaient à sa robe pour retenir la bonne dame qui versait la soupe avec plus de générosité que les religieuses. Elle se réfugia dans la blanchisserie, seul endroit désert à cette heure de la journée. Elle défit avec fébrilité le ruban qui entourait le rouleau. Reconnaissant la langue kiévienne, elle baisa la lettre avec fougue. Le correspondant anonyme de la reine avait pu parvenir jusqu'à Olivier, il l'avait trouvé dans un état épouvantable. Il la suppliait d'intervenir auprès du roi qui seul pouvait absoudre le crime de lèse-majesté. Il lui recommandait aussi de se méfier « de la compagne de son enfance » qui, pour son malheur, avait pactisé avec le diable. Il disait avoir trouvé dans le comte de Valois un appui réel, puis terminait en l'assurant de son profond respect et en lui demandant de détruire le parchemin. Une fois dissipés le plaisir et l'émotion d'avoir lu ces lignes rédigées dans sa langue, elle vit dans cette lettre comme une menace, et se sentit soudain entourée d'ennemis et d'espions.

Des éclats de voix, des appels la tirèrent de ses noires pensées.

— Où est la reine? Qu'on cherche la reine!

Anne venait à peine de dissimuler la lettre que sa belle-sœur entrait, de la colère dans les yeux.

— Ah, vous voilà! N'êtes-vous pas folle d'avoir

quitté votre lit pour venir attraper ici toutes sortes de maladies!

– Ma sœur, je vous en prie, je vais très bien. Ce sont les remèdes de maître Jean qui me rendent malade.

– Je vous crois volontiers, mais, dans votre état, il a raison.

– Je me porte très bien! Ce n'est pas la première fois que j'attends un enfant.

– Je ne l'ignore pas, dit la comtesse d'un ton radouci. Vous connaissez mon amour pour vous. L'affection que je vous porte me rend inquiète, surtout depuis cette tentative d'empoisonnement. Qui peut être assez vil et assez méchant pour vouloir attenter à vos jours? N'avez-vous pas une idée?

– Pas la moindre. Ma bonne Adèle, je vous remercie de votre sollicitude, qui ne s'est jamais démentie depuis mon arrivée dans le beau pays de France. Puis-je en abuser en vous demandant d'être mon interprète...

Anne s'arrêta brusquement : n'était-ce pas folie de se confier à celle qui était si proche du roi?

– Continuez, ma mie, vous savez que je ferai tout ce qui est en mon pouvoir pour vous être agréable.

– Éloignez vos gens, ce que j'ai à vous dire doit rester entre nous.

– Sortez! Qu'on nous laisse seules.

Quand la porte fut refermée, Anne força Adèle à s'asseoir sur un banc près de l'étuve, et s'agenouilla devant elle en lui tenant les mains.

– Que faites-vous? Levez-vous!

– Je vous en prie, laissez-moi parler sans m'interrompre.

– Mais...

– Ce que j'ai à vous demander est très difficile pour moi. Je voudrais que vous intercédiez auprès du roi pour qu'il libère Olivier d'Arles.

La comtesse de Flandre se raidit et tenta de retirer ses mains. Anne l'en empêcha et continua :

– Il est emprisonné dans ce château, mourant. Je sais que son geste mérite la mort, mais je vous supplie d'user de votre influence pour amener Henri à lui pardonner.

– A-t-on jamais vu situation pareille, une femme demander la grâce du favori de son époux?

– Oublions cela. Je sais que, vous aussi, malgré ses vices, vous avez de l'affection pour Olivier...

– Pas au point de perdre celle de mon frère.

– Je vous en prie!...

D'un geste brusque, la comtesse se dégagea et se leva.

– Par amour pour vous, j'oublierai cette conversation et n'en dirai rien au roi. Je vous conseille de faire de même, si vous ne voulez pas vous retrouver à la place de votre protégé.

La stupéfaction qui se peignit sur le visage de la reine amena un triste sourire sur celui de la comtesse :

– Ma mie, la fréquentation de la cour de France ne vous a pas encore appris quels en étaient les dangers? Que tout n'y était qu'intrigues, mensonges et trahisons? Vous ne me ferez pas croire qu'il n'en était pas de même à la cour de votre père. Quant à moi, je n'ai point remarqué qu'il en allait autrement dans les autres royaumes.

Anne, qui était restée agenouillée, se releva, très pâle.

– Pardonnez-moi. J'avais cru pouvoir compter sur votre bonté et sur votre amour du prochain. Le Christ ne nous a-t-il pas enseigné le pardon?

– Ne mêlez pas Notre-Seigneur à tout cela. Considérez Olivier comme mort, et priez pour lui. Vous avez l'air souffrante. Je vous ramène.

La comtesse de Flandre ouvrit la porte.

– Allons, venez.

Immobile, glacée, Anne fit non de la tête.

— Comme vous voudrez!

Cloîtrée derrière les tentures qui entouraient son lit, Anne se morfondait. Depuis sa conversation avec Adèle, elle ne l'avait plus revue. Une de ses suivantes lui apprit que la comtesse était retournée en Flandre. Ce départ, sans adieu, l'attrista profondément et lui fit sentir son isolement dans une cour où elle comptait à présent plus d'ennemis que d'amis. Depuis près d'un mois, elle était sans nouvelles de Raoul de Crépy et de l'inconnu qui, à deux reprises, lui avait écrit en langue kiévienne. Des messages envoyés à Mathilde de Normandie, à Gosselin de Chauny, à Roger, l'archevêque de Châlons, étaient restés sans réponse. Il lui semblait que le moindre de ses gestes était épié, la moindre de ses paroles rapportée. Elle ne trouvait un peu de paix que dans la prière. Le reste du temps, elle restait immobile et silencieuse, regardant fixement devant elle, refusant toute nourriture. Hélène, désespérée, en appela au roi.

Il y avait plusieurs semaines qu'Henri n'avait rendu visite à sa femme. Il fut surpris par sa maigreur.

— Que vous arrive-t-il? On me dit que vous refusez de vous alimenter... Pensez à l'enfant que vous portez! Mangez, faites un effort. Vous avez peur d'être empoisonnée?... N'avez-vous pas vos goûteurs, votre nourrice?... Mais enfin, dites quelque chose!... Que voulez-vous?

Anne leva ses yeux entourés de cernes sombres.

— Je veux qu'on me laisse aller librement.

— Ma mie, vous pouvez aller où bon vous semble, nul ne vous en empêche. C'est dans votre intérêt et dans celui de l'enfant que mon médecin vous a prescrit de ne point quitter la chambre.

— Jean de Chartres croit sans doute bien faire,

mais les purges et les saignées, le manque d'air et d'exercice sont préjudiciables à ma santé et me coupent l'appétit. Je serai incapable d'avaler le moindre morceau tant que je resterai loin de mon école, de mon hôpital et de mes pauvres.

Tous se regardaient, comprenant que rien ne la ferait céder. Le médecin ne savait quel parti prendre. Il était convaincu du bien-fondé de sa médecine, mais son auguste patiente en avait décidé autrement et paraissait déterminée à se laisser mourir de faim s'il n'en changeait pas.

– Une activité raisonnable et quelques promenades ne peuvent certes faire de mal à la reine, qui est encore loin de son terme...

– Eh bien, ma dame, vous avez entendu maître Jean? A condition de vous montrer prudente, vous pouvez sortir. Maintenant, mangez.

Anne dut faire appel à tout son orgueil pour ne pas arracher le potage aux crêtes de coq et aux champignons des mains des goûteurs avant que ceux-ci n'eussent rempli leur office; puis il lui fallut prendre sur elle pour l'avaler sans manifester ni hâte ni plaisir. Deux jours plus tard, elle était en état de se rendre à l'hôpital où les malades l'accueillirent avec une joie qui acheva de la réconforter.

Les habitants de Senlis revirent avec plaisir leur dame, enveloppée de fourrures, parcourir les rues de leur ville, s'arrêtant aux étals des marchands, s'entretenant avec les artisans, distribuant des aumônes aux malheureux qui la suivaient à distance respectueuse, caressant les enfants, buvant du lait tiré devant elle du pis des vaches, riant des facéties de ses valets, regardant les patineurs avec envie, assistant pieusement à la messe au milieu du peuple. C'est au cours d'un de ces offices qu'on lui remit un message du comte de Valois disant qu'elle n'avait plus à s'inquiéter et qu'avant la nouvelle lune, avec la grâce de Dieu, « tout irait bien ».

Ce soir-là, Anne pria avec une ferveur renouvelée.

La haine et la concupiscence se conjuguèrent pour tenter de perdre la reine et le troubadour. Irène avait compris que son amant n'éprouvait plus pour elle que dégoût et attendait le moment propice pour la faire tuer. Toutes ses magies s'étaient révélées impuissantes à la faire aimer de lui. Tout aussi impuissantes à chasser de l'esprit du comte la fille du Prince de Kiev. Désespérée, elle résolut alors de se donner la mort, mais, auparavant, il fallait que sa rivale pérît!

De son côté, Thierry des Bois, qui avait remplacé Olivier d'Arles dans le cœur du roi, insistait pour que son prédécesseur fût châtié pour son crime. Il ne comprenait pas pourquoi Henri remettait toujours à plus tard l'exécution du coupable, et il redoutait que les amis du troubadour ne finissent par obtenir sa grâce.

C'est au chevet de la reine qu'Irène et Thierry se rencontrèrent, s'observèrent et surent qu'ils étaient capables de tous les forfaits pour arriver à leurs fins. A tour de rôle, ils espionnèrent ou firent espionner la reine, et ils connurent ainsi l'objet de ses rencontres avec le comte de Valois. Ils résolurent de faire en sorte de lui ouvrir les portes de la prison d'Olivier et de les faire surprendre par le roi. Ils réussirent là où le comte et le Tailladé avaient échoué : parvenir jusqu'au prisonnier. Croyant qu'on venait le sauver, affaibli de corps et d'esprit, Olivier ne se méfia pas et écrivit avec son sang sur un morceau de sa chemise ce qu'un complice de Thierry lui dicta : « Venez, sans vous je ne peux vivre. » Les forces lui manquèrent cependant pour signer.

Le chiffon fut remis à la reine par un petit mendiant. Avec émotion, elle reconnut les traces du message : Olivier était vivant! L'enfant en guenilles attendait, les valets tentèrent de le chasser. Anne les arrêta et les renvoya. Le gamin la tira par la manche et dit sans presque remuer les lèvres :

– Demain, après les vêpres, à l'école...

Toute la nuit, Anne se demanda si elle se rendrait au rendez-vous. A l'aube, elle s'endormit d'un mauvais sommeil peuplé de cauchemars où se retrouvaient, pour tuer le troubadour, Sviatopalk, l'assassin de Boris et Gleb, et son propre époux. Elle se réveilla en hurlant, secouée par Hélène qui tentait de l'arracher à ses songes.

– Mon enfant, ouvre les yeux, ne crains rien, ta vieille nourrice est là.

En sueur, les cheveux défaits, Anne regardait autour d'elle avec une expression de terreur qui alarma les femmes accourues à ses cris.

– Qu'y a-t-il?

– Que se passe-t-il?

– La reine est souffrante?

– Il faut appeler le médecin!

– Non, le chapelain!

Il fallut que la reine donnât elle-même de la voix pour faire taire cette horde piaillante, et plus encore pour la chasser.

– La Très Sainte Vierge te vienne en aide! Ton intérêt pour ce garçon est excessif, et les sentiments que tu éprouves pour lui ne me plaisent guère.

– Qu'ils te plaisent ou non, cela ne regarde que moi.

Hélène ignora la sécheresse du ton et reprit :

– Dans notre langue, tu implorais notre Sainte Mère d'épargner Olivier. Tu appelais à son secours ton père, le Grand Prince Iaroslav, et ton frère Vladimir, tu te battais contre Sviatopalk le Maudit et... contre ta sœur... ma propre fille, Irène! Tu hurlais son nom, et c'est à ce moment-là que je t'ai réveillée... Tu disais des choses épouvantables qui m'ont brisé le cœur.

— Ne pleure pas, ce n'était qu'un rêve... Aide-moi plutôt à m'habiller.

— Non, j'ai vu la Moaryassa rôder dans les bois.

Anne fit précipitamment le signe de la Croix, imitée par Hélène.

— Tu es devenue complètement folle! Oublies-tu que tu es chrétienne? Je t'interdis d'évoquer devant moi la déesse de la Mort!

— Oui, je suis chrétienne, je crois en Dieu le Père, en son Fils, Notre-Seigneur Jésus-Christ, et en l'Esprit Saint. Mais, depuis quelque temps, nos anciens dieux réapparaissent devant moi; certains, comme la Moaryassa, m'appellent. Le temps est peut-être venu pour moi de les rejoindre; je suis vieille et lasse...

— Tais-toi, tu dis des bêtises et tu blasphèmes!

— Je ne crois pas, mais s'il en est ainsi, je me remets entre les mains de la divine Providence. Toi et Irène... ces paroles terribles! Que redoutes-tu de ta sœur?

— Rien, habille-moi!

— J'ai bien remarqué qu'il n'y avait plus entre vous d'amour, mais cette haine chez elle, cette méfiance chez toi...

— Cela suffit! Habille-moi ou j'appelle les servantes.

Tout en pleurant, Hélène obéit.

— Où est Irène?

— Je n'en sais rien, cela fait plusieurs jours que je ne l'ai vue. La vie qu'elle mène me couvre de honte. Que ne l'ai-je fait enfermer dans un couvent, ainsi que la comtesse me le recommandait!

— Il est trop tard pour se lamenter. Je suis aussi coupable que toi, j'ai manqué de courage...

— Mon aimée, ne te reproche rien, tu as eu pitié, rappelle-toi, elle menaçait de se tuer...

– Maintenant, c'est moi qui suis menacée, murmura Anne d'un ton las.

– Que dis-tu? Tu ne penses pas ce que tu dis? Ce serait trop horrible!

– Ma bonne Hélène!... Tu m'accompagneras ce soir à l'office, puis à l'école. Tu feras en sorte que nul ne nous escorte.

– Mais...

– C'est un ordre! Et pas un mot à qui que ce soit.

Quand la porte qui gardait l'entrée du souterrain conduisant aux cachots se fut refermée sur elles, Anne eut conscience de commettre un acte irrémédiable. Un léger étourdissement l'obligea à s'appuyer contre la pierre humide. Au même moment, l'enfant qu'elle portait bougea pour la première fois. Instinctivement, ses mains se portèrent à son ventre dans un geste de protection. Le malaise et le geste n'échappèrent pas à Hélène. Elle ne dit rien et soutint celle dont elle avait elle-même protégé l'enfance : il était trop tard, le destin était déjà en chemin...

Le jeune garçon qui les avait guidées jusque-là avait disparu. Un homme à la mine inquiétante le remplaçait. Il tenait à la main une torche qui dégageait une fumée noire et nauséabonde. Un escalier très étroit, tortueux, fait de pierres disjointes, descendait sous terre. L'une derrière l'autre, les deux femmes se retenaient aux parois glissantes. Au bout d'un moment qui leur parut très long, elles débouchèrent dans une sorte de salle aux voûtes soutenues par quatre épais piliers; tout autour s'enroulaient des scènes obscènes, dessinées avec un réalisme qui les fit rougir sous leur voile. Des chauves-souris, dérangées par la lumière, voletaient en tous sens en poussant de petits cris.

L'homme alluma une torche fixée au mur.

– Attendez là, dit-il.

Serrées l'une contre l'autre, elles le virent disparaître dans une des sept galeries partant de la salle. Nul bruit, hormis le grésillement de la torche et le couinement des animaux. Après le froid humide de l'escalier, l'air paraissait doux. Anne se laissa tomber sur le sol sablonneux.

Depuis combien de temps étaient-elles là, l'oreille aux aguets, le cœur battant, les tempes serrées? Leurs yeux commençaient à se fermer.

Un cri atroce les arracha à leur torpeur. Elles se relevèrent avec précipitation, une dague au poing. En dépit de la peur qu'elles ressentaient, la vue de leurs armes leur arracha un sourire complice. Filles de la Rous', elles reconnaissaient bien leur sang à cette précaution! C'est alors que déboucha en hurlant leur guide, les mains pressées sur son visage ensanglanté. Tel un animal pris au piège, il courait en tous sens, se heurtant aux murs, aux piliers qu'il maculait de son sang, vociférant sans cesse. Enfin, il tomba. De ses orbites vides sortait un bouillonnement d'humeurs. Hélène se pencha.

– Il est mort, dit-elle en se redressant.

De nouveaux cris leur parvinrent, dénonçant des souffrances insupportables.

– Non!... Non!... Pitié!

– C'est la voix d'Olivier! s'écria Anne.

– Partons, ma fille, partons!

La reine s'arracha des bras de la nourrice qui tentait de l'entraîner vers les marches, elle s'empara de la torche et s'élança dans la galerie d'où semblaient provenir les hurlements. Hélène la suivit.

Au bout de quelques pas, elles durent rebrousser chemin; un éboulis obstruait le passage. L'autre couloir débouchait sur un ruisseau au courant rapide, trop large pour être franchi; le troisième était fermée par une grille rongée de rouille; le quatrième fut le bon. Après plusieurs tournants, les gémissements qui avaient remplacé les cris leur semblèrent tout proches. Elles arrivèrent dans une salle moins large que la précédente, qui allait en se rétrécissant vers le haut. Des flambeaux fichés dans le sable éclairaient l'espace; encore des galeries, mais aussi des cachots.

Dans l'un d'eux, un vieillard nu, décharné, aux cheveux et à la barbe entremêlés de paille, de toiles d'araignée, de poussière et de sang séché, se tordait, les mains crispées sur la hampe d'une lance qui le clouait au sol.

Refoulant la nausée qu'elle sentait monter en elle, Anne se pencha sur le malheureux dont les yeux vitreux se levèrent sur elle. Dans son regard qui s'éclairait passèrent le doute, puis l'effroi, puis la joie :

– Ma reine!

De stupeur, elle laissa échapper la torche qui roula près des jambes du malheureux, révélant toute l'horreur des tortures qu'on lui avait infligées : à la place des organes génitaux, une immonde bouillie dans laquelle était plantée la lance.

– Ma reine, murmura le vieil homme sur un ton de joie insensé, en tendant ses pauvres bras.

Non, non!... Ce n'était pas là le gentil Olivier, le gai compagnon des longues soirées d'hiver, le doux ami aux chansons si tendres, le merveilleux musicien qui savait si bien trouver les notes capables de faire oublier l'ennui des jours et la honte des nuits! Elle cria :

– NON!!!

– Ma reine...

Avec rage, elle arracha la lance, jeta son manteau sur ce qu'était devenu le bel amant de son époux, et pressa contre son sein la tête aux cheveux blancs en fredonnant une berceuse de son enfance.

– Olivier!

Il n'y avait plus place pour l'étonnement quand surgit dans le cachot le chevalier masqué.

– Tu arrives bien tard, le Tailladé.

Le troubadour regardait les deux seuls êtres qu'il avait aimés et qui l'avaient aimé, au point de risquer leur honneur et leur vie pour le sauver.

– Je meurs heureux. Laisse-moi, ami, sauve la reine... On lui a tendu un piège... Le roi connaît sa présence ici.

– Je le savais, c'est un des traîtres qui m'a conduit ici.

– Vite, emmène-la... Partez, ma reine... Que Dieu vous protège!... Philippe!...

Anne tressaillit. Son fils... Était-il menacé, lui aussi?

Le chevalier se releva.

– Venez!

Dans un ultime effort, Olivier se souleva, tendit le bras, comme s'il avait voulu montrer quelque chose :

– Philippe..., murmura-t-il, et il retomba, mort.

Le chevalier masqué et la reine restèrent un instant immobiles, ne pouvant détacher leurs yeux du bras resté tendu, qui semblait les désigner.

– On vient, seigneur. Sauvez mon enfant! cria la nourrice.

Dans son bouleversement, elle avait dit cela en usant de sa langue natale.

– Ne crains rien, Hélène, je la sauverai, lui répondit le Tailladé en emportant Anne dans ses bras.

Alors elle sut qui il était, et que les dieux de la Rous' l'attendaient.

CHAPITRE TRENTIÈME

La mort d'Hélène

La longue maladie de la reine empêcha le roi de l'interroger, au grand désappointement de Thierry des Bois et d'Irène qui avaient tout manigancé pour qu'elle fût surprise en compagnie d'Olivier d'Arles. Mais les jeux horribles auxquels s'étaient livrés les brigands qu'ils avaient embauchés pour les aider dans cette entreprise, l'obstination d'Hélène à dire que la reine n'était au courant de rien, qu'elle seule avait pris l'initiative de sauver le troubadour en soudoyant les gardes, anéantirent tout leur projet.

Malmenée par les soldats, enfermée dans un couvent de Senlis, Hélène mourut en demandant pardon à Dieu de ses fautes, sans avoir pu obtenir de revoir celle à qui elle avait consacré sa vie.

Irène accueillit la nouvelle de la mort de sa mère avec indifférence. Elle ne chercha pas à savoir qui avait donné l'ordre d'édifier la somptueuse sépulture, dans le cimetière du couvent, sur laquelle était gravé en langue kiévienne le nom d'Hélène.

Pendant plusieurs semaines, le petit Philippe se réveilla la nuit en pleurant, il appelait sa *kouma*[1]. Il passait ses journées au chevet de sa mère, hurlant quand il devait la quitter.

Anne accoucha avant terme d'un garçon malingre

1. Marraine.

que l'on baptisa Hugues. Tous furent convaincus que l'enfant ne vivrait pas.

Après cette naissance, l'état de la reine s'aggrava. A travers toute la France, des messes et des prières furent dites à son intention. Le duc et la duchesse de Normandie se rendirent en pèlerinage à Coutances pour supplier la Vierge de sauver leur amie. Le comte de Valois fit le vœu solennel d'aller à Jérusalem s'incliner sur le tombeau du Christ si elle vivait. Bientôt, Anne fut hors de danger. A l'automne, pâle et dolente, elle vint se recueillir sur la tombe de sa nourrice, accompagnée de son fils Philippe. Ils pleurèrent dans les bras l'un de l'autre cette femme qui avait choyé leur enfance.

Depuis l'assassinat d'Olivier, Henri était devenu un vieillard aux cheveux gris et clairsemés, à la bouche édentée, au corps perclus de douleurs. Les jeunes garçons dont il continuait à s'entourer n'arrivaient plus à le distraire. Il voyait arriver la mort avec terreur et multipliait les dons aux monastères du royaume dans l'espoir que Dieu lui pardonnerait ses péchés. Sur les conseils de son beau-frère, le comte de Flandre, du comte de Valois, de son vieil allié le comte d'Anjou, qui s'était retiré dans un couvent à la suite du désastre du pont de Varaville, des évêques de Reims et de Châlons, il résolut de faire sacrer son fils Philippe roi des Francs, comme lui-même l'avait été du vivant de son père. Il fut convenu que l'on attendrait les sept ans révolus de l'enfant. Une fois qu'il eut atteint cet âge, on le retira des mains des dames pour le confier à un précepteur et à un maître d'armes. Philippe, dûment chapitré par sa mère, accepta la séparation avec un courage dont son père le félicita. On lui donna pour précepteur Enguerrand.

A la surprise générale, le petit Hugues vivait et étonnait ses nourrices par la vigueur de ses cris et de son appétit.

Forte de sa santé recouvrée, Anne retrouva avec bonheur ses galopades en forêt, les parties de chasse épuisantes d'où elle rentrait les joues rouges, le corps rompu, mais enfin apaisée. Le vent de la course, qui défaisait ses cheveux, avait le bienfaisant pouvoir de lui apporter l'oubli et de calmer les tourments de son âme.

Un peu plus tard, elle demanda à connaître les circonstances de la mort d'Hélène. Personne ne put ou ne voulut lui répondre. Le roi se borna à lui répondre que la nourrice avait avoué son dessein de faire évader le troubadour; se rendant compte de l'énormité de son forfait, elle était morte de honte.

Anne sut alors de quel prix avait été payé son propre salut.

— C'est l'ami d'Olivier, le chevalier masqué, comme on l'appelle, homme lige du duc de Normandie, qui vous a sortie des souterrains avant l'arrivée des soldats du roi, lui raconta enfin Raoul de Crépy. Il avait surpris dans un cabaret une conversation entre deux bandits qui se vantaient de perdre la reine. Le chevalier masqué en a tué un et a fait parler l'autre. Il m'a envoyé un message, me pressant de vous faire dire que l'on cherchait à vous nuire. Hélas, trop tard! Vous étiez déjà en route. Tantôt soudoyant, tantôt tuant, tantôt égorgeant, se faisant passer pour l'un des bandits, il parvint jusqu'au cachot où il vit mourir son ami et d'où il vous tira...

— Pourquoi ne sauva-t-il pas aussi ma nourrice?

— Vous étiez trop faible pour vous soutenir; elle

lui demanda de vous emmener et de la laisser sur place pour couvrir votre fuite.

— Oh, ma mie !

— La suite, vous la connaissez. Elle a succombé aux brutalités des soldats...

— Elle est morte comme une mère protégeant son enfant. Avec elle, j'ai perdu le dernier lien qui me rattachait à mon pays bien-aimé. Je suis seule, désormais.

— Seule ? Oubliez-vous vos enfants, votre époux, vos amis, votre peuple ? Oubliez-vous que vous êtes la reine ?

Elle redressa la tête, le visage couvert de larmes, et le regarda avec hauteur :

— Comment l'oublierais-je ? Mais je vous remercie cependant de me le rappeler. Je connais les devoirs devant lesquels m'a placée ma naissance, mais, bien que reine de France, je n'en demeure pas moins fille de la Rous'. Croyez-vous qu'un époux, des enfants, puissent me faire oublier le pays où je suis née ? C'est de sa terre que je suis faite, de ses fleuves, de ses lacs, de sa plaine, de ses bois ! Le croiriez-vous ? L'air qu'on respire là-bas est plus fort, plus pur, Dieu lui-même s'y sent bien... Vous souriez ? Vous ne pouvez pas comprendre...

— Je comprends, mais la terre est la terre, et Dieu est partout. Une terre que je prends devient mienne, comme une femme, et m'est alors aussi chère que si je la tenais de naissance. Et malheur à quiconque tenterait de me la ravir ; pour elle, je suis prêt à tuer !

— On sait, comte, que vous n'hésitez pas à tuer pour obtenir ce que vous convoitez, et vos ennemis n'ignorent pas quel guerrier terrible et impitoyable vous êtes, ne respectant pas toujours la Trêve de Dieu...

— Je la respecte si mon adversaire la respecte.

— Les habitants de Péronne ne sont pas près

d'oublier le siège qui précéda la prise de leur ville. A cette occasion, vous n'avez pas seulement prouvé votre habileté à la guerre, mais votre dureté dans la paix.

— Je n'allais pas montrer de la tendresse envers une cité de marchands aussi voleurs que menteurs!

— De là à faire couper les pieds et les mains des plus riches...

— Comme cela, ils ne peuvent plus voler! s'exclama en éclatant de rire celui qu'on appelait désormais Raoul de Péronne.

— Et deviez-vous, en toute iniquité, vous emparer de Montdidier?

— C'est une si belle cité!

— Qui ne valait pas que vous soyez excommunié! Renoncez, comte, pensez à votre âme qui sera damnée.

— Un descendant de l'empereur Charlemagne ne renonce jamais.

— N'êtes-vous pas assez puissant? Vos possessions sont presque aussi étendues que celles du roi. Votre récent mariage avec Aliénor vous a apporté villes et châteaux en Champagne, vous contrôlez la navigation sur la Seine, donc l'approvisionnement de Paris...

— Paris n'a jamais manqué de farine...

— Je suppose que le roi de France doit vous en remercier!

— Il le pourrait!

— Assez parlé de vous. Qu'est devenu ce chevalier masqué? Pour ma part, je n'ai gardé aucun souvenir de sa présence dans le cachot. Et pourquoi Olivier est-il mort en évoquant mon fils Philippe?

— A aucun moment votre fils n'a été en danger.

— Ce n'est pas ce que pensait Olivier. Sinon, pourquoi aurait-il prononcé son nom à deux reprises?

— C'est en effet bien surprenant, je n'ai pas d'explication. Le chevalier masqué a quitté Senlis peu après la mort de votre nourrice. Il s'en est retourné près du duc de Normandie. Je reçois de ses nouvelles par mon fils Simon qui lui voue une grande admiration.

– J'aurais aimé le remercier et parler avec lui d'Olivier d'Arles.

– S'il continue à servir le Bâtard, vous aurez sûrement l'occasion de le revoir.

– Avez-vous pu savoir son origine? La duchesse Mathilde dit n'en rien connaître. Quant à Gosselin de Chauny, il m'a confié l'avoir rencontré la première fois lors de mon arrivée en France.

– Je ne sais rien de lui. Sauf que de valeureux seigneurs le tiennent en estime et le traitent comme leur égal. Cela me suffit.

Songeuse, Anne murmura, comme se parlant à elle-même :

– Chaque fois que je le vois, j'éprouve à la fois attirance et répulsion...

– Comme la plupart des femmes.

– Que dites-vous?

– Pardonnez-moi, reine, mais les gentes dames de Normandie éprouvent de même envers lui attirance et répulsion. Mais il faut croire que, dans leur cas, l'attirance est la plus forte, car, dit-on, bien peu lui résistent!

– Cela suffit, comte, dit Anne en rougissant. Je vous remercie de votre aide. Adieu!

Raoul de Crépy s'inclina et prit congé. Il n'avait fait que quelques pas quand la reine le rappela :

– Comte! Qu'est devenue ma sœur de lait?

Lentement, il revint vers elle et la regarda d'un air soudain hésitant.

– Eh bien? J'attends!

– Elle est morte.

Anne s'attendait à cette réponse; pourtant, elle chancela et pâlit.

– Quand? Comment?

– Vous tenez vraiment à le savoir?

– Quand je questionne, comte, j'exige une réponse!

– Bien, reine. Irène est morte il y aura demain dix jours...

– Continuez. Vous hésitez. L'auriez-vous tuée?

– Je me suis reproché bien des fois de ne l'avoir pas fait. Cette femme était un démon, une sorcière acharnée à vous perdre, qui avait commerce avec le diable et n'a pas hésité à sacrifier son propre enfant pour assouvir ses désirs les plus vils...

– Cessez ces abominations!

– D'elle-même, elle m'a avoué son crime avec force détails, accompagnant son récit de rires de damnée... Que ne l'ai-je tuée à ce moment-là!

A son tour, Raoul de Crépy était devenu blême; des gouttes de sueur perlaient à son front. Après quelques instants de silence, il reprit :

– Elle s'est pendue!

Anne poussa un cri et perdit connaissance. Ses femmes accoururent et la portèrent sur son lit. Quand elle revint à elle, son regard tomba sur le comte, immobile au pied du lit. Alors ses larmes coulèrent.

Qu'elle était belle en pleurs! Ah, la prendre ainsi, la consoler!

– Retirez-vous, seigneur, notre reine a besoin de repos, dit Adélaïde de La Ferté, dame d'honneur, amie et confidente.

Le sacre de Philippe

L'ANNONCE de ce suicide bouleversa la reine. Elle s'en sentait responsable. Elle ne s'était pas montrée assez attentive. Tout à ses propres tourments, elle avait délaissé sa sœur et n'avait pas su la préserver d'un homme tel que Raoul de Crépy. Humblement, elle confessa sa faute et obtint du roi de se retirer quelque temps dans un monastère de Melun où sa soumission à la règle, sa piété furent jugées exemplaires. A son retour dans le monde, elle fit construire à ses frais, au cœur de Senlis, sur le bord du Viétel, une église dédiée à la Sainte-Trinité, à Notre-Dame, à saint Jean-Baptiste et à saint Vincent martyr, sur l'emplacement d'une ancienne chapelle en ruine consacrée au patron des vignerons, et un monastère abritant des religieux de la règle de saint Augustin, en réparation de ses fautes.

Peu après, elle reçut une lettre du pape qui la remplit de fierté et apaisa ses remords :

« Nicolas, évêque, serviteur des serviteurs de Dieu, à la glorieuse reine, salut et bénédiction apostolique!

« Nous rendons grâces au Dieu Tout-Puissant, source de tout bon désir, car nous avons appris que la force des vertus se manifeste virilement dans un cœur de femme.

« Nous avons appris, très excellente fille, la magnificence de tes libéralités et la bienveillance que tu manifestes aux indigents, le soin et l'application que tu portes à la prière, la rigueur de tes interventions en faveur de ceux que la violence opprime, et toutes les bonnes œuvres par lesquelles tu t'efforces à remplir ta charge royale dans toute la mesure du possible.

« Nous t'exhortons donc à suivre fidèlement cette route sur laquelle tu t'es engagée sous l'inspiration de Dieu, à t'efforcer de conserver ton invincible époux, le Roi, notre fils, dans la modération, la justice et la piété, et de garder l'Église dans son droit. Car si l'éloquence d'Abigaïl a su préserver le stupide Nabal du glaive de David en colère (I Sam. XXV, 3-42), combien plus ta pitié rendra ton très prudent époux sensible aux desseins de Dieu. Ainsi, enfin, tu l'aimeras vraiment si, par tes pieuses exhortations, tu l'aides à servir les intérêts de Dieu. Quel est donc, autrement, l'amour de ces femmes pour leur mari, si elles n'aiment en eux que l'écrin de leur corps, si je puis m'exprimer ainsi, et si elles ne prêtent aucune attention aux trésors de l'âme qui est contenue en eux? "Nous portons ce trésor en des vases de terre", nous dit l'Apôtre (II Cor. IV, 7).

« Ces femmes n'embrassent dans leur amour que ce que les vers dévoreront dans le sépulcre; elles méprisent follement celui auquel est promis dans les cieux une gloire qui ne flétrit pas. C'est dans la chair aussi qu'elle avait placé son amour, celle qui s'adressait avec une ironie insultante à David s'humiliant devant le Seigneur : "Quelle gloire aujourd'hui pour le roi d'Israël de s'être découvert aux yeux de ses serviteurs, comme se découvrirait un homme de rien! " (II Sam. VI, 20). Et puisqu'elle avait placé son désir dans la chair seule, elle fut en retour privée du fruit de la chair. C'est pourquoi l'Écriture ajoute un peu plus loin : " Et Michol, fille de Saül, n'eut point d'enfants jusqu'au jour de sa mort " (*id.* v. 23). Mais toi, glorieuse fille, tu as mérité de Dieu le don de la fécondité; instruis cette descendance illustre de telle manière que dès les balbutiements de l'enfant qui prend son lait, elle soit nourrie de l'amour de son Créateur.

« Que tes enfants apprennent de toi, à qui ils doivent le plus, que, nés nobles sur le trône royal, ils sont, par la grâce de l'Esprit Saint, renés plus noblement encore sur les genoux de l'Église. Ne les laisse pas préférer l'argent à la justice, mais fais en sorte qu'ils recherchent avec avidité la véritable sagesse, qui est un trésor. La reine de Saba n'est pas venue voir les richesses, mais écouter la sagesse de Salomon (I Rois, X), et cependant, ce qu'elle n'a pas demandé, elle l'a obtenu en abondance.

« Toi aussi, Fille, en obéissant aux commandements divins, possède la sagesse afin que tu mérites, pour le salut de ton âme, de bénéficier convenablement des biens de la terre et de passer, du faîte d'un royaume qui passe, au Royaume des Cieux. »

Il avait été décidé que le petit Philippe serait sacré en présence du roi Henri, de la reine, des évêques et des grands du royaume.

Le 23 mai 1059, jour de la Pentecôte, l'archevêque de Reims, Gervais, accueillit à l'entrée de la cathédrale la famille royale et sa suite, sous les acclamations d'une foule nombreuse que les soldats tenaient à distance. Un chaud soleil faisait étinceler les coloris des soies et des velours, scintiller l'or et les pierreries des bijoux, le métal des casques et des armes. Le peuple s'émerveillait. La reine était particulièrement resplendissante. Son front était surmonté d'une haute couronne retenant un voile brodé de perles; les mêmes perles parsemaient sa robe dont la couleur, d'un bleu dur, faisait ressortir la blancheur de son teint. En descendant les marches du sanctuaire entre son époux et son fils, Anne se revoyait huit ans plus tôt, s'avançant dans cette même nef vers cet homme qui allait l'épouser et la faire reine. Aujourd'hui, ils accompagnaient l'enfant né de leur union.

Philippe se tenait très droit, le front ceint d'un bandeau d'or en partie caché par ses boucles. A deux reprises, il frôla la main de sa mère pour se donner courage. Il devait se bien tenir pour qu'elle fût fière de lui et lui permît de continuer à se faufiler dans son lit quand il réussirait à échapper à la surveillance de maître Enguerrand! Il jeta un coup d'œil en direction de son père. Il ne parvenait pas à aimer cet homme grincheux dont il redoutait les mots durs ou moqueurs, et qui, pensait-il, faisait souffrir sa mère.

Le roi avançait avec difficulté. Trop de souvenirs pénibles se pressaient dans sa tête : trente-deux ans auparavant, le saint jour de la Pentecôte 1027, c'était son père Robert qui l'accompagnait pour le faire reconnaître roi à la mort d'Hugues, son frère aîné, le préféré de sa mère Constance. Henri sentait encore sur son front, ses épaules et ses bras la trace de l'huile sainte dont l'archevêque Ehalus l'avait oint. A la disparition de son père, il avait dû longtemps batailler contre Constance, contre ses frères, contre les barons qui voulaient lui arracher la couronne. Tant de combats en trente et un ans de règne...

Le roi était las et vieux, il aspirait au repos, l'heure en avait sonné. Il lui fallait maintenant se préparer à comparaître devant le Créateur. La mort effroyable d'Olivier d'Arles, qu'il n'avait pas voulue, lui avait causé un profond chagrin. Il avait chargé Ghislain, son chapelain, de dire et faire dire des messes pour le repos de l'âme du troubadour jadis si tendrement aimé.

Pour l'heure, il priait la Très Sainte Vierge et son doux Fils de lui donner la force de supporter l'interminable cérémonie. Avant de lire l'Épître, l'archevêque se retourna et s'adressa à Philippe :

– Dieu est le Créateur et le Seigneur de toutes choses, il nous attache à Lui de toute la puissance de notre âme par la Foi, l'Espérance et la Charité. Lui seul peut faire notre félicité par la communication du bien infini qui est Lui-Même. Nous devons à Dieu notre adoration et notre amour. Philippe, reconnais-tu le Père, le Fils et le Saint-Esprit comme un seul et même Dieu?

– Oui.

– Veux-tu conserver la foi catholique de tes pères et en pratiquer les œuvres?

– Je le veux.

– Veux-tu protéger et défendre la Sainte Église et ses ministres?

– Je le veux.

– Veux-tu gouverner et défendre, selon la justice, le royaume de tes pères?

– Je le veux.

Le roi Henri prit la parole :

– Avant toutes choses, mon fils, je vous conseille d'aimer Dieu, de le craindre et de garder en tout Ses commandements; de gouverner les églises de Dieu et de les défendre de la corruption et de l'impiété; de vous montrer indulgent envers vos frères et sœurs puînés, vos neveux et autres parents; d'honorer les ministres de Dieu comme vos pères; de traiter le peuple comme vos enfants; de contraindre les superbes et les méchants à marcher dans la voie droite; d'être le consolateur des pauvres et des pieux cénobites; de n'éloigner personne de vos États sans juste cause et de vous montrer irrépréhensible devant Dieu et devant les hommes.

Puis, on apporta à l'enfant sa profession de foi inscrite sur un parchemin, et, dans un grand silence, il la lut de sa voix frêle :

> « *Moi, Philippe, devant bientôt, par la grâce de Dieu, devenir roi des Francs, au jour de mon sacre, je promets, en présence de Dieu et de ses saints, de conserver à chacun de vous, mes sujets, le privilège canonique, la loi et la justice qui sont dues; et, Dieu aidant, autant qu'il me sera possible, je m'attacherai à les défendre avec le zèle qu'un roi doit justement montrer dans ses États en faveur de chaque évêque et de l'Église à lui commise; nous accorderons aussi, de notre autorité, au peuple confié à nos soins, une dispensation des lois conforme à ses droits. »*

Après l'avoir signée, il la remit à l'archevêque qui la parapha à son tour. Celui-ci était entouré du légat du pape, Hugues de Besançon, de vingt-deux évêques, dont Roger de Châlons et Gautier de Meaux, fidèles amis de sa mère, bien vieux maintenant, et des abbés de nombreux monastères. Gervais prit ensuite le bâton pastoral de saint Remi et le tendit vers l'assistance en disant d'une voix douce :

– Pouvoir m'a été donné à moi, Gervais, archevêque de Reims par la grâce de Dieu et du pape Victor, de consacrer Philippe roi, comme l'évêque Remi reçut du pape Hormisdas le droit de consacrer par ce bâton le roi Clovis. Par ces pouvoirs qui me sont conférés, moi, archevêque de Reims, déclare choisir Philippe pour roi de F ance avec le consentement de son père le roi Henri, ici présent.

Alors s'avancèrent les légats pontificaux, les archevêques, les évêques, les abbés et les clercs qui approuvèrent l'élection. Ils furent suivis par Guy, duc d'Aquitaine, Hugues, fils et représentant du duc de Bourgogne, par les envoyés des comtes de Flandre et d'Anjou, puis par les comtes Raoul de Crépy, Hubert de Vermandois, Guy de Ponthieu, Guillaume de Soissons, Foulques d'Angoulême, Aldebert de la Marche, Bernard, Roger, Manassès, Hilduin, et par le vicomte de Limoges. Enfin les chevaliers et le peuple massés dans l'église ratifièrent l'élection en criant à trois reprises :

– Nous approuvons, nous voulons qu'il en soit ainsi!

Comme ses prédécesseurs, Philippe parapha sa première ordonnance confirmant dans la possession de leurs biens, l'église Sainte-Marie, le comté de Reims, les terres de Saint-Remi et autres abbayes. Conformément à la coutume, l'archevêque fut établi grand chancelier.

Après qu'on eut scellé l'ordonnance, commença la cérémonie de la consécration. Gervais prit sur un coussin brodé d'or Joyeuse, l'épée de Charlemagne, et la remit au roi. Henri baisa le pommeau et, se tournant vers son fils, prononça les paroles rituelles :

– Reçois ce glaive par l'autorité divine et la puissance qui t'est donnée pour chasser les barbares ennemis du nom de Jésus-Christ, expulser les mauvais chrétiens du royaume français, et maintenir la paix parmi les fidèles qui te sont confiés.

Faisant face à l'assistance, Philippe souleva des deux mains l'épée Joyeuse et la brandit un instant, pointe en l'air, avant de la déposer sur l'autel, reconnaissant par ce geste qu'il était le vassal de Dieu. Des clercs lui retirèrent son bandeau d'or, son manteau et sa robe, ils défirent les liens de sa chemise, découvrant ses épaules et sa poitrine. Tous retenaient leur souffle, émus devant la fragilité de l'enfant sur lequel allait peser le fardeau de la couronne. L'abbé de Saint-Remi présenta la Sainte-

Ampoule à l'archevêque, ainsi que l'aiguille d'or. A l'aide de l'aiguille, Gervais fit tomber une goutte dans une coupe d'argent doré contenant du chrême; du bout de ses doigts imprégnés de l'huile sainte, il fit le signe de la croix sur le front, de l'oreille droite à l'oreille gauche, sur le sommet de la tête, la poitrine, entre les deux épaules, aux plis et jointures des bras du nouveau roi. L'assemblée s'agenouilla et pria en silence.

Le temps de la prière terminé, tous se relevèrent. Les douze pairs s'avancèrent près de l'officiant qui remit l'anneau à Philippe en disant :

– Prends l'anneau, signal de la Sainte Foi, solidité du royaume, augmentation de puissance, par lesquelles choses tu saches chasser les ennemis par puissance triomphale, réunir les sujets et les annexer à la persévérance de la foi catholique de Jésus-Christ, Notre-Seigneur. Amen.

Puis il prit sur l'autel le sceptre qu'il lui plaça dans la main droite, et dans sa gauche il mit la main de justice. Philippe s'agenouilla.

Alors l'archevêque saisit la grande couronne d'or de Charlemagne, sertie de rubis, de saphirs et d'émeraudes, et l'éleva au-dessus de la tête du jeune roi; aussitôt les douze pairs y portèrent la main pour la soutenir, formant un cercle autour du monarque.

– Que Dieu te couronne, mon fils, de la couronne de gloire et de justice! Sois le protecteur et le serviteur fidèle du royaume qui est confié à tes soins, afin qu'orné de toutes les vertus, comme autant de pierres précieuses, tu obtiennes la couronne de gloire près de Celui qui règne dans le royaume des Cieux.

Gervais, très ému, s'inclina, embrassa l'enfant et, à trois reprises, cria :

– Vive le roi!

Ce cri fut repris par les pairs, puis par toute l'assemblée. L'archevêque conduisit le roi vers le trône, auprès de son père et de sa mère. Les offrandes furent apportées par quatre chevaliers : un pain d'or, un pain d'argent, une buire d'argent doré remplie de vin, et une bourse de velours rouge contenant treize pièces d'or.

Après la bénédiction et le baiser de paix, Philippe communia pour la première fois sous les deux espèces.

En mémoire de son aïeul le roi Robert, surnommé le Pieux, qui, le premier, avait guéri des malades le jour de son sacre, on fit venir douze personnes affectées d'humeurs scrofuleuses. Sans manifester de dégoût, l'enfant toucha les écrouelles et fit remettre à chacun des malades des dons et des aumônes.

Il ne restait plus qu'à parcourir, au pas lent des chevaux de parade, les rues de la ville de Reims sous les acclamations de la foule.

Anne regardait avec fierté le petit garçon qui, malgré la gravité de la cérémonie, n'avait cessé de guetter son approbation. Elle n'en éprouvait pas moins une grande tristesse devant l'absence du duc et de la duchesse de Normandie.

CHAPITRE TRENTE-DEUXIÈME

La mort du roi

Au plus profond de la forêt d'Orléans, à Vitry, le roi Henri avait fait aménager quelques loges de bûcherons pour ses parties de chasse et de pêche. Dans le calme de ces bois, en compagnie de son chapelain, de son médecin, de deux écuyers, d'une dizaine d'hommes d'armes, de cuisiniers et de serviteurs, il se reposait, loin des intrigues qui sévissaient dans tout le royaume. Anne, ses trois fils et leur suite vinrent le rejoindre au deuxième jour d'août. Le roi les vit arriver sans plaisir; il se sentait malade et avait pris médecine. Jean de Chartres, « le Sourd », comme l'appelaient irrespectueusement les écuyers, lui avait ordonné une diète totale, ce qui avait pour effet d'aggraver sa méchante humeur.

La journée du 4 août s'annonçait torride. Pas un souffle d'air. Sous les hauts arbres régnait une chaleur de fournaise. Même l'eau des étangs n'arrivait pas à rafraîchir les baigneurs. Vêtue d'une légère chemise, allongée sur les coussins d'une barque, Anne s'aspergeait le visage et le corps. Non loin d'elle, Philippe et Robert barbotaient en poussant des cris. Un bruit de galopade arracha un moment les sentinelles à leur torpeur, mais les arrivants étaient bien connus : chacun put reprendre son somme. Le comte de Valois, à la tête d'une dizaine de cavaliers, venait rendre visite au roi. Trop souffrant, Henri refusa de le recevoir. Le visiteur demanda la reine et se rendit à l'étang.

Au bord de l'eau, les enfants avaient cessé leurs jeux. Rien ne bougeait, tout à l'entour semblait désert. Une barque, à demi cachée par les branches d'un saule, se balançait imperceptiblement; le bras blanc d'une femme apparaissait par intervalles. Raoul se déshabilla et, nu, entra dans l'eau. Ses pieds s'enfoncèrent dans la vase. A longues brasses, il nagea vers le centre de l'étang, plongea et réémergea près de la barque. Doucement, il s'appuya sur le rebord et se hissa. Le cri d'Anne s'étouffa sous sa main mouillée.

– Ne craignez rien, reine, je suis votre fidèle vassal, Raoul de Crépy.

Le jeune femme secoua la tête et se dégagea de l'étreinte.

– Que faites-vous ici, comte?

– Je me languissais de vous, dame.

– Ce n'est pas une raison pour me surprendre ainsi, seule... Appelez mes femmes.

– Plus tard, dit-il en montant dans la barque qui se mit à tanguer dangereusement.

Anne, copieusement arrosée, s'était redressée et, appuyée sur ses coudes, considérait cet homme grand, aux cuisses fortes, aux épaules larges et musclées couvertes d'une épaisse toison noire qui lui donnait l'air d'un animal et faisait paraître fragile son sexe brun. C'est sans gêne aucune qu'elle le contemplait, le voyant pour la première fois, lui semblait-il. Elle se sentit tellement émue qu'elle ferma les yeux et resserra ses jambes, tandis qu'un feu violent envahissait ses joues et ses épaules. La chemise transparente et mouillée ne laissait rien ignorer de son propre corps; la pointe de ses seins paraissait vouloir transpercer le fin tissu. Les yeux de Raoul n'étaient plus qu'une mince fente, ses lèvres souriaient tandis que, lentement, son sexe se dressait.

Maintenant, ici ou ailleurs, il savait qu'elle serait sienne. Il prit dans sa main son membre aux proportions impressionnantes. Anne se recroquevilla dans le fond de la barque, comme hypnotisée. Raoul se pencha.

Des cris, des appels leur parvinrent soudain :
– Le roi se meurt!... Le roi se meurt!

Revêtue à la hâte, pieds nus, la reine enfourcha un cheval et se dirigea vers la loge royale, ses longs cheveux flottant derrière elle. A son arrivée devant la demeure rustique, les gardes s'écartèrent pour la laisser passer. Dans la pièce tapissée de branchages gisait, sur un lit haut, son époux. Près de lui s'affairait son médecin, Jean de Chartres. Debout dans un coin, le chambrier du roi pleurait.

– Que se passe-t-il?
Ghislain, le chapelain, s'avança.

– Ô reine, un grand malheur! Le roi, malgré l'interdiction de maître Jean, a bu un grand verre d'eau glacée et il est tombé, hurlant de douleur.

– Qui lui a donné ce verre d'eau?
– Moi, balbutia le chambrier.
– Vous saviez que le médecin l'avait interdit?
– Oui, reine... Mais je ne savais que faire. Au début, j'ai refusé, puis le roi s'est mis dans une grande colère, menaçant de me chasser si je n'obéissais pas...

Très pâle, le médecin vint vers la reine et le chapelain.

– Mon père, ma science ne peut plus rien pour lui. Il est à vous.

– Tout cela est si soudain... Le roi n'a-t-il pas été empoisonné? demanda Ghislain.

– J'y ai pensé. J'ai examiné rapidement le verre, il n'y a aucune trace suspecte. Après avoir pris médecine, le roi devait impérativement rester à jeun. Sa désobéissance, son délabrement physique, la chaleur et l'eau glacée lui ont été fatals.

— Je désire demander pardon à Dieu... Que l'on aille chercher mes fils, balbutia le moribond d'une voix assourdie.

Le chapelain s'avança. Tous s'écartèrent et se mirent à genoux.

Avec grande difficulté, Henri confessa ses fautes. Quand Ghislain lui eut donné l'absolution, il pria à voix haute avec une force renouvelée.

Sur un signe de son père, le roi Philippe s'avança, hésitant, poussé par sa mère.

— Mon fils, lui murmura Henri, je vous confie le beau royaume de France. Gardez-le dans la foi de vos pères, ainsi que vous l'avez juré le jour de votre sacre. Soyez juste envers vos sujets, protégez la veuve et l'orphelin, respectez la Trêve de Dieu. Je laisse jusqu'à votre majorité le royaume entre les mains de votre mère, ma très chère épouse devant Dieu, la reine Anne, et entre celles de mon très cher frère, Baudouin, comte de Flandre, l'époux de ma bien-aimée sœur Adèle. Soyez bon envers vos frères, et préférez la paix à la guerre, pour le bien de vos peuples et votre gloire. Adieu, mon fils.

Henri bénit Philippe qui lui baisa la main. Il eut encore la force de bénir Robert et le petit Hugues, porté par sa nourrice. Anne, agenouillée près de lui, avait du mal à retenir ses larmes.

— Ne pleurez pas, ma mie. Je meurs confiant dans la grâce divine... Pardonnez-moi, je n'ai pas été un époux digne de vous. Priez pour moi...

Ses yeux se révulsèrent, son corps tout entier se tendit. Quand il retomba, le roi était mort.

A cause de la chaleur, on transporta le corps dès la nuit tombée à Saint-Denis où, après l'embaumement, il fut inhumé dans la crypte royale.

Le nouveau roi et sa mère se retirèrent à Dreux où ils reçurent les évêques et les vassaux venus leur rendre l'hommage. Le comte de Valois fut l'un des tout premiers.

Le duc de Normandie lui-même se présenta. Anne le reçut avec une joie si manifeste que Raoul de Crépy en ressentit de l'humeur. A genoux devant la régente, le duc posa ses mains dans celles de sa suzeraine :

— Je suis doublement votre vassal, dame, et sachez que, moi vivant, nul Normand n'attaquera jamais votre royaume.

— Je le sais, duc.

— Anne, vous êtes si belle, si jeune encore! Qui sera votre protecteur?

— Ne craignez rien, Guillaume, Notre-Seigneur Jésus me protège.

— Chaque fois que je vous revois, j'éprouve un grand bonheur qui illumine ma vie des jours durant. Si je ne vous savais exacte aux choses de la religion, je croirais à quelque enchantement. Mora vous m'êtes apparue, Mora vous restez pour moi!

A son tour, Mathilde s'approcha et lui renouvela son amour et son amitié. Elle lui dit sa confiance en l'avenir :

— Je suis heureuse que mon oncle, le défunt roi Henri, ait désigné mon père comme tuteur du roi; cela est pour toi et le pays de France un gage de paix.

— Avec son aide et celle de Dieu, je gouvernerai au mieux des intérêts de tous. Priez pour moi et pour mon fils!

Soucieux de se faire reconnaître par les barons de France comme régent du royaume avec la reine Anne, Baudouin de Flandre entreprit, avec le jeune roi et la reine mère, un périple à travers le domaine royal.

Au début de l'automne, après Dreux, ils se firent acclamer à Paris et à Senlis où ils séjournèrent jusqu'à la mi-novembre. A Blois, le comte Thibaud jura fidélité au roi, à la régente et au tuteur. Le 25 novembre les vit à Étampes, le 30 à Orléans. Puis l'on retourna à Senlis pour y passer l'hiver.

Depuis la mort du roi, le comte de Valois n'avait pas quitté la cour et avait tenu à accompagner la reine dans ses déplacements, au grand déplaisir de Philippe qui n'aimait pas la façon dont il regardait sa mère, et du comte de Flandre qui s'inquiétait de l'ascendant qu'il semblait vouloir prendre sur Anne. Il craignait – et, avec lui, le frère du roi défunt, le duc de Bourgogne, Robert, qui avait vu d'un mauvais œil la régence lui échapper – que Raoul de Crépy ne tentât de s'emparer du royaume en séduisant la reine-mère. Certains barons et évêques partageaient leurs appréhensions.

Anne retrouva avec bonheur sa bonne ville de Senlis. On la rencontra moins que naguère à l'école, à l'hôpital, auprès des pauvres; c'est qu'elle parcourait souvent la forêt, à la poursuite d'un cerf ou d'un chevreuil, en compagnie de Philippe ou de Raoul avec lequel elle rivalisait d'audace à la course et à la chasse, retrouvant ses jeux de fille de la Rous'. Les serfs et les paysans voyaient passer à travers les branches son manteau blanc, suivi le plus souvent d'un manteau noir. Le soir, dans les chaumières, les tavernes de Senlis, les cuisines, les chambres des châteaux, on se mit à parler de la conduite de la reine.

L'archevêque de Reims, ses vieux amis les évêques de Châlons et de Meaux lui faisaient d'affectueuses remontrances qu'elle accueillait avec une patience dédaigneuse. Un jour, le comte de Flandre lui dépêcha la comtesse qui ne mâcha pas ses mots :

– Oubliez-vous que vous êtes reine et régente du royaume? On s'étonne que vous passiez plus de temps avec le comte Raoul qu'auprès du roi, de vos conseillers ou de vos enfants. Vous êtes veuve depuis quelques mois à peine, et l'on vous voit courir les routes avec un homme dont la réputation est des plus mauvaises. Vous vous compromettez en acceptant sa présence. Mon époux croit reconnaître la main du comte dans certaines de vos décisions...

– C'est faux! Jamais le comte Raoul de Crépy n'est intervenu dans les affaires du royaume. Est-ce ma faute s'il est plus distrayant que les seigneurs qui forment mon Conseil?

– Qu'avez-vous besoin de vous distraire quand vous devriez pleurer un époux et élever vos enfants en priant Dieu de vous apporter Ses lumières? Que vous arrive-t-il, à vous si pieuse, épouse et mère irréprochable? Vous savez, Anne, à quel point je suis votre amie et que je vous ai maintes fois défendue auprès de mon défunt frère, notamment lors de la triste mort d'Olivier d'Arles...

– Ne me parlez pas de cette mort affreuse que vous auriez peut-être pu éviter si vous étiez intervenue ainsi que je vous le demandais...

– Anne, je vous en prie, ne me rappelez pas ces circonstances; j'en ai eu un très grand remords, et il n'est pas de jour que je ne m'en fasse reproche et ne prie pour lui.

Pendant quelques instants, les deux femmes se tinrent silencieuses. Adèle de Flandre fut la première à rompre leur mutisme et, prenant les mains de sa belle-sœur, lui dit tendrement :

– Ma chère, vous pouvez tout me dire, je n'en ferai pas état... Êtes-vous éprise de Raoul de Crépy?

La reine arracha ses mains de celles de la comtesse et rougit violemment :

– Vous êtes folle! Je n'éprouve rien de tel pour le comte! Comment osez-vous penser une telle chose?

Adèle se leva et se mit à arpenter lentement la pièce, l'air soucieux. Ainsi, elle ne s'était point trompée : la reine aimait le comte et ne le savait pas.

– Pardonnez-moi, ma sœur. Je suis heureuse de savoir qu'il n'en est rien et que tout ceci n'est que ragots de bonnes femmes. Me voici rassurée. Cependant, évitez que l'on puisse vous suspecter, et n'oubliez jamais que vous êtes reine.

Plus tard, quand le comte de Valois se présenta, comme chaque jour, pour entretenir la régente, on lui dit que celle-ci ne pouvait le recevoir. Il ne s'en émut pas et revint le lendemain; on l'informa alors que ses visites n'étaient plus souhaitables. Il entra dans une grande fureur qui effraya fort le chapelain.

Jusqu'au printemps, Anne demeura pour lui invisible. A la fin d'avril, Valois apprit que la cour se transportait à Compiègne. Il la devança et accueillit lui-même la famille royale aux côtés de l'évêque et du prévôt Obert. Quoique rapide, le sourire malicieux de la reine n'échappa pas au comte, qui ne s'offusqua pas de la froideur des paroles qu'on lui adressait. Il n'en fut pas de même à Reims où, à la demande de sa mère, Philippe signa un acte en faveur de l'église Saint-Nicaise. Excédé de voir la haute silhouette de Raoul se profiler sous le porche, le comte de Flandre lui intima l'ordre de se retirer de devant le roi. Il fallut toute la force de persuasion de l'archevêque Gervais et des chevaliers pour les empêcher d'en venir aux mains. Le comte de Valois finit par céder, non sans proférer des menaces.

De retour à Senlis, la reine passa beaucoup de temps avec ses trois fils, heureuse des progrès de

Philippe en écriture, de la robustesse de Robert et de Hugues. L'été s'annonçait chaud. Vêtue de ses habits blancs de veuve, Anne aimait enfourcher son cheval et galoper en fin de journée dans la forêt, suivie seulement de deux ou trois chevaliers et de leurs écuyers. Baudouin ne voyait pas ces promenades d'un bon œil, mais on ne pouvait tout lui interdire!

Un soir que l'air était d'une douceur extrême, imprégné de l'odeur des sous-bois, Anne descendit de cheval pour cueillir quelques fleurs. « J'en ferai des couronnes », se dit-elle. Sa petite suite s'installa dans une clairière jusqu'à ce que la reine eût fini ses bouquets. Sans y prendre garde, elle s'éloigna. Au fond d'un fossé assez pentu, un tapis de blanches corolles paraissait l'attendre. Elle glissa sur la mousse et se retrouva allongée parmi les fleurs. Les yeux mi-clos, elle se laissa griser par le fort parfum d'humus et de feuilles froissées qui l'enveloppait. A travers les branches, la lune et les étoiles se levaient. C'était une nuit comme elle n'en avait pas vu depuis longtemps. Des souvenirs de promenade sur les remparts de Novgorod ou le long du Dniepr, à Kiev, se bousculaient dans sa tête. Le visage de Philippe surgit si nettement dans sa mémoire qu'elle ouvrit grand les yeux, s'attendant à le voir.

Ce fut un autre visage qu'elle découvrit penché sur elle. Comment avait-il pu se glisser jusque-là sans que rien n'eût permis de déceler sa présence? La chaleur du corps de l'homme diffusait à travers ses vêtements et parvenait jusqu'à elle, son haleine forte lui était agréable, tout comme son odeur, mélange de sueur, de foin coupé, de relents d'écurie... Un grand engourdissement envahissait la reine, contre lequel elle ne cherchait point à lutter. Ni l'un ni l'autre n'avait provoqué cette rencontre; Raoul l'avait appelée de tous ses vœux, errant chaque jour en forêt de Senlis dans cet espoir; Anne avait rejeté cette pensée quand elle lui venait. Maintenant, le destin les réunissait. Ils n'éprouvaient pas l'un pour l'autre de l'amour, mais un formidable désir. En cet instant, dans ce fossé fleuri, il n'y avait plus qu'un homme et une femme ne sachant plus qui ils étaient.

Ce fut elle qui tendit la main vers lui. Comme il semblait hésiter, elle l'empoigna par les cheveux et attira ses lèvres contre les siennes. Ce contact lui fit perdre toute notion du temps, et la reine, qui n'avait connu que dégoût dans le désordre amoureux, sentit son corps et son âme se fondre dans un plaisir qu'il ne lui avait jamais été donné d'imaginer.

Quand ils revinrent à eux, la forêt était pleine d'appels et de cris. On recherchait la reine avec une inquiétude grandissante. On était allé quérir au château des serviteurs armés de torches.

– Faites semblant de vous être blessée à la cheville, murmura Raoul avant de s'éclipser.

Elle n'avait pas le choix. Pour expliquer le désordre de ses vêtements, les taches d'herbe maculant leur blancheur, il fallait simuler une chute. Quand sa voix affaiblie parvint à ses écuyers et qu'ils la virent étendue, pâle et débraillée, ils se précipitèrent, la croyant grièvement atteinte. Ils la transportèrent, gémissante, jusqu'au palais où ses femmes prirent soin d'elle, ne comprenant pas pourquoi la reine refusait de laisser examiner par son médecin la jambe dont elle disait souffrir.

Le lendemain, à l'étonnement de son entourage, Anne se réveilla fraîche et dispose, les yeux légèrement cernés. Après la messe écoutée dans un grand recueillement, elle passa embrasser ses enfants, s'en alla inspecter les travaux de Saint-Vincent, examina les affaires courantes avec Baudouin, donna des ordres, visita les malades de l'hôpital, porta des aumônes à quelques familles pauvres.

Les jours suivants, elle partagea ses heures entre ces diverses activités. Elle séjourna quelque temps dans sa *villa* de Verneuil où elle reçut l'intendant de ses terres de Châteauneuf-sur-Loire. Elle s'arrêta une nuit chez Adélaïde de La Ferté où les coassements des grenouilles de l'Essonne l'empêchèrent de dormir. Là, un messager du comte de Valois lui remit une lettre. De retour à Senlis, rien ne parut le moins du monde changé dans son comportement.

Un matin de juillet, peu avant l'aube, elle réveilla un valet d'écurie et fit seller son cheval le plus rapide. Mal réveillé, le garçon obéit, trop engourdi pour s'étonner que personne ne l'accompagnât. Quand il s'en avisa et prévint le maître des écuries, qui informa à son tour l'officier de la garde, la reine était déjà loin...

CHAPITRE TRENTE-TROISIÈME

La comtesse de Valois

Le lendemain de sa rencontre avec Anne en forêt de Senlis, Raoul s'était installé au château de Crépy d'où il chassa sa femme Aliénor, sous prétexte d'adultère. Folle d'humiliation et de rage, la comtesse s'en alla trouver l'archevêque Gervais, le suppliant d'intervenir. Prudent, le prélat lui demanda si sa conduite n'avait pas donné à son époux quelques raisons d'agir ainsi. Aliénor jura sur les Saintes Écritures qu'aucun autre homme ne l'avait approchée, et que, s'il le fallait, elle irait à Rome demander justice au pape...

Anne et Raoul se retrouvèrent à mi-chemin entre Crépy et Senlis sous une brusque pluie d'orage. Leurs vêtements, transpercés par l'averse, leur collaient à la peau. Quand ils se virent en si piteux état, ils éclatèrent de rire. Raoul aida Anne à descendre de cheval et la porta en courant jusqu'à une hutte de bûcheron. Avec précaution, il l'allongea sur un lit d'herbes sèches et entreprit de la dévêtir. Comme elle voulait l'en empêcher, il lui dit :

– Si vous ne vous laissez pas faire, vous allez attraper du mal.

Quand elle fut nue, il la frictionna avec un linge. Une agréable sensation de chaleur remplaça bientôt le froid. C'était la première fois qu'un homme lui prodiguait ces soins. Quand elle fut réchauffée, il l'enveloppa dans un drap de laine.

— A moi, maintenant!

En un rien de temps, il se déshabilla. Les yeux mi-clos, Anne regardait ce grand corps puissant. Soudain, une envie la prit : lui rendre la pareille. Elle se leva sans penser à retenir le drap qui la couvrait et qui glissa à ses pieds, elle prit le linge et se mit à bouchonner Valois avec une énergie qui alla déclinant au fur et à mesure qu'un trouble violent l'envahissait. Ses doigts heurtèrent le sexe dressé de son amant. Subjuguée, elle s'arrêta. Il prit sa main, qu'il referma sur son membre. Ils restèrent un long moment ainsi, frémissant de la tête aux pieds. Puis un même élan les jeta l'un vers l'autre et les précipita, enlacés, sur la paille de la cabane.

Quand ils se détachèrent l'un de l'autre, les étoiles brillaient dans le ciel d'été.

A la fin de juillet, ils se marièrent à Montdidier. Leur union fut bénie par un prêtre tremblant; il y avait moins d'un an que le roi Henri était mort. La reine informa par lettre le comte de Flandre de son mariage et lui demanda de l'annoncer à Philippe et à ses frères. Baudouin resta effondré par cette nouvelle. Il appela à l'aide sa femme Adèle, sa fille Mathilde, son gendre Guillaume, l'archevêque de Reims, les évêques de Meaux et de Châlons, et le vieux Gosselin de Chauny. Tous étaient consternés. Mais le plus affecté était le jeune roi, qui ne cessait de pleurer et d'appeler sa mère. Le duc de Normandie parla d'arracher la reine au comte qui la retenait forcément contre son gré; ce n'était pas la première fois qu'un grand seigneur enlevait une dame pour faire pression sur sa famille.

– Mais la reine n'a pas été enlevée, Guillaume, relisez sa lettre, lui dit Baudouin.

– Je n'en crois rien! Cet homme est capable de tout. Il lui aura fait absorber quelque filtre.

– Vous vous trompez, seigneur, fit Mathilde d'une voix douce. La reine Anne est amoureuse...

– Vous êtes folle! La Mora ne peut aimer un homme tel que le comte. Nous allons ravager ses terres, il nous la rendra...

– Elle n'en demeurera pas moins sa femme devant Dieu et devant les hommes.

– Cela ne se peut, dit Mathilde. Le comte est déjà marié.

Baudouin haussa les épaules.

– Il a répudié Aliénor pour cause d'adultère.

– Nous savons tous que c'est faux. Elle est en route pour Rome afin d'y demander réparation.

– Je veux que la reine me dise elle-même qu'elle a épousé le comte de Valois de son plein gré. Je lui ai juré l'hommage comme à ma suzeraine, je dois savoir si elle l'est toujours. Où sont-ils? A Péronne? Amiens? Crépy? Montdidier?

C'est à Péronne, au mois d'octobre, que le duc de Normandie retrouva celle qui n'avait jamais cessé d'être pour lui la Mora des forêts allemandes. Pour cet homme rude, fidèle à son épouse, fils respectueux de l'Église, profondément croyant, guerrier redoutable et hardi chevalier, Anne était plus qu'une femme : elle était sa part de rêve inavoué, celle aussi pour qui le chevalier masqué, un homme qu'il aimait, était devenu un monstre. Elle était également reine de France et régente du royaume. Quand il la vit s'avancer, toujours vêtue de la robe blanche des veuves royales, dans la pleine maturité de sa beauté, sa main gantée posée sur celle de Raoul, il sut qu'elle avait enfin trouvé un maître. S'il en fut affecté, il garda pour lui ses réactions et se montra joyeux convive au festin donné en son honneur.

Le lendemain, à la chasse, il chevaucha près d'elle :

— Vous souvenez-vous de notre première rencontre?

— Oui! cria-t-elle en éperonnant sa monture.

C'était un défi, il le releva; son cheval se cabra sous le violent coup d'éperon. Comme bien des années auparavant, il faillit être désarçonné. Cette fois, il éclata de rire et se lança à sa poursuite.

Surpris, leurs compagnons s'arrêtèrent. Raoul et Mathilde se questionnèrent du regard.

— Laissez, comte, c'est un jeu, dit la duchesse.

Ce jeu dura jusqu'à ce que les chevaux, épuisés, se fussent immobilisés, tremblants, couverts d'écume, une bave sanglante tombant de leur bouche.

Malgré sa corpulence, Guillaume sauta à terre avec aisance et aida Anne à descendre.

— Vous êtes toujours une redoutable cavalière, digne descendante des Amazones!

— J'ai bien failli vous battre encore une fois, mais je ne l'ai pas voulu.

— Cette fois, vous ne l'auriez pas pu, j'étais sur mes gardes.

Ils se mesuraient du regard avec amitié.

— Asseyez-vous près de moi, Guillaume... N'avez-vous rien à me dire?

Le duc, si sûr de lui en toutes circonstances, fut stupéfait par le naturel de l'attitude de la reine, et demeura coi.

— L'on m'a dit — mais l'on dit tant de choses à la cour! — que vous vous étonniez de mon mariage avec le comte de Valois... Je sais que l'on dit aussi que le comte m'aurait enlevée, et que je l'aurais épousé pour sauver mon honneur... On dit aussi que seule la régente de France l'aurait intéressé en ma personne... Je suis heureuse de vous confirmer qu'il n'en est rien et que nous éprouvons l'un pour l'autre un tendre amour... Vous qui aimez tant ma chère Mathilde, vous pouvez me comprendre... Vous ne dites rien? Douteriez-vous de mes paroles?

Guillaume secoua la tête sans répondre.

— Cela me causerait un grand chagrin si vous doutiez de moi... Sans doute pensez-vous, comme tous ici, que je devrais me consacrer à l'éducation de mes fils, et plus particulièrement à celle du roi... Mais le roi doit à présent s'éloigner de moi, il n'est pas bon qu'un garçon soit attaché à ce point à sa mère...

— Vous dites des sottises. J'ai aimé tendrement la mienne et n'en suis pas moins devenu un homme. Sa tendresse, sa présence m'ont été précieuses.

— Vous étiez un enfant, comme Philippe, quand votre père est mort. Le mari de votre mère ne l'a-t-il pas remplacé?

— Rien ne remplace jamais un père, et je sais de quoi je parle... Mais... que me faites-vous dire? Il n'est pas question de moi, mais de vous, régente du royaume. Ce mariage vous retire le droit de gouverner.

— Je ne le crois pas. Je reste la mère du roi.

— Je doute que les barons de France acceptent l'autorité du comte de Valois.

— Il ne s'agit pas du comte, mais de moi, Anne, fille de Iaroslav, Grand Prince de Kiev, veuve d'Henri, roi des Francs, régente désignée par lui et reconnue par les barons...

— Épouse adultère de Raoul de Péronne, comte de Valois!

— Je vous interdis!

— Le comte est toujours marié, ne le saviez-vous pas?

— Il a répudié cette femme...

— Uniquement pour vous posséder.

— Et quand bien même!

304

Rouges de colère, ils s'étaient relevés et se dressaient l'un face à l'autre. Au prix d'un gros effort, le duc parvint à se dominer.

— Pardonnez-moi de m'être laissé emporter. Vous êtes libre maîtresse de vos actes en tant que femme, mais en tant que reine?...

Anne, l'air buté, donnait de petits coups de pied dans une motte de terre. Elle leva la tête et regarda Guillaume avec un sourire provocant :

— Devrais-je renoncer à connaître l'amour parce que Dieu m'a faite reine? Devrais-je continuer à ignorer les plaisirs du corps parce que je suis veuve d'un homme qui ne m'approchait qu'avec dégoût?... Pourquoi rougissez-vous ainsi? Mathilde et vous n'éprouvez-vous pas de jouissance à vous posséder?... Pourquoi me refuseriez-vous les bonheurs que vous connaissez?... Le comte de Valois est mon époux, et je l'aime comme Mathilde vous aime... Écoutez, la chasse nous rejoint. Guillaume, je vous en prie, soyez mon ami comme vous l'avez toujours été... Vous ne répondez pas?...

— Excusez-moi, je songeais... Anne, ma mie, je vous ai engagé ma foi il y a longtemps, je ne la reprendrai pas. Soyez heureuse avec le comte; je prierai pour vous.

— Merci, duc. Vous me donnez une grande joie.

La reconnaissance qui illuminait le visage de la reine lui fut insupportable.

— Eh bien, qui a gagné? demanda Mathilde du haut de son cheval.

Pendant les deux premières années de son mariage avec Raoul, Anne séjourna presque constamment sur les terres de son nouvel époux, courant du château de Péronne à celui d'Amiens, de Crépy à Montdidier, gardant toujours auprès d'elle ses deux plus jeunes fils, Robert et Hugues. A sa demande, Baudouin de Flandre assumait seul le gouvernement du royaume. Les barons, qui avaient craint l'influence du comte de Valois, en furent soulagés.

A plusieurs reprises, Philippe rendit visite à sa mère, faisant peu à peu connaissance avec son beau-père. L'homme et l'enfant, soucieux de ne pas déplaire à Anne, se montraient aimables l'un envers l'autre.

A la fin de l'année 1063, la reine mère accompagna son fils à Soissons où le jeune roi confirma une donation en faveur de l'abbaye Saint-Crépin. Ils y restèrent plusieurs jours.

L'année suivante, Anne mit au monde une petite fille qui ne vécut pas.

CHAPITRE TRENTE-QUATRIÈME

Le serment de Harold

CÉDANT aux demandes réitérées de Mathilde, Anne se rendit en Normandie au début de l'été en compagnie de ses plus jeunes fils, Robert et Hugues. Les deux femmes se retrouvèrent avec une grande joie. Comme Anne, la duchesse avait perdu un enfant au début de l'année et déplorait que Guillaume fût parti guerroyer contre le duc de Bretagne. Elle s'inquiétait de savoir auprès de lui le comte de Wessex, Harold, que Guy de Ponthieu accusait de vouloir ravir la couronne d'Angleterre à son époux, en dépit de la promesse formelle du roi Édouard. Grande avait été sa surprise devant l'attitude du duc, couvrant Harold d'honneurs et de présents, l'armant lui-même chevalier pour avoir sauvé deux guerriers normands de l'enlisement, allant même jusqu'à lui proposer d'épouser une de ses filles, la petite Agathe.

Précédées par un important convoi de mules, de chariots transportant serviteurs, tentes et vivres pour plusieurs jours, entourées d'hommes d'armes de la garde, d'écuyers, dans un tumulte de cris et d'aboiements, Anne et Mathilde quittèrent le château de Lisieux en litière, pour Caen. La duchesse tenait fort à montrer à son amie où en étaient les travaux de l'abbaye aux hommes dédiée à saint Étienne, et de l'abbaye aux femmes dédiée à Notre-Dame de la Trinité, construites en pénitence à la demande du pape pour n'avoir pas respecté l'interdit frappant leur mariage. Neuf ans, il leur avait fallu attendre neuf ans pour que Lanfranc, le saint prieur de l'abbaye du Bec, obtînt du pape Nicolas II la levée de la condamnation prononcée par Léon IX. Anne fut émerveillée par la beauté de l'abbaye de la Trinité et stupéfaite par son architecture audacieuse. Ce ne fut pas sans une pointe de jalousie qu'elle dit à son amie :

— Tes travaux sont beaucoup plus avancés que les miens, qui sont loin d'avoir cette importance. Je désespère de voir Saint-Vincent terminé!

Cette remarque fit plaisir à Mathilde. Elle prit sa compagne par la taille et l'entraîna sur le promontoire d'où l'on dominait toute la riche vallée de l'Orne.

— Ne désespère pas. Toi aussi, tu auras la joie de voir s'élever ton église à la gloire de Notre-Seigneur et de sa Très Sainte Mère, la Vierge Marie. Si tu le veux, je te prête mes architectes. Je suis sûre que, pour toi, Guillaume n'y fera aucune objection.

— Toujours aussi généreuse, ma petite Mathilde! Les ans n'ont en rien affecté ta bonté ni ton caractère.

— Ne crois pas ça, ma reine, j'ai beaucoup à lutter contre mon emportement.

Tendrement enlacées, leurs voiles soulevés par un vent léger flottant autour d'elles, leurs robes, blanche pour la reine, jaune pour la duchesse, plaquées contre leur corps, on aurait dit deux anges prêts à s'envoler vers le ciel. Le comte de Mortain, Robert de Conteville, demi-frère de Guillaume, les ramena sur terre :

— Mathilde, ma sœur, et vous, reine Anne, il est temps de partir, le duc nous attend à Bayeux!

Toujours enlacées, elles regagnèrent leur litière et quittèrent au pas nonchalant des bœufs le chantier où se dressait l'orgueilleuse église, témoin de la puissance du duc et de sa soumission à l'Église.

Au bout de trois jours, on arriva à Bayeux après s'être arrêté, à la demande de la régente de France, prier à l'abbaye du Mont-Saint-Michel.

Le duc, ayant à ses côtés le comte de Wessex, se porta au-devant des voyageuses. Comme à chaque fois, il revit Anne avec émotion.

– C'est toujours avec un grand bonheur que je vous vois fouler le sol normand. Soyez la bienvenue, gente reine! Voici le comte Harold, mon vicaire auprès du roi Édouard, qui vient ici prêter serment de fidélité sur les saintes reliques.

D'un gracieux signe de tête, Anne salua l'Anglais qui, contrairement aux Normands, portait, ainsi que ceux de sa suite, de longs cheveux et de longues moustaches.

– C'est un honneur pour moi, dame, de rencontrer la régente du beau royaume de France. Comment va le jeune roi, votre fils?

– Fort bien, comte, il apprend son métier de roi avec de plus sages que moi.

– Je ne doute pas qu'il prenne souvent conseil auprès de vous.

– Comte, ces nobles dames doivent avoir besoin de repos, nous les retrouverons ce soir à la cathédrale, dit Guillaume en remontant sur son cheval.

Le cortège entra lentement dans la ville sous les acclamations du peuple assemblé. Dans la foule des chevaliers escortant le duc, Anne crut apercevoir l'homme masqué, ami d'Olivier d'Arles, qui l'avait tirée des souterrains de Senlis. De la main, elle appela un de ses écuyers.

– Tu vois ce chevalier qui porte un masque?

– Oui, reine.

– Va le chercher.

Sans ménagements, le jeune homme poussa son cheval dans la cohue qui s'écarta de mauvaise grâce.

Quand Philippe vit le cavalier portant les couleurs de France se diriger vers lui, suivi des yeux par Anne, il comprit qu'on l'envoyait chercher. Un violent coup d'éperon cabra sa monture qui bondit, renversant ceux qui se tenaient près d'elle.

Il y eut des cris de douleur et de colère.

— Seigneur, seigneur!...

La voix de l'écuyer se perdit dans le brouhaha. Il voulut s'élancer à sa poursuite, mais la multitude compacte et menaçante l'en empêcha. Avec difficulté, il rejoignit, penaud, la litière royale :

— Pardonnez-moi, reine, mais ce chevalier m'a semblé s'enfuir à mon approche, je n'ai pu lui délivrer votre message.

— J'ai vu.

Cet incident la rendit morose. Elle se renfonça dans les coussins de la litière, répondant à peine aux acclamations des habitants de Bayeux.

Pourquoi, après la mort du troubadour, cet homme ne s'était-il pas fait connaître? A aucune de ses questions sur cet étrange chevalier, nul n'avait voulu ou pu apporter de réponse. Son époux, Raoul de Crépy, disait que sous le masque devait se cacher le visage d'un seigneur devenu lépreux à la suite d'un pèlerinage en Terre sainte et que, par esprit de pénitence, le Bâtard gardait auprès de lui. C'était possible, mais pourquoi Guillaume avait-il toujours refusé de lui en parler?

La litière s'arrêta, une main se tendit pour l'aider à descendre. Un ravissant adolescent au doux regard, dont le visage lui rappelait un autre visage, se tenait devant elle, portant les couleurs de la Normandie.

— Qui es-tu? Il me semble te connaître.

— Je suis Simon, fils de Raoul, comte de Valois, et *nourri* de Guillaume, duc de Normandie.

– Le fils de mon époux!... Tu as beaucoup changé, depuis la dernière fois où je te vis... Te voici presque un homme... Bientôt, tu seras armé chevalier.

Tout en parlant, ils se dirigèrent vers l'entrée du palais épiscopal devant lequel l'évêque de Bayeux, Eudes de Conteville, attendait ses hôtes. Demi-frère du duc qui l'avait mis très tôt à la tête de cet important évêché, il s'était acquis, malgré son jeune âge, une grande autorité auprès du clergé normand. Il accueillit la reine avec les égards dus à son rang, et sa belle-sœur Mathilde avec une respectueuse affection.

– C'est un honneur et un plaisir de vous recevoir ici, nobles dames, dans ma bonne ville de Bayeux. J'espère que votre séjour en ces lieux sera à votre convenance. Que Dieu vous bénisse, mes filles!

Dans le bain qui la lavait de la poussière et des fatigues du voyage, Anne pensait à Raoul et regrettait son absence; son grand corps musculeux, ses caresses lui manquaient. Depuis qu'il lui avait fait découvrir le plaisir, la présence de jeunes et beaux hommes l'émouvait. Ils étaient nombreux dans l'entourage de Guillaume. Elle sentait encore sur elle le regard de ce comte anglais que Mathilde n'aimait pas, et rougit du trouble qui l'envahit à ce souvenir. Chaque nuit de ces trois semaines passées loin de son époux, resté dans le Vexin pour prendre possession des terres héritées de son cousin Gautier de Mantes, lui avait paru interminable. Elle ne s'endormait qu'à l'aube, épuisée par des rêveries qui la laissaient inassouvie. Elle avait hâte de le rejoindre à Magny en Vexin, où il avait entrepris la construction d'un château dont il voulait lui faire hommage avant l'hiver. Des centaines de serfs, d'ouvriers avaient été requis pour mener à bien cette opération impossible dans un délai si court, mais, pour le seigneur de

Péronne, le mot impossible n'existait pas. Il voulait que tout fût terminé avant l'hiver – tout serait donc terminé. Anne sourit. Cet homme violent et cruel, redouté de tous, se montrait tout de patience et de bonté avec elle et ses enfants. Il s'ingéniait à lui rendre la vie agréable, l'entourant de troubadours, de musiciens, faisant venir à prix d'or des livres, de somptueux vêtements. Quand il ne guerroyait pas, il organisait des fêtes, des tournois, des chasses très courus. Il avait mis à sa disposition de fortes sommes d'argent pour ses aumônes et ses dons aux abbayes et aux églises. C'était un compagnon agréable, qui aimait l'amour tout autant que la guerre.

Des servantes vinrent aider la reine à sortir du bain. Nulle n'avait su remplacer Hélène dans cet office intime. Souvent, Anne songeait à cette femme qui avait bercé son enfance, qui avait su rendre sa vie d'épouse dédaignée supportable par sa seule présence et sa tendresse. Elle se laissa habiller en soupirant.

Au pas lent des chevaux de parade, les invités du duc de Normandie arrivèrent à la cathédrale où devait avoir lieu la cérémonie du serment de Harold.

Guillaume devait y accorder une importance particulière, car il n'avait rien négligé pour que son faste demeurât à jamais dans les mémoires. Des bannières, des oriflammes aux couleurs d'Angleterre, de Normandie (et de France pour honorer la reine mère) flottaient sur les édifices; les rues étaient recouvertes de branchages semés de fleurs. La munificence des vêtements de la cour normande, du harnachement des chevaux, celle du soleil lui-même qui faisait étinceler les armes et les cottes de mailles, firent une forte impression sur les chevaliers anglais qui accompagnaient le comte Harold. A ses côtés se tenait l'évêque de Bayeux en grand habit, portant avec fierté le bâton de Saint-Pierre, entouré d'un grand nombre de prêtres et de moines.

Donnant la main à Anne et à Mathilde, le duc entra dans la cathédrale aux sons des busines. Quand la noble assemblée eut pris place, debout, sous les voûtes sacrées, les chants des moines de l'abbaye de Jumièges s'élevèrent, soutenus par l'orgue dont le prélat était si fier, seul des évêques normands à en posséder.

Après avoir communié sous les deux espèces, le duc de Normandie et le comte de Wessex reçurent la bénédiction épiscopale. Sur un signe du prélat, les servants appelèrent quatre jeunes moines. Ceux-ci portaient sur un brancard doré, recouvert d'une étoffe richement brodée, un précieux reliquaire qu'ils déposèrent près de l'autel. Harold s'avança et, posant la main droite sur le reliquaire, la gauche sur l'autel, il prononça d'une voix à peine audible le serment promissoire attendu, en présence des principaux barons normands :

– Moi, Harold, comte de Wessex, fils de Godwin, jure solennellement d'être à la cour de mon maître le roi Édouard, aussi longtemps que je vivrai, le représentant du duc Guillaume et de remettre entre ses mains, à la mort d'Édouard, le royaume d'Angleterre. Je m'engage également à remettre aux chevaliers du duc le château de Douvres, après l'avoir fait fortifier à mes frais, et assurerai en abondance le ravitaillement des autres châteaux, situés en divers points du royaume, que le duc ordonnera de renforcer.

Guillaume le serra contre lui et lui confirma, à sa demande, les terres qu'il possédait, ainsi que tous ses pouvoirs.

Au festin qui suivit, Anglais et Normands burent tant qu'ils ne dessoûlèrent pas de trois jours.

Entourées de leurs dames d'honneur et de leurs suivantes, Anne et Mathilde évoquaient la cérémonie à laquelle elles venaient d'assister :

— Tu ne trouves pas, dit la duchesse, que ce Harold avait un air faux en prononçant le serment ?

— Je n'ai remarqué que sa pâleur. Mais c'est normal, l'instant était grave ; il a juré sur les saintes reliques.

— Je le sais bien... C'est plus fort que moi, je n'ai pas confiance. C'est un seigneur puissant, vivant à la cour d'Angleterre et ayant sur le roi Édouard, malade, beaucoup de pouvoir. Il prétend avoir traversé la mer pour rencontrer le duc à la demande de son maître...

— Pourquoi ne pas le croire ?

— Il n'avait sur lui aucun document le confirmant, quand il a échoué sur les côtes du Ponthieu où Guy le fit prisonnier. Pour obtenir sa libération, Guillaume dut offrir au comte Guy de nombreux cadeaux, assortis de promesses et de menaces...

— Pourquoi parler de ce Harold, si tu ne l'aimes guère ?

— Tu as raison, parlons plutôt de toi. Je t'ai à peine vue depuis ton mariage avec le comte de Péronne. Comment cela s'est-il passé avec le roi ? J'ai entendu dire que Philippe était très malheureux et refusait de voir son beau-père...

— Ce n'est pas tout à fait exact. Au début, ce fut très difficile pour lui et pour moi. Tu sais que ta mère, la comtesse de Flandre, m'en a beaucoup voulu de ce remariage, si peu de temps après la mort de son frère, et qu'elle a tenté de dresser mon fils contre moi. Ce fut une erreur, car nous avons failli nous brouiller gravement, compromettant ainsi l'avenir du royaume. Il a fallu toute l'habileté de l'archevêque de Reims et la sagesse de Gosselin de Chauny pour calmer sa colère et nous réconcilier. La patience et les vertus de ton père ont fait le reste. Quant au roi, il a appris à connaître Raoul et à l'aimer.

Après un court silence, Mathilde demanda en rougissant :

— Le comte Raoul est-il un bon époux?

— Autant qu'un homme peut l'être, répondit Anne plus froidement qu'elle ne l'aurait voulu.

— Pardonne-moi, je suis indiscrète...

On ne parla plus de Raoul de Crépy, mais des travaux de broderie que la duchesse de Normandie faisait exécuter pour l'église de la Trinité.

Harold regagna l'Angleterre au début de l'automne, comblé de présents et d'honneurs. Anne rejoignit son époux à Soissons où se trouvait le jeune roi Philippe.

A son retour, une grande joie l'attendait : les travaux de Saint-Vincent étaient terminés. Un mois plus tard, le 25 octobre 1065, l'église dédiée à la Sainte-Trinité, à Notre-Dame, à saint Jean-Baptiste et à saint Vincent, martyr, fut consacrée par l'évêque de Senlis, Froland, en présence du roi, de l'archevêque de Reims, Gervais, du comte et de la comtesse de Flandre, de la duchesse de Normandie, du comte de Valois et des seigneurs de la cour.

La mort de Robert

— LAISSEZ-VOUS soigner, comte Robert, sinon je dis à votre mère quel méchant garçon vous êtes!

— Ma mère, elle s'en moque bien que je sois malade. Elle préfère courir les bois en compagnie de l'excommunié!

— Voulez-vous bien vous taire! N'avez-vous pas honte de parler ainsi de celle qui vous a mis au monde, et du seigneur son époux?

— C'est elle qui devrait avoir honte! Ne s'est-elle pas remariée dans l'année qui a suivi la mort du roi mon père?

— La reine était jeune encore, elle avait besoin d'un protecteur.

— Besoin d'un protecteur!... N'avait-elle pas mon oncle, le comte de Flandre, régent du royaume?

Le chapelain du roi Philippe, venu rendre visite au deuxième fils de la reine Anne, leva les bras au ciel.

— Mais enfin, le comte de Valois est bon pour vous, pour vos frères, pour votre mère. Ne fait-il pas partie du Conseil du roi?

— N'a-t-il pas été excommunié par l'Église pour avoir épousé ma mère?

— Oui... mais...

— Alors ma mère est adultère!

Le chapelain sursauta et dit avec une extrême sévérité :

– Je pense, Robert, que vous ne vous rendez pas compte de ce que vous dites. Sans doute est-ce la fièvre qui vous fait délirer. Reposez-vous, ce ne sont pas des sujets de conversation pour un enfant.

– Je ne suis plus un enfant, je vais avoir bientôt douze ans. Je suis un homme!

– Qui parle d'être un homme? Toi, mon fils?

Le visage du jeune malade s'éclaira d'un seul coup, puis s'éteignit. Il se retourna face contre le mur, sans rien dire.

Anne soupira. De ses trois fils, c'était celui qu'elle préférait, qui lui ressemblait le plus : mêmes yeux, mêmes pommettes hautes, mêmes cheveux roux, même caractère tour à tour gai, triste, enjoué, ombrageux, spontané. Le seul à parler et comprendre couramment la langue de la Rous'. Il n'avait pas encore six ans quand sa mère lui avait appris chacun des articles de la *Rousskaïa Pravda* que Iaroslav, son père, avait élaborée quand il était devenu Grand Prince de Kiev. Elle écoutait avec ravissement l'enfant énumérer les dédommagements auxquels ont droit les victimes, le prix à payer pour tel ou tel crime. Pour elle, c'était tout à la fois l'occasion de vérifier les connaissances de son fils et d'entendre parler la langue russe. Mais, depuis qu'il avait quitté sa mère pour rejoindre Philippe et recevoir la même éducation que lui, son comportement avait changé. Quand Anne venait assister aux leçons de maître Enguerrand et le questionnait sur son travail en russe, il feignait de ne pas comprendre et ne lui répondait pas.

Quant à Philippe, il avait du mal à ne pas afficher un sourire de triomphe. Malgré ses propres efforts et ceux de son époux, le jeune roi ne lui pardonnait pas son remariage. Elle avait cru qu'avec le temps il comprendrait et finirait par se lier d'amitié avec

Raoul. Il ne supportait la présence du comte de Valois à sa cour qu'à la demande expresse du régent Baudouin, lequel craignait l'influence du comte sur la reine-mère et de le voir s'allier aux ennemis du royaume.

Anne souffrait beaucoup de cet état de choses; elle se sentait lasse. L'annonce d'une nouvelle grossesse ne fit qu'accroître sa fatigue et l'animosité de ses fils.

Assise près du haut lit où reposait Robert, dans la salle du château de Senlis, à l'abri des regards, derrière les lourdes tentures qui assourdissaient le bruit des rires et des voix, Anne veillait et priait. Depuis plusieurs jours, la fièvre persistait, les médecines prescrites restaient sans effet. A l'annonce de la maladie de son filleul, Mathilde avait dépêché son médecin, Jean le Mire, qui, après examen, avait déclaré :

— Ce n'est pas seulement dans son corps que cet enfant est malade, mais dans son âme. Il ne reste qu'à prier Dieu de bien vouloir le guérir.

Prier Dieu? Il y avait des jours qu'elle L'implorait. Après une nuit que tous avaient cru être la dernière, Anne quitta le château à l'aube, accompagnée d'un seul écuyer. Elle galopa, malgré sa grossesse, jusqu'à la clairière perdue dans la forêt. Au milieu se tenait la cabane d'un ermite versé dans la connaissance des plantes et que l'on disait saint.

— Moine, mon fils se meurt, donne-moi un remède.

— Ne lui as-tu pas administré les tiens, accompagnés de formules peu chrétiennes?

— Oui, mais sans résultat.

— Évidemment! Les formules que tu as prononcées venaient du diable, et non de Notre-Seigneur.

– Elles venaient des dieux de mon pays... Aide-moi, vieil homme!

L'anachorète se tut longuement, les yeux au ciel. Agenouillée dans l'herbe mouillée, Anne priait. Au bout d'un moment, il baissa les yeux et la regarda avec compassion.

– Va, ma fille, je ne peux rien pour toi ni pour ton fils. Aie confiance en Dieu et prie la Très Sainte Vierge Marie. Va...

– Mon père, je vous en supplie, n'avez-vous pas quelque remède?

– Hélas non, j'ai épuisé toutes mes connaissances, il n'y a plus de recours qu'en Dieu. Maintenant, laisse-moi... Je m'en vais prier pour toi, pauvre mère, et pour ton enfant.

Accablée, sentant tout à coup les fatigues de son corps, Anne s'en retourna. Ses mains sans force ne retenaient plus son cheval. Affaissée, son front touchant la crinière, elle se laissait aller. Inquiet, l'écuyer l'arrêta :

– Reine, devons-nous continuer? Ne voulez-vous pas vous reposer quelques instants?

Sans se redresser, elle secoua la tête. Le jeune homme attacha une longe au licol et repartit au pas. Sans cesse il se retournait, s'attendant à la voir glisser de sa selle. Il se maudissait de lui avoir obéi et d'être parti sans escorte, à la merci d'une troupe de brigands. L'oreille aux aguets, il guettait les bruits de la forêt. S'il arrivait malheur à sa maîtresse, le comte de Valois le tuerait. Malgré le froid, il transpirait, affolé par sa responsabilité, par le silence menaçant des bois. Sa peur était si grande qu'il croyait voir des ombres se faufiler sous les branches, disparaître derrière les troncs. Il tira son épée. Alors, tout alla très vite.

Soudain, ils furent cernés par une troupe de

cavaliers vêtus de guenilles, armés d'épieux et de bâtons. Retrouvant tout son courage, l'écuyer se plaça entre la reine et eux. Lancé avec force, un épieu lui transperça la gorge. Il tomba, éclaboussant la reine de son sang. Anne, qui n'avait pas bougé durant la brève attaque, se redressa. La vue du sang souillant sa robe et ses mains la ranima. Avec hauteur, elle regarda les brigands; ils étaient cinq. L'un d'eux, qui semblait être le chef, s'avança. Elle éprouva pour lui une immédiate répulsion : il portait une robe de moine raide de crasse, sous son capuchon brillaient deux yeux pervers et méchants.

— Je crois, mes frères, que nous venons de faire là une bonne prise. Voyez ses vêtements, c'est la femme de quelque riche seigneur, d'un comte peut-être, dit-il en la dévisageant avec avidité.

— Tu divagues. Depuis quand la femme d'un comte se promènerait-elle en forêt avec un simple écuyer?

— Un simple écuyer, non, mais un amant...

— ... dont elle serait grosse!

— Par Satan, tu as raison, nous avons fait coup double!

Cette immonde plaisanterie fit rire toute la bande.

Le plus jeune des brigands, un bandeau sur l'œil, s'avança.

— Si nous voulons en tirer bon prix, il ne faut pas l'abîmer.

— Qui parle de l'abîmer? Je connais trop la valeur de la bonne marchandise. Nous allons l'échanger contre de belles pièces d'or, dit le moine.

Un être contrefait, aux bras trop longs, aux jambes trop courtes, glissa de sa monture et s'approcha d'Anne qu'il dévisagea avec impudence.

— Sans l'abîmer, on pourrait peut-être s'amuser un peu? dit-il.

— Oui, oui, amusons-nous!

– Allons, mes amis, cette noble dame ne semble pas avoir envie de s'amuser... Elle doit préférer les mignons parfumés de la cour à de pauvres errants comme nous. N'as-tu pas honte, femme impure, d'offrir ton corps souillé aux puissants de ce monde et de le refuser à des misérables? Souviens-toi de la parole du Christ : bienheureux les pauvres, le Royaume des Cieux leur appartient... Tu entends, catin? Nous sommes rois, c'est Notre-Seigneur qui le dit! Il est venu, le temps de la Bête aux sept têtes et aux dix cornes... Le dragon lui a donné sa force et sa grande puissance... Tremble, femelle, le grand aigle ne te sera pas donné, et ses ailes ne t'emporteront pas dans le désert, loin de nous. A moi, les démons créés par le Dieu Tout-Puissant, venez anéantir cette femme plus prostituée que ne le fut Babylone la grande, qui se soûle du sang des saints et du sang des martyrs de Jésus!...

Épouvantée, Anne regardait gesticuler ce monstre, crachant de sa bouche bavante et édentée d'horribles blasphèmes. « Je vais mourir », pensa-t-elle. L'enfant qu'elle portait bougea dans son sein. « Pauvre petit, tu n'auras connu de la vie que la chaleur de mon ventre! » Elle tira de sa manche le poignard qui ne l'abandonnait jamais.

– Attention, la putain va se tuer!

D'un même élan, ils se précipitèrent sur elle. Le cheval, apeuré, fit un écart; le poignard s'abaissa. Les plis du manteau empêchèrent le coup d'être mortel. Un sang tiède coula le long de ses doigts.

Au même moment, un cavalier, surgi de la forêt au grand galop, l'épée à la main, se jeta entre la reine et ses assaillants.

– Le chevalier masqué! crièrent-ils ensemble.

– Comme on se retrouve! s'exclama Philippe.

– Retirez-vous, maudit! Ceci est notre affaire!

– Qu'entends-tu par là, chien?

– Cette dame est mon otage, elle m'appartient.

– Je crois que tu te trompes. Si toi et les tiens faites un pas, je vous embroche, foi de Mora!

– Nous sommes cinq et tu es seul.

– Seriez-vous cent que vous ne me feriez pas peur.

– Ahhhhh!...

Philippe venait de trancher la main d'un des bandits qui s'enfuit dans la forêt en hurlant.

– Qui sera le suivant?

– Toi! dit le moine en portant un coup qui manqua de peu le bras du chevalier masqué.

Traîtreusement, l'homme aux courtes jambes se glissait derrière Philippe.

– Gardez-vous, chevalier! s'écria Anne.

L'épée traversa l'agresseur de part en part. Les petites jambes s'agitèrent encore un instant dans la boue avant de s'immobiliser à jamais. Rendus fous de peur, les chevaux lançaient des ruades tout en hennissant. Philippe sauta à terre et arracha le moine de sa monture.

– Cette fois, je vais te tuer, je n'ai que trop tardé!

Le bandit se releva, tenant une courte épée qu'il passa au travers du corps d'un de ses compagnons, et, avec une agilité surprenante, il enfourcha le cheval du malheureux, l'aiguillonnant de la pointe de son arme avant que Philippe eût eu le temps de réagir. La douleur donna des ailes à la pauvre bête qui partit comme un trait.

– Il n'est pas né, celui qui me tuera! Nous nous retrouverons et c'est moi qui t'expédierai dans l'autre monde, vociféra-t-il avec un rire de dément.

Il s'élança, suivi du survivant. Philippe hésita à les poursuivre; un gémissement l'arrêta. Il eut juste le temps de recevoir Anne dans ses bras. Malgré sa peur de la voir morte, il crut défaillir de bonheur quand il la tint contre lui. Elle n'était qu'évanouie. Avec précaution, il la déposa près d'un arbre. Le devant de sa robe était poissé de sang; à l'aide de son poignard, il déchira l'étoffe. La plaie était juste sous le sein gauche, peu profonde, mais large. Tremblant, il contemplait ce corps chéri, à demi dénudé, qui portait la vie. Avec douceur, il passa sa main sur le ventre rebondi et sentit bouger l'enfant. Troublé, il la retira précipitamment et alla chercher un peu de mousse qu'il appliqua sur la blessure. Anne gémit.

– Pardonnez-moi, je vous ai fait mal.

Elle rouvrit les yeux et eut un sursaut en le voyant penché au-dessus d'elle.

– N'ayez pas peur...

Cette voix brisée apaisa ses craintes. Entre les mains de cet homme qui l'avait déjà sauvée, elle se sentait en sécurité. Un léger sourire flotta sur ses lèvres. Philippe en fut bouleversé. Comme elle était belle, malgré ses traits tirés, son visage pâle et amaigri! Pour lui, elle n'avait pas changé, c'était toujours la princesse de Novgorod qui courait jadis dans les hautes herbes de la plaine, cueillant des bouquets qu'elle lui lançait en riant. Ses souvenirs étaient si forts qu'il ferma les yeux au moment où Anne posait sur lui les siens. Sur le masque d'argent, une larme coulait.

– Pourquoi pleurez-vous? demanda-t-elle d'une voix tendre.

Il ne répondit pas tout de suite. Elle insista :

– Pourquoi pleurez-vous?

– Ma jeunesse passée, peut-être...

La jeune femme soupira.

– Il ne faut pas pleurer le passé, seul le présent compte, et la vie éternelle qui nous réunira à Notre-Seigneur. Mon Dieu, je suis là, et mon fils qui se meurt! Vite, emmenez-moi à Senlis.

Après avoir rajusté sa robe, Philippe la souleva et la porta sur son cheval. Il prit place derrière elle et partit au pas.

– Plus vite, plus vite!

– Cela risque d'aggraver votre blessure.

– Qu'importe, plus vite...

A contrecœur, il obéit et mit sa monture au trot.

– Plus vite!

Elle laissa aller sa tête contre sa poitrine. Elle se sentait bien, en dépit de la douleur qui lui faisait serrer les lèvres, du sang qu'elle sentait couler, de la peur de voir son fils mourir. Il lui semblait avoir toujours été là, contre la poitrine de cet homme étrange. Elle s'y trouvait aussi en sécurité qu'au temps éloigné où Philippe... Mais pourquoi pensait-elle à cet amour de jeunesse en pareil moment? Anne tourna son visage vers celui de l'homme : il n'y avait que ce masque impénétrable...

Le galop du cheval rompait son corps, des gémissements s'échappèrent de ses lèvres. Le chevalier masqué ralentit. Il resserra son bras autour de sa taille. Oh! que le temps s'arrête; que Dieu, dans Sa miséricorde, les rappelle ensemble à Lui, enfin débarrassés de leur carcasse humaine, pour n'être en Son amour qu'une seule et même âme!

Un cri de l'aimée le ramena sur terre. Anne n'était plus contre lui qu'un mol tas de chiffons.

– Dieu! hurla-t-il. Ne la prends pas sans moi!

Bousculant les gardes, il pénétra dans la salle du château de Senlis, portant la reine inanimée. Des pages, des servantes couraient en tous sens sans faire attention à lui. Dans la salle s'agitait une foule en pleurs, tandis que des prêtres priaient. Enfin on le remarqua, lui et son royal fardeau. Tous s'écartèrent avec effroi. Le roi, à genoux au pied du lit, se releva brusquement.

– Ma mère!

Baudouin de Flandre et Raoul de Crépy regardèrent, stupéfaits, ce chevalier ensanglanté et boueux, au visage masqué, qui portait la reine mère couverte de sang dont les longs cheveux défaits, mêlés de feuilles et de terre, traînaient par terre.

– Anne!

Le comte de Valois, le visage blême, voulut la prendre des bras de l'étranger, mais celui-ci la déposa sur le lit où reposait l'enfant moribond. Philippe prit une des mains de la reine et la posa sur celle de son fils. A ce contact, l'enfant frissonna. Allongés ainsi l'un près de l'autre, leur ressemblance était si éclatante que les larmes redoublèrent.

Robert rouvrit les yeux.

– Mère..., dit-il d'une voix claire et forte en tournant la tête vers elle.

A cet appel, la reine revint à elle et tenta de se soulever.

Écartant les dames d'honneur et Raoul, Philippe la soutint.

– Mon doux fils, je suis si heureuse de vous revoir!

L'enfant serra la main de la reine et lui sourit :

– Pardonnez-moi, ma mère, de vous causer du tourment et du chagrin, mais je sens que le Dieu Tout-Puissant me rappelle à lui... Adieu... je vous aime...

Dans la nuit qui suivit la mort de Robert, la comtesse de Valois mit au monde un fils mort-né.

CHAPITRE TRENTE-SIXIÈME

La *Mora*

UNE nouvelle fois, on craignit pour la vie de la reine-mère et des prières furent dites à travers le royaume et au-delà. Son frère aimé Vsevolod, devenu Grand Prince de Kiev, prévenu de sa maladie, lui dépêcha son propre médecin; le roi de Norvège, Harald, et sa sœur Élisabeth lui envoyèrent de saintes reliques; Guillaume et Mathilde de Normandie firent retraite à son intention au Mont-Saint-Michel; le pape lui-même fit savoir qu'il priait pour elle.

Pendant toute cette période où elle demeura inconsciente, Philippe resta à son chevet, au grand déplaisir de tous. Dès la mort du petit Robert, on avait tenté de l'éloigner, mais sitôt qu'il n'était plus auprès d'elle, Anne s'agitait, pleurant et criant. Raoul de Crépy se vit contraint d'accepter la présence de ce chevalier qu'il estimait pour son courage mais qui se refusait toujours à révéler son nom.

— Vous n'êtes pas lépreux, au moins! s'était écrié le comte de Valois.

Malgré les circonstances, Philippe avait éclaté de rire :

— Non, comte, je ne suis pas lépreux! Voyez vous-même.

Il défit les liens de cuir qui retenaient son masque et exhiba son terrible visage. Un murmure d'effroi et de pitié parcourut l'assistance. Raoul lui-même pâlit.

– Pardonnez-moi, chevalier. Restez auprès de ma femme, puisque votre présence semble l'apaiser.

– Je vous donne ma parole de me retirer dès qu'elle aura repris connaissance.

... Il se passa de longs mois. Puis, par un clair matin d'hiver, la comtesse de Valois ouvrit les yeux, se sentant à la fois lasse et reposée... Derrière les hautes tentures qui entouraient son lit régnait une grande chaleur, entretenue par un brasier que surveillait un valet somnolent. Se redressant péniblement, elle écarta les courtines. Sur un siège à haut dossier dormait un homme qu'elle prit tout d'abord pour Raoul. Dans son sommeil, l'homme bougea. Ce fut sans surprise qu'elle reconnut le chevalier masqué. Un étourdissement la fit retomber sur ses oreillers. Elle souleva ses bras, s'étonna de leur maigreur. Depuis combien de temps était-elle dans ce lit? Elle glissa une main sous la fourrure de la couverture et la posa sur son ventre. La mémoire lui revint d'un seul coup. Ses larmes se mirent à couler silencieusement. Jamais plus elle ne verrait les boucles rousses du petit Robert ni ne le regarderait, beau et joyeux, monter à cheval, ni ne l'entendrait chanter dans la langue russe les chants de son enfance. Mort! il était mort! Dieu le lui avait repris. « Oh! Vierge Marie, vous qui fûtes mère, donnez-moi la force de pardonner à votre Très Saint Fils de l'avoir rappelé à Lui... Je ne sens plus bouger en moi l'enfant que je portais... Me l'aurait-Il enlevé, lui aussi?... » Nul berceau! nul vagissement! Ses larmes redoublèrent. Sans doute était-ce pour la punir de son mariage avec un adultère que Dieu ne permettait pas de vivre aux enfants issus de cette union criminelle. « Seigneur, que vous êtes cruel! » Peu à peu, la prière calma ses larmes. Fatiguée, elle s'assoupit.

La nuit était tombée quand elle rouvrit les yeux.

Se découpant sur la lumière dansante des torches, des ombres bougeaient derrière la tenture qu'une main écarta. Le chevalier masqué resta un long moment à contempler la reine. Avec émotion, il regarda sa chevelure où les mèches blanches se mélangeaient à présent aux mèches rousses. Un peu de couleur était revenu à ses lèvres et à ses joues. Malgré sa maigreur, elle restait la plus belle! Derrière ses paupières mi-closes, Anne l'observait et se souvenait. Elle tendit la main vers lui. Il hésita avant de s'en saisir. Dès que leurs doigts se touchèrent, Anne le reconnut, tout en refusant de l'admettre. Pour elle, Philippe de Novgorod était mort le jour où il l'avait quittée sur la route qui la menait en France.

Il se sentit reconnu, mais perçut également son refus. Il en fut à la fois soulagé et profondément désespéré. Il la regardait intensément, incapable de se détacher de cette femme qui était toute sa vie. Sans lâcher la main qui s'abandonnait, il s'agenouilla. Longtemps, ils restèrent ainsi, incapables de parler. En dépit de sa faiblesse, elle se reprit la première :

— Chevalier, je vous remercie. Vous avez fait pour moi plus qu'aucun homme ne fit jamais. Sachez que je compatis à vos souffrances et que je prie Dieu de les alléger. Maintenant, retirez-vous, que Dieu vous fasse miséricorde et vous pardonne vos péchés.

Il devait partir : son serment, sa promesse, elle-même l'exigeaient.

Anne retira sa main; une nouvelle fois, il se sentit dépouillé de tout, plus nu, plus seul qu'il ne l'avait jamais été, plus vieux aussi.

Depuis combien de temps Raoul les observait-il? Quelle importance, puisqu'il partait et qu'elle ne le reverrait jamais plus!

— La reine va beaucoup mieux, comte. Je m'en vais.

– Acceptez ceci en remerciement, dit-il en lui tendant une bourse remplie de pièces d'or.

Le masque cacha la brusque rougeur qui envahit son visage. Sous l'affront, il porta instinctivement la main à son épée. Elle n'était pas à son côté, il l'avait laissée entre les mains de son écuyer.

– Je n'attends pas de merci, comte. Donnez cet or aux pauvres. Adieu, prenez soin d'elle!

Sans un regard, bousculant son écuyer accouru, il quitta le château de Senlis.

A la surprise des médecins, Anne se rétablit très vite. Un détachement serein avait pris chez elle la place des cris et des larmes. On la surprenait même parfois avec un étrange sourire aux lèvres. Elle avait recouvré suffisamment de forces pour pouvoir assister à l'office solennel qui marqua l'ouverture du monastère Saint-Vincent aux chanoines réguliers de l'ordre de saint Augustin et à leur prieur, Liétaud, vêtus, à la différence des autres augustins habillés de blanc, de la robe et du capuchon rouges, en souvenir du sang de leur saint martyr, le diacre Vincent.

C'est peu après cette cérémonie que l'on apprit la mort, survenue le 6 janvier 1066, du roi d'Angleterre, Édouard, et le couronnement, le jour même, du comte de Wessex, Harold, parjurant ainsi le serment fait à Guillaume.

Le 24 avril apparut en Angleterre, en Normandie et en France une étoile que l'on croyait savoir revenir à date régulière et que l'on appelait comète, ou étoile chevelue; elle brilla une semaine durant. Certains en Angleterre y virent un funeste présage pour leur pays : Dieu allait y faire tomber des larmes de sang en réparation du parjure du nouveau roi. En Normandie, Guillaume y vit le signe que Dieu était avec lui, et donna l'ordre de préparer l'invasion de l'Angleterre. Tous furent requis, du grand seigneur au pauvre diable. Les demi-frères de Guillaume, Robert, comte de Mortain, et Eudes, évêque de Bayeux, s'engagèrent à fournir, l'un cent vingt navires, l'autre cent. Sur ses fonds propres, Anne envoya un coffret rempli d'or et de bijoux à Mathilde, pour la construction de celui de Guillaume, tout en les assurant tous deux de son affection et des prières qu'elle ferait pour la réussite de l'entreprise. Les souverains normands furent très touchés de l'attention de leur tendre amie.

— Anne va au-devant de mes vœux. Je voulais vous offrir ce vaisseau, nous serons deux. Si vous le voulez bien, nous l'appellerons *Mora*, dit Mathilde.

Guillaume l'attira contre lui et l'embrassa.

— Ma bonne amie, vous et la reine me comblez. Je n'ai pas l'impression de l'avoir mérité, mais j'accepte de grand cœur ce généreux présent des deux êtres que j'aime le plus au monde. Vous, parce que vous êtes l'épouse la plus aimante, la plus fidèle; elle, parce qu'elle...

— Continuez!

— C'est difficile à dire...

— Alors je le dirai à votre place : parce qu'elle est inaccessible et belle, étrange, tour à tour gaie et triste, forte et faible, et... qu'elle vous a séduit dès le premier regard.

Les deux époux se turent, se regardant avec tendresse.

— C'est vrai que je l'ai aimée dès que je l'ai vue, comme... Dieu me pardonne de dire cela... comme la sirène des chansons des fileuses de Falaise. Mais vous, ma mie, je vous ai aimée comme une femme. Ne vous en ai-je pas donné maintes fois la preuve, et pas plus tard que la nuit dernière?

— Aussi ne me suis-je jamais plainte et ai-je

approuvé votre pur amour pour la reine Anne, amour que je partage.

– Alors, ce bateau, nous l'appellerons *Mora*!

Le 18 juin, le comte et la comtesse de Valois se rendirent à Caen pour la consécration de l'église abbatiale de la Trinité, fondée par Mathilde. En sus des riches donations que le duc et la duchesse de Normandie firent à l'abbaye-aux-dames, ils offrirent comme oblate à ce château de Dieu leur fille Cécile, âgée de cinq ans. Ils visitèrent les chantiers navals, principalement celui de Barfleur où se construisait la *Mora*. Anne se déclara enchantée par la beauté du navire, puis elle put aller admirer avec Raoul, du village de Saint-Sauveur dominant l'estuaire de la Dives, le principal de la flotte normande. Ils furent stupéfaits devant les centaines de bateaux qui se balançaient mollement au soleil. Pas un souffle de vent, pas un nuage ne déparait le bleu du ciel. Depuis longtemps on n'avait vu un si bel été. Les moissons s'annonçaient précoces et abondantes. Les paysans ne redoutaient plus le pillage des milliers de soldats. Bretons, Français, Bourguignons, Poitevins, Allemands étaient souvent venus de très loin pour s'engager dans les rangs de l'armée du duc qui leur avait promis à tous bonne solde et bon butin à prendre; les ordres de Guillaume avaient été formels : pas de pillage en Normandie! Dans les camps, à la surprise de beaucoup, régnait une discipline qui faisait l'admiration de tous. Raoul de Crépy en fut très impressionné. Des propos défaitistes circulaient pourtant; les plus vieux rappelaient l'expédition manquée de Robert le Magnifique; le fils ferait-il mieux? On doutait de ses ressources; l'acompte versé aux mercenaires avait vidé les caisses. Guillaume dut promettre terres et abondant butin outre-Manche.

Au demeurant, on exagérait les richesses de l'usurpateur :

– Si riche soit-il, il n'est pas en mesure de donner à ses hommes l'espoir de conquérir ce qui m'appartient. Moi, au contraire, je puis promettre à ceux qui me suivront une part des biens qui m'appartiennent légitimement, ceux que Harold s'est arrogés injustement! dit Guillaume.

Anne et Raoul traversèrent la Dives pour se rendre dans le camp de Cabourg où étaient installés des milliers d'hommes d'armes dans l'attente du jour de l'embarquement. Ils trompaient leur impatience en jouant aux dés, en lutinant les filles, en pêchant ou en se poursuivant à grands cris au milieu des vagues. Quelques rixes éclataient, mais si rudement sanctionnées qu'elles devenaient de plus en plus rares. Cependant, vers le 15 août, certains impatients embarquèrent sans en attendre l'ordre. Ce fut une catastrophe : des vents contraires, qui s'étaient levés brusquement, jetèrent les embarcations les unes contre les autres. Il y eut des morts que l'on s'empressa d'inhumer discrètement.

De nouveau, le soleil brilla implacablement. Pas un souffle de vent. Accablés, les chevaliers et leurs hommes scrutaient le ciel blanc de chaleur. Dans la campagne alentour, le travail des moissonneurs allait bon train. Seuls les paysans manifestaient leur joie : grâce à la fermeté de leur duc, les champs n'avaient pas été saccagés par une soldatesque désœuvrée, et la récolte abondante éloignait le spectre de la disette.

A la fin d'août, Anne eut le plaisir et la fierté de voir arriver du chantier de Barfleur la *Mora* propulsée par une vingtaine de rameurs, sur laquelle flottait l'étendard de Saint-Pierre, don du pape Alexandre à Guillaume, accompagné de sa bénédiction. La foule des guerriers, massée sur le rivage, acclama à grands cris l'entrée du navire dans l'estuaire. Lanfranc, devenu abbé de l'abbaye Saint-Étienne, bénit le bateau en présence du duc et de la duchesse de Normandie, du comte et de la comtesse de Valois, des barons, des chevaliers et de tous ceux qui devaient participer à l'expédition. Puis le duc et sa suite se retirèrent au château de Bonneville.

Pour tromper l'attente et distraire ses hôtes, Guillaume fit venir trouvères et ménestrels qui chantèrent les exploits des conquérants normands en Italie.

Brusquement, le temps changea et une grande tempête secoua la Manche, interdisant toute sortie en mer. Guillaume fit multiplier les prières et les processions; il fonda près de Bonneville le prieuré de Saint-Martin, dans l'espoir d'amener le ciel à plus de clémence. Dans les camps, l'énervement des troupes était à son comble. Enfin, la tempête cessa et le vent, quoique fort, devint régulier. Le 10 septembre, le duc donna l'ordre d'appareiller et de remonter les côtes normandes jusqu'à l'embouchure de la Somme. Anne et Mathilde prirent place à bord de la *Mora* qui leva l'ancre à la fin de la nuit. Il faisait froid et, malgré leurs manteaux doublés de fourrure, les deux femmes, serrées l'une contre l'autre, grelottaient. La *Mora* filait sous le vent, en tête de la flotte. Sur les falaises, sur les plages, dans les ports, les acclamations de joie des Normands, venus en grand nombre de tous les coins du pays pour assister au départ, faisaient comme un cortège triomphal à celui qu'ils n'osaient plus guère appeler le Bâtard. Soudain, le vent devint d'une grande violence et porta à la côte. La *Mora* résista vigoureusement à la fatale attraction, mais de nombreux navires n'eurent pas cette chance. Sous l'œil horrifié de tous, on vit de nombreux bâtiments chavirer, tandis que d'autres se brisaient sur le rivage. Agenouillées, se retenant au mât, Mathilde et Anne priaient. Dans le désordre de son esprit, Anne croyait entendre son frère Vladimir raconter la bataille navale qu'il avait perdue face aux Byzantins.

Très pâle, la face fouettée par les embruns, Guillaume donnait ses ordres. Vaillamment, la *Mora* résistait. Enfin, la tempête s'apaisa; le 12, on jeta l'ancre à Saint-Valery. Là, le duc de Normandie fit le compte de ses pertes; elles étaient grandes, tant en hommes qu'en chevaux et en bateaux. En compagnie de Guy de Ponthieu et d'hommes sûrs, il longea la côte et fit enterrer secrètement les morts rejetés par la mer. Ordre fut donné de minimiser les pertes, de consoler ceux qui avaient tout perdu, et de doubler les rations des hommes en viande et en vin.

Dans le camp rapidement établi à Saint-Valery, l'attente recommença. Il faisait froid et humide, il pleuvait souvent. Quand il n'était pas à l'église en train de prier, on voyait Guillaume sur la grève, scrutant le ciel, tressaillant quand il voyait bouger le coq du clocher. Il fit porter en procession dans les rues de la ville le corps saint du confesseur Valery. Anne et Mathilde visitaient les malades et les blessés, les encourageant par de bonnes paroles et des dons. Leur présence calmait l'anxiété et la nervosité des soldats et leur redonnait courage.

C'est à Saint-Valery que leur parvint la nouvelle du débarquement du roi Harald de Norvège, surnommé Hardrada, dans le nord de l'Angleterre. Malgré leur bravoure, les troupes de Harold avaient été vaincues à York. Guillaume y vit le signe que Dieu était de son côté, et se félicita de la victoire des Norvégiens.

– Mais, lui fit remarquer son frère Odon, le Hardrada convoite lui aussi la couronne d'Angleterre.

– Alors nous lui ferons la guerre et nous le chasserons!

Cette remarque effraya Anne. L'idée que Harald

et Guillaume pussent combattre l'un contre l'autre lui était insupportable.

— Seigneur, quand vous serez en face de lui, souvenez-vous qu'il est l'époux de ma très chère sœur Élisabeth, et que je l'aime tendrement.

— Dame, je vous promets de ne pas l'oublier...

CHAPITRE TRENTE-SEPTIÈME

Thor aïe!

DANS la nuit du 27 au 28 septembre 1066, il cessa de pleuvoir et le vent se mit au sud. Le duc donna l'ordre d'appareiller. Après avoir écouté une dernière messe en l'église de Saint-Valery, il se rendit sur la plage pour embarquer. La duchesse, à qui il avait remis le gouvernement de la Normandie, suivie des dames de la cour, du comte et de la comtesse de Valois, l'accompagnèrent.

— Ma dame, je vous confie le beau pays de Normandie. Gouvernez-le avec sagesse, le temps que durera mon absence. Mon ami fidèle et le vôtre, le prieur Lanfranc, vous aidera de ses sages conseils. Avec l'aide de Dieu, de la Très Sainte Vierge Marie, de l'archange saint Michel, veillez sur lui comme sur nos enfants, dit Guillaume en embrassant tendrement Mathilde.

— Soyez assuré, mon seigneur, que je ferai tout pour que vous soyez satisfait de moi. Prenez garde à vous. Que Dieu vous donne la victoire!

Le duc se tourna vers Anne et mit un genou en terre.

— Quant à vous, comtesse Anne, marraine de mon beau navire, priez pour moi.

— Il n'est pas de jour où je n'aie prié pour vous. Dès maintenant et jusqu'à votre victoire, je redoublerai mes prières. Dieu vous garde, Guillaume!

Le duc se releva, se tourna vers Raoul de Crépy, debout près de son épouse, et lui dit :

– Comte, prenez bien soin de la reine, vous savez combien elle m'est chère.

– Elle me l'est également, seigneur, et point n'est nécessaire votre recommandation pour prendre soin de ma femme. Je vous envie de partir à la guerre. Si je n'avais de si lourdes charges, je me joindrais à vous. Que Dieu vous garde, Guillaume!

Embarqués dans la nuit, les chevaux se tenaient calmes à bord des navires; les derniers hommes finissaient de s'installer. Le Conquérant et ses lieutenants s'agenouillèrent pour recevoir l'ultime bénédiction de l'évêque de Bayeux. Après un dernier geste d'adieu, il monta à bord de la *Mora* d'où un trompette, debout en proue, sonna le départ. Lentement, à la rame, la flotte sortit du chenal jusqu'à la pointe du Hourdel où l'on hissa les voiles.

La cour avait suivi à cheval jusqu'à la pointe. Là, d'une hauteur, elle assista au majestueux défilé. Une à une, les voiles se déployaient. Les dominant toutes, la haute voile rouge à bandes d'or de la *Mora* étincelait dans le couchant. L'assistance se taisait, émerveillée à la vue de ces centaines et ces centaines de bateaux partant à la conquête de l'Angleterre. On ne discernait plus que quelques points à l'horizon quand Anne et Mathilde décidèrent de s'en retourner.

La *Mora*, plus rapide, prit une si grande avance sur le reste de la flotte que Guillaume, qui ne voulait pas débarquer de nuit, donna ordre d'amener la voile, de jeter l'ancre et d'allumer des torches pour guider les autres navires. Cette pause fit grogner son entourage et l'inquiéta. Pour calmer les craintes, il commanda qu'on lui servît à déjeuner et convia ses compagnons à partager son repas. La feinte bonne humeur du duc et le vin généreux détendirent les esprits. Soudain, la vigie poussa un cri :

– Navires à l'horizon... Ils sont quatre... six... dix... cent!

On croyait voir « une épaisse forêt d'arbres portant voilure... ». Par la voix du héraut, ordre fut donné aux bateaux de mettre à la cape et de se retenir par leurs ancres incurvées en attendant le jour.

A tous, il parut bien long à poindre. Enfin, la trompette sonna. On leva l'ancre et les voiles se déployèrent. On était le matin du 29 septembre, fête de saint Michel, patron de la Normandie.

Un vent favorable les porta rapidement au rivage. Ils accostèrent vers trois heures de l'après-midi dans la lagune de Pevensey; il faisait beau. Pas un ennemi en vue, tout semblait désert. Des embarcations montèrent des clameurs de joie. Les archers, arme au poing, débarquèrent les premiers, coururent sur la plage et s'embusquèrent pour protéger le débarquement. Un grand désordre régnait. Après les hommes, on fit descendre les chevaux; beaucoup tentèrent de s'échapper, au grand désespoir des valets qui se précipitaient en tous sens. Les charpentiers rassemblaient les outils nécessaires aux fortifications, les cuisiniers les vivres, les écuyers les armes et les armures, les marins ramenaient les voiles et rangeaient les rames, cependant que les chevaliers s'équipaient. Guillaume avait l'œil à tout. Débarquant le dernier, sous les acclamations des guerriers, il trébucha et tomba en avant sur ses paumes. Un grand cri s'éleva de la foule et beaucoup se dirent : « C'est un mauvais signe! » Mais Guillaume se releva en riant, les mains levées au-dessus de sa tête, et cria bien haut :

– Seigneurs, par la splendeur de Dieu, j'ai saisi cette terre à pleines mains et, soyez-en bien assurés, je ne la lâcherai jamais plus. Elle est à nous totalement. Et maintenant, je vais bien voir qui agira avec audace!

Un chevalier, entendant ces paroles, courut vers l'intérieur des terres et, arrachant une poignée de chaume au toit d'une chaumière désertée, revint vers le duc en courant. Il mit un genou en terre et dit :

– Seigneur, avancez-vous. Prenez ce signe de vos droits. Je vous fais maître du pays; il est à vous sans contredit!

Guillaume, toujours souriant, répondit :

– Je veux bien. Et que Dieu soit mon soutien!

Une nouvelle fois, ses hommes l'acclamèrent.

Wadard, maître d'intendance, fit diligence. Ses aides se répandirent dans la campagne, tuant poules et moutons, porcs et bœufs. Les feux s'allumèrent, on mit à la broche. Moins de trois heures après avoir posé le pied sur son nouveau territoire, Guillaume y prit son premier repas, béni par son frère Odon.

Après une nuit de repos, il partit explorer les environs avec vingt-cinq chevaliers. Le terrain marécageux n'était pas propice au développement des troupes. Après en avoir délibéré avec son conseil, le duc décida de gagner la presqu'île de Hastings et de s'y fortifier. On y parvint par terre et par mer.

Pendant deux semaines, le bourg et la presqu'île retentirent du bruit des marteaux des charpentiers construisant châteaux de bois sur mottes et palissades. Guillaume était partout : inspectant les fortifications, vérifiant le bon état des chevaux et des armes, explorant le terrain alentour. C'est au retour d'une de ses tournées d'inspection qu'il apprit la défaite de l'armée norvégienne et la mort du roi Harald à Stamfordbridge, le 25 septembre. Guillaume connaissait peu le Hardrada, mais avait de l'estime pour son courage. Aussitôt, il dicta une lettre pour la reine Anne afin de l'assurer qu'il compatissait à son chagrin.

Un moine, envoyé de Harold, se présenta, porteur

d'une demande de négociations rappelant les droits de son maître sur le trône d'Angleterre :

— Voici ce que le roi Harold vous fait savoir. Vous êtes entrés sur son territoire, il ne sait dans quelle confiance et par quelle témérité. Il se souvient bien que le roi Édouard a d'abord décidé de vous choisir comme héritier du trône d'Angleterre et que lui-même, en Normandie, a donné confirmation à propos de cette succession. Il sait aussi que ce même royaume lui appartient de droit, car ce même souverain, son seigneur, lui en a fait don à ses derniers instants, et depuis le temps où le bienheureux Augustin de Cantorbéry vint dans ce pays, c'est une coutume générale de cette nation de regarder comme valables les donations faites aux ultimes moments. C'est pourquoi il vous demande que vous vous en retourniez de ce pays avec les vôtres. Autrement, il rompra l'amitié et tous les traités qu'il a conclus avec vous en Normandie; et il vous laisse entièrement le choix.

Le duc écouta le moine avec un grand calme. Après quelques instants de réflexion, il demanda :

— T'engages-tu à conduire en toute sûreté un de mes messagers à ton maître?

— Seigneur, je prendrai soin de lui autant que de moi-même.

On fit venir un moine, copiste en l'abbaye de Fécamp, Huon Margot. Guillaume lui dit :

— Rapporte fidèlement mes paroles à Harold, qui se dit roi d'Angleterre : « Ce n'est pas avec témérité et injustice, mais délibérément et conduit par la justice que je suis passé dans ce pays dont mon seigneur et parent le roi Édouard m'a constitué héritier, comme l'avoue Harold lui-même. Il me croyait aussi, de tous ceux qui lui étaient alliés par la naissance, le meilleur et le plus capable ou de le secourir tant qu'il vivrait, ou de gouverner son royaume après sa mort; et ce choix ne fut point fait sans le consentement des grands, qui prêtèrent serment de la main de me recevoir pour seigneur après la mort d'Édouard, jurant qu'ils ne chercheraient nullement pendant sa vie à s'emparer de ce pays pour m'en ôter la possession. Il me donna pour otages le fils et le neveu de Godwin. Enfin, il envoya Harold lui-même en Normandie afin que, présent, il fît devant moi le serment qu'en mon absence avaient fait en ma faveur son père et les autres grands. Il me fit hommage pour son propre compte, et ses mains dans les miennes m'assurèrent aussi le royaume d'Angleterre. Je suis prêt à plaider ma cause en jugement contre lui, selon les lois de Normandie, ou plutôt celles d'Angleterre, comme il lui plaira. Si les Normands et les Anglais prononcent, selon l'équité et la vérité, que la possession de ce royaume lui appartient légitimement, qu'il la possède en paix; mais s'ils conviennent que, par devoir de justice, il doit m'être rendu, qu'il me le laisse. S'il refuse cette proposition, je ne veux pas que mes hommes et les siens périssent dans un combat, eux qui ne sont aucunement coupables de notre querelle. Voici donc que je suis prêt à soutenir, au risque de ma tête contre la sienne, que le royaume d'Angleterre m'appartient de droit plutôt qu'à lui. »

Ses frères, l'évêque de Bayeux et le comte de Mortain, ainsi que les membres présents de son conseil, approuvèrent les termes du message.

Harold refusa le combat singulier et ordonna à ses troupes de s'armer. Comme on le pressait de donner une réponse, il fit celle-ci :

– Que Dieu décide entre Guillaume et moi selon le droit.

On rapporta ces paroles à Guillaume qui entra dans une grande colère en apprenant l'arrivée de l'ennemi. Une grande partie des Normands étaient allés fourrager, le camp se trouvait presque vide. Il commanda à tous ceux qui s'y trouvaient de s'armer promptement. Le duc et ses compagnons assistèrent à la messe avec une grande dévotion. Il suspendit à son cou les reliques sur lesquelles Harold avait prêté serment. On lui passa sa brogne. Un faux mouvement la fit se retourner à gauche pendant qu'il la mettait.

– Quel mauvais augure! murmura l'entourage.

Mais le duc éclata de rire :

– J'y vois plutôt un signe de changement : aujourd'hui je suis duc, demain je serai roi.

Enfin équipé, il monta sur un promontoire face à l'armée normande. Près de lui, deux évêques ayant passé la brogne sur leur aube épiscopale, Eudes de Bayeux et Geoffroy de Coutances; le fils de Roy le Blanc portait la bannière pontificale. D'une voix éclatante, Guillaume s'écria :

– Mes compagnons, salut! C'est maintenant que vos bras doivent prouver de quelle force vous êtes doués, quel courage vous anime. Il ne s'agit plus seulement de vivre en maîtres, mais d'échapper vivants d'un péril imminent. Si vous combattez comme des hommes, vous obtiendrez la victoire, de l'honneur et des richesses. Autrement, vous serez égorgés promptement, ou captifs vous servirez de jouets aux plus cruels ennemis. De plus, vous serez couverts d'une ignominie éternelle. Aucun chemin ne s'ouvre à la retraite; d'un côté, des armes et un pays ennemi et inconnu ferment le passage; de l'autre, la mer et des armes encore s'opposent à la fuite. Il ne convient pas à des hommes de se laisser effrayer par le grand nombre. Les Anglais ont souvent succombé sous le fer ennemi; souvent vaincus, ils sont tombés sous le joug étranger, et jamais ils ne se sont illustrés par de glorieux faits d'armes. Le courage d'un petit nombre de guerriers peut facilement abattre un grand nombre d'hommes inhabiles dans les combats, surtout lorsque la cause de la justice est protégée par le secours du Ciel. Osez seulement, que rien ne puisse vous faire reculer, et bientôt le triomphe réjouira vos cœurs. Je compte sur vous, guerriers chevaleresques de la noble France, et vous, hommes de Bretagne qui ne savez reculer, hommes du Maine illustres à la guerre, hommes de Flandre au cœur hardi, gens de Calabre, de Pouille, de Sicile dont les traits sont brûlants, et vous, Normands accoutumés aux actions d'éclat, je compte sur vous! En avant! *Thor aïe!*...

L'écho prolongea le cri de guerre normand jusqu'aux avant-postes anglais, les emplissant de terreur. Il était cinq heures du matin, ce 14 octobre 1066; l'aube blanchissait à peine.

Le roi Philippe
est fait chevalier

Au retour de leur séjour en Normandie, Anne et Raoul, toujours épris l'un de l'autre, passèrent quelque temps dans leur château de Crépy. C'est là que le comte de Valois apprit que Thierry, l'évêque de Verdun, malgré des demandes pressantes, n'avait point payé son tribut annuel, celui que ses prédécesseurs n'avaient jamais négligé de verser, estimant que la protection de leur seigneur valait bien vingt livres. Thierry, lui, pensait autrement. Peu habitué à ce qu'on lui résistât, Raoul entra dans une violente colère et leva une armée. Arrivé dans le comté de Verdun, il le dévasta méthodiquement, mit le siège devant la ville, puis la brûla, tuant nombre de ses habitants. Choquée par tant de brutalité, Anne fit dire des prières pour le repos de l'âme des malheureuses victimes.

A l'annonce de la mort de son beau-frère, le valeureux roi Harald de Norvège, Anne eut un grand chagrin. Comme elle s'inquiétait du sort de sa sœur Élisabeth et de son neveu qu'elle savait en Angleterre, Raoul de Crépy envoya un courrier auprès de Guillaume de Normandie afin de savoir ce qu'ils étaient devenus. La réponse leur parvint deux semaines plus tard; Harold avait fait preuve de magnanimité, il avait renvoyé la reine de Norvège et les survivants dans leur pays, contre la promesse de ne plus attaquer l'Angleterre. Sur les trois cents navires partis des Shetlands, vingt-quatre seulement étaient rentrés au port. Anne écrivit une longue lettre à sa sœur, lui disant qu'elle serait toujours la bienvenue au royaume de France.

Le jeune roi Philippe attendait le moment de sa majorité avec impatience. Non que la tutelle de Baudouin de Flandre lui eût semblé pesante, mais les premiers récits des victoires de Guillaume, que l'on n'appelait plus autrement que le Conquérant, l'enflammaient au point qu'il n'aspirait qu'à rejoindre l'illustre vainqueur. Ce n'était pas sans inquiéter son tuteur qui avait réussi à maintenir la France hors de la querelle opposant Anglais et Normands. L'annonce, le 25 décembre 1066, du couronnement du duc de Normandie, calma ses inquiétudes. Guillaume roi d'Angleterre, la guerre était terminée.

Au début de l'année suivante, Philippe fut fait chevalier par Baudouin de Mons, le fils du comte de Flandre, dans la cour d'honneur du château de Senlis. Il n'avait pas quinze ans.

Après une nuit passée en prières au pied de l'autel, il confessa ses péchés au chapelain Godefroy, entendit la messe et reçut la communion.

Deux hautes tribunes avaient été dressées, garnies de tapisseries de Flandre, dans lesquelles les dames, les prélats et les seigneurs avaient pris place. Dans celle des dames se tenait la reine mère, éblouissante dans une robe de brocart écarlate doublée de petit-gris, tout comme le manteau de drap de Bruges vert retenu sur l'épaule par une agrafe d'or, les gants et les bottes. Bien que le soleil brillât, il faisait très froid. Des valets tendaient au bout de longues pinces des gobelets de vin chaud fortement épicé. Près de la reine se tenaient Adèle de Flandre, Adélaïde de La Ferté, Biote de Pontoise, Hildebrande de Valois et Blanche d'Arles. Anne se pencha vers l'autre tribune pour saluer de la tête ses vieux et fidèles amis Gosselin de Chauny, l'archevêque Gervais de Reims, Gautier de Meaux, ainsi que Raoul de Crépy, superbe dans son costume noir aux broderies mi-or et mi-argent.

Debout, grand et fort pour son âge, tête nue, vêtu du bliaut[1] blanc, mains jointes et yeux clos, Philippe attendait.

Gosselin de Chauny, descendu de la tribune, s'avança, lui passa les gantelets d'acier et lui mit les éperons d'or; Raoul de Crépy le revêtit du haubert, tandis que Baudoin de Mons lui récitait les commandements du chevalier :

— Tu croiras à tout ce qu'enseigne l'Église et tu observeras tous ses commandements. Tu la protégeras. Tu auras le respect de toutes les faiblesses et t'en constitueras le défenseur. Tu aimeras le pays où tu es né. Tu ne reculeras pas devant l'ennemi. Tu feras aux hérétiques une guerre sans trêve et sans merci. Tu t'acquitteras exactement de tes devoirs de chevalier. Tu ne mentiras point et seras fidèle à la parole donnée. Tu seras libéral et feras largesses à tous. Tu seras partout et toujours le champion du Droit et du Bien contre l'Injustice et le Mal.

On lui passa autour du cou la courroie portant le bouclier ayant appartenu à son père. Après quoi, Philippe se mit à genoux. Baudouin de Mons lui donna la colée et lui remit l'épée en disant :

— Au nom de Dieu, saint Michel et saint Georges, je te fais chevalier. Sois preux!

Le nouveau chevalier, visiblement ému, se releva

1. Sorte de tunique.

et alla s'incliner devant sa mère. Anne se pencha et le coiffa du heaume vermeil.

On amena son cheval préféré. D'un bond, il l'enfourcha sans l'aide des étriers, sous les acclamations de la foule, saisit la lance de frêne à pointe d'acier et partit au grand galop abattre la quintaine[1].

Malgré le mauvais temps, les réjouissances durèrent jusqu'au soir.

En dépit des fourrures et du vin chaud, le froid faillit être fatal à la reine mère qui dut s'aliter avec une forte fièvre au lendemain des festivités données en l'honneur de son fils. Elle n'était pas assez remise, au moment de Pâques, pour assister en Normandie aux fêtes du retour de Guillaume. En accord avec le roi Philippe, il fut convenu qu'en son absence et en celle de sa mère, le comte de Valois, au titre de beau-père du roi, y représenterait la France.

Longtemps, à la cour de France, on parla avec envie de la munificence de celle du roi Guillaume, des vêtements richement brodés de ses barons, des nobles anglo-saxons aux cheveux longs, de la vaisselle d'or et d'argent, des cornes de buffle ciselées, de l'abondance de mets inconnus, des musiciens, des tournois où se défièrent Anglais et Normands, de la consécration de l'abbatiale Notre-Dame à Saint-Pierre-sur-Dives, des largesses et des bienfaits que le duc-roi fit pleuvoir sur son peuple. Philippe, au retour d'un voyage en Flandre, en conçut de la jalousie.

Le 1er septembre, le comte Baudouin mourut, chargé d'ans et d'honneurs. Gervais, archevêque de Reims et chancelier, s'était éteint deux mois aupara-

1. Mannequin mobile servant de cible.

vant. Le fils d'Anne se retrouva seul pour gouverner le pays.

Au mois de mai de l'année suivante, la reine mère se rendit en Angleterre pour assister au couronnement de la duchesse de Normandie. Fluette dans ses lourds atours, Mathilde rayonnait quand l'archevêque d'York, Ealdred, posa la couronne royale sur son front à Westminster. Enceinte, elle resta en Angleterre en compagnie d'Anne jusqu'à sa délivrance. L'enfant, un fils prénommé Henri, fut établi par son père héritier de tous ses domaines d'Angleterre avec l'approbation des grands. Ce quatrième fils combla de joie Guillaume.

Rentrée en France, Anne séjourna auprès du roi Philippe, en compagnie de son fils Hugues et de son époux Raoul, à Paris, puis à Orléans, à Compiègne et à Soissons.

Philippe et Hugues semblaient avoir pardonné à leur mère son remariage; ils se montraient courtois envers le comte de Valois et les fils de celui-ci, Gautier et Simon. Simon jouissait d'un grand prestige auprès des deux princes français, car il avait accompagné Guillaume dans sa conquête de l'Angleterre. Il n'était certes qu'un des écuyers du duc, et son jeune âge l'avait maintenu à l'écart des plus rudes combats. Pendant de longues soirées, Philippe lui fit néanmoins raconter les grands moments de la bataille. Bien installés sur de confortables coussins devant la monumentale cheminée de la grand-salle du château de Senlis, princes et comtes, chevaliers et écuyers étaient suspendus aux lèvres du jeune homme :

— Tustin, fils de Rollon, porte l'étendard des Normands. Les formidables guerriers s'élancent au son des trompettes en criant : *Thor aïe!* Nos archers tirent les premiers, apportant la mort dans les rangs de l'ennemi; celui-ci riposte par une grêle de pierres si dense que nous reculons. Pas pour longtemps, mais les haches anglaises font de sombres coupes parmi nous. Les Bretons lâchent pied, c'est une effroyable bousculade qui tue autant que les flèches anglaises. Soudain, dans le tumulte, un cri domine : « Le duc est mort!... Le duc est mort!... » Alors c'est la déroute, quand, de la cohue, se dresse un chevalier couvert de sang, brandissant son épée, essayant de retenir les fuyards qui le bousculent; il arrache son casque en criant : « Voyez-moi tous, je suis vivant, et avec l'aide de Dieu, je vaincrai! Quelle démence vous pousse à la fuite? Quel chemin s'ouvrira à votre retraite? Bande de lâches, vous vous laissez repousser et tuer par ceux que vous pouvez égorger comme des troupeaux! Vous abandonnez la victoire et une gloire éternelle pour courir à votre perte et à une perpétuelle infamie. Si vous fuyez, aucun de vous n'échappera à la mort! » La vue de leur duc vivant, plus que ses paroles de colère, redonne courage aux Normands qui se précipitent avec une telle ardeur au combat que les Anglais à leur tour sont taillés en pièces. Le plus ardent est leur Conquérant qui manie sa lourde épée comme un fléau. Autour de lui, ce n'est qu'un monceau de cadavres. Pas un des assaillants n'en réchappe. Au combat, le duc n'a d'égal qu'un seul homme qui est toujours à ses côtés au plus fort de la bataille : c'est celui que tous parmi nous appellent le Chevalier masqué ou le Chevalier à la brillante figure. A eux deux, ils font plus de besogne qu'une centaine de valeureux guerriers! A maintes reprises, on crut notre chef mort, trois chevaux tombèrent, percés sous lui. Avec une agilité surprenante pour sa haute taille et son embonpoint, il sauta à terre et, chaque fois, vengea la mort de son coursier. Par deux fois, il commanda à son armée de simuler la retraite pour tromper l'ennemi; par deux fois, la ruse réussit et les Anglais périrent massacrés en grand nombre. Galvanisés par leur succès, les Normands ne sentent plus ni blessures ni fatigue, et repartent à l'assaut, lançant leur terrible cri de guerre que les plus courageux n'entendent pas sans frémir. Leur ardeur au combat est maintenue lors des courts répits par les récits de Taillefer, un barde téméraire qui, juché sur son cheval, indifférent aux projectiles tant amis qu'ennemis, récite aux combattants l'épopée de Roland et de ses preux :

> « *La bataille est merveilleuse; elle tourne à la mêlée. Le comte Roland ne se ménage pas. Il frappe de son épieu tant que dure la hampe; après quinze coups, il l'a brisée et détruite. Il tire Durandal, sa bonne épée, toute nue. Il éperonne, et va frapper Chernuble. Il lui brise le heaume où brillent des escarboucles, tranche la coiffe avec le cuir du crâne, tranche la face entre les yeux, et le haubert blanc aux mailles menues, et tout le corps jusqu'à l'enfourchure. A travers la selle qui est incrustée d'or, l'épée atteint le cheval et s'enfonce. Il lui tranche l'échine sans chercher le joint, il abat le tout mort dans le pré, sur l'herbe drue. Puis il dit : " Fils de serf, vous vous mîtes en route à la malheure! Mahomet ne vous donnera pas son aide. Un truand tel que vous ne gagnera point de bataille! "... »*

A ce point du récit de Simon, l'excitation des jeunes hommes de l'entourage du roi Philippe était à son comble; ce n'étaient que cris de guerre : « Montjoie!... Saint-Denis!... *Thor aïe!...* », et rires soutenus par des cornes de vin épicé, présentées par des serviteurs pas moins passionnés que leurs maîtres.

– Oh! que la guerre est belle! s'exclama Philippe.

– Belle et désirable comme une femme! renchérit Gautier, frère de Simon.

– Non, mon frère. La guerre est terrible... Notre seigneur Guillaume le vit bien, au soir de la première journée, quand il enjamba tous ces morts dont la plupart étaient de ses amis. Moi qui vous parle, je l'ai vu pleurer, lui, le plus farouche de tous les guerriers de ces rudes combats. Blessé, il s'appuyait au bras du Chevalier masqué. Il murmurait, le visage barbouillé de sang et de larmes : « Mes enfants, mes pauvres enfants! » Il se laissa tomber sur un banc de mousse, les pieds dans la vase des marais. J'étais près de lui, la nuit tombait. Des valets apportèrent des torches qu'ils plantèrent dans la boue; on lui tendit à manger, il repoussa l'écuelle mais but du vin, lentement, en silence. Alentour, on n'entendait que les gémissements des blessés et le croassement des corbeaux et le cri des mouettes. Malgré la victoire, tous se sentaient accablés. Enfin, le duc parla : « Qu'aucun de vous n'oublie jamais. Une terre si légitimement sienne vaut-elle tant de pertes? – Mon frère, dit l'évêque Odon en retirant son casque, c'est Dieu qui a permis la victoire de nos armes, c'est Dieu qui a armé notre bras, c'est Dieu qui a voulu la mort de ces preux pour que, soldats de Dieu, ils soient à Sa droite. C'est lui faire injure que de larmoyer comme une vieille femme! » Tous s'immobilisèrent. Comment le Conquérant allait-il réagir à ces dures paroles? Sans chercher à cacher ses larmes, Guillaume leva son visage vers son frère : « Je prie Notre-Seigneur que vous ayez raison, évêque de Bayeux, mais la main de Dieu est bien lourde! – Mon frère, que Sa volonté soit faite, et non la nôtre. Tenez, voici venir le barde Taillefer que Dieu a protégé tout au long de cette journée. Barde, conte-nous la fin du comte Roland! » Taillefer sortit de dessous sa cotte de mailles une petite lyre. Après quelques accords, il psalmodia :

« *Roland sent que la mort le prend tout : de sa tête elle descend vers son cœur. Jusque sous un pin il va courant; il s'est couché sur l'herbe verte, face contre terre. Sous lui, il met son épée et l'olifant. Il a tourné sa tête du côté de la gent païenne : il a fait ainsi, voulant que Charles dise, et tous les siens, qu'il est mort en vainqueur, le gentil comte. A faibles coups et souvent il bat sa coulpe. Pour ses péchés il tend vers Dieu son gant. Les anges du ciel descendent à lui... »*

Maintenant, tous les jeunes gens pleuraient.

Le récitant, en larmes comme son auditoire, se mit à genoux :

– Mes amis, prions pour l'âme du valeureux Roland et de ses compagnons. Prions également pour les Normands et les Anglais qui ont trouvé la mort pour la plus grande gloire de Dieu et du duc-roi!

Le roi donna l'exemple et s'agenouilla aux côtés de Simon de Crépy. Tous l'imitèrent.

Les années qui suivirent la conquête de l'Angleterre par Guillaume furent, pour Anne, les plus heureuses de sa vie. Elle assista avec émotion au mariage de Philippe avec Berthe, fille de Florent, comte de Hollande et de Gertrude de Saxe, et belle-fille de Robert le Frison. Mais, très vite, la nouvelle reine prit ombrage des liens affectueux qui unissaient la mère et le fils. Anne en conçut du chagrin et prit le parti de moins paraître à la cour.

L'an 1072, qui avait commencé par les festivités du mariage royal, se termina dans les larmes et le deuil. Gautier, le fils aîné de Raoul, fut tué auprès du roi de France lors de la guerre de Vitry, non loin de Reims. La douleur du comte de Valois fut immense. Il fit faire à ce fils aîné des funérailles grandioses, auxquelles assistèrent le roi Philippe, son frère, de nombreux barons et évêques. A cette occasion, il accorda une importante donation au monastère de Saint-Remi et recommanda à l'évêque Hériman, abbé du couvent, de faire dire de nombreuses prières pour le repos de l'âme de Gautier. Soutenu par Anne et Simon, il se retira quelque temps chez les moines augustins d'Amiens, mais n'y trouva point la paix qu'il y cherchait.

C'est un homme amer, fatigué et soudain vieilli qui revint à Crépy. La tendresse et la sollicitude d'Anne restèrent sans effet. Raoul noya son chagrin dans des beuveries qui tournèrent bientôt à l'orgie. Plusieurs jeunes filles disparurent, certaines furent retrouvées nues dans les bois, tenant des propos incohérents où le nom du comte revenait souvent. Toutes avaient été violées, d'aucunes torturées. La comtesse recueillit certaines de ces infortunées qu'elle plaça dans des couvents de la région. Sur tout le comté plana une grande terreur. On revit dans l'entourage du comte ces hommes à la mine patibulaire dont il aimait autrefois à s'entourer : prêtres défroqués, filles perdues, femmes soupçonnées de sorcellerie, bandits notoires, moines pillards et violeurs. Pendant une année, ils semèrent sur les terres du comte de Valois l'horreur et les larmes. Réfugiée auprès de ses enfants, Anne passait son temps en prières et à secourir les victimes de son époux.

C'est au retour d'une de ces expéditions orgiaques, près de Montdidier, que Raoul trouva la mort. Épuisé de débauches, il tomba de cheval et se fracassa le crâne sur les pierres du chemin. Ses noirs compagnons s'enfuirent après l'avoir dépouillé, abandonnant son cadavre aux loups. Des bûcherons le découvrirent et le reconnurent malgré les morsures. Ils rapportèrent son corps à Montdidier où il fut enseveli dans le tombeau qu'il s'était fait construire.

Longtemps, Anne contempla le corps de cet homme qu'elle avait aimé et qui l'avait tendrement et follement aimée avant de redevenir la proie de ses démons. Elle pria Dieu d'absoudre ses péchés et de les lui pardonner, comme elle pardonnait les souffrances et les humiliations qu'elle avait endurées depuis la mort de Gautier. Elle supplia la Vierge Marie, elle qui avait eu la douleur de perdre Son divin Fils, d'intercéder en sa faveur.

La comtesse de Valois se retira alors au château de Crépy en compagnie de Simon.

La lettre de Guillaume

APRÈS la mort de Raoul, Anne resta dans sa retraite de Crépy malgré les demandes de Philippe qui la priait de venir à sa cour, près de Berthe et de lui-même.

« Mon fils, laissez-moi, lui écrivit-elle, j'ai besoin de reposer mon corps et mon âme. La mort de mon bien-aimé époux m'affecte tant que je suis contrainte de demeurer au lit. Ne soyez pas inquiet pour moi, mon beau-fils Simon me traite comme sa mère. Ensemble, nous prions pour le repos de l'âme du comte, suppliant le Seigneur Dieu de bien vouloir l'accueillir au Royaume éternel, malgré ses lourdes fautes et le malheur d'avoir expiré en dehors de la communauté des fidèles. Nous avons, d'un commun accord, abandonné le séjour de Montdidier, bien décidés à restituer ces terres, injustement acquises par mon malheureux époux, aux héritiers légitimes. Le pape Grégoire nous encourage vivement dans cette voie. D'autre part, je vous supplie, mon très cher fils, d'intervenir auprès du seigneur de Broyes pour qu'il rende à Simon les villes de Vitry, Bar-sur-Aube et La Ferté qu'il a prises par traîtrise. On me dit que vous seriez l'instigateur de cette guerre, pour moi fratricide; je ne veux pas le croire. Vous et Simon étiez des frères il n'y a pas si longtemps! Par ailleurs, je vous remercie des bontés que vous avez eues pour mes chanoines de Saint-Vincent, et du soin que vous avez à entretenir ma chère église. Laissons passer un peu de temps, et je rejoindrai ce divin séjour : " Bienheureux ceux qui ont été invités aux noces de l'Agneau! " Mais, avant de me retirer du monde, je désire aller me recueillir sur la tombe de ma mère à Novgorod. Je demande humblement à mon royal fils l'autorisation de me rendre dans mon pays natal dès que ma santé sera rétablie. J'appelle sur vous la protection de la Très Sainte Vierge Marie et des saints Apôtres. Recevez celle de votre aimante et malheureuse mère. Anne. »

En réponse à la lettre de la reine mère, le roi Philippe envahit les États du comte de Valois jusqu'à Amiens. Simon se rendit à Rome pour demander conseil au pape. Grégoire lui recommanda de défendre ses biens. De retour, fort de cet appui, Simon, après une violente bataille, vainquit Philippe et, après signature du traité de paix, recouvra son héritage.

Ces événements avaient vivement affecté Anne. Elle trouva cependant la force d'aller réconforter Mathilde, qui venait de perdre son fils Richard, tué en Angleterre au cours d'un accident de chasse. Les deux amies pleurèrent dans les bras l'une de l'autre. Guillaume souffrait en silence de la mort de son fils préféré, y voyant la punition des exactions commises par les Normands dans le Sussex et le Hampshire. En expiation, il fit distribuer de larges aumônes et dire de nombreuses messes. Durant de longs mois, il resta enfermé dans son château de Falaise. La venue d'Anne le fit sortir de sa tanière et quitter cet air sombre qui inquiétait tant son entourage. On le revit s'élancer derrière le cerf et le renard. On sut à ce moment-là qu'il avait surmonté son chagrin. C'est au retour d'une partie de chasse qu'Anne lui demanda :

— Je n'ai pas vu, parmi vos chevaliers, celui que l'on nomme le Tailladé. Ne fait-il plus partie de votre cour? Qu'est-il devenu?

Guillaume lui lança un regard perçant :

— Que lui voulez-vous? dit-il plus brutalement qu'il ne l'eût souhaité.

Étonnée par la violence du ton, Anne répondit simplement :

— Le revoir.

Ce fut au tour du duc-roi d'être étonné par la simplicité de la réponse.

Ils restèrent un long moment silencieux. Guillaume reprit la parole le premier :

— Pardonnez-moi, ma chère; c'est l'inquiétude dans laquelle je suis du sort du Tailladé qui m'a fait vous répondre ainsi.

— Que voulez-vous dire?

— Il y a plus de deux années qu'il est parti en Terre sainte et, depuis, je suis sans nouvelles. Par des marchands qui l'ont vu là-bas, je sais qu'il y est bien arrivé; mais, depuis, plus rien...

Anne devint plus pâle encore.

— Dieu fasse qu'il revienne! murmura-t-elle.

Songeur, Guillaume regarda la reine. Malgré les années qui avaient semé des fils blancs dans ses tresses rousses, il la trouvait toujours aussi belle. Le temps ne semblait pas avoir prise sur elle. Ses maternités n'avaient pas abîmé son corps de chasse-resse, son visage avait gardé une expression juvénile. Privée d'homme depuis son récent veuvage, il y avait en elle comme une inexplicable langueur. Savait-elle qui était le Chevalier masqué? Philippe ne lui avait pas donné la raison de son départ pour Jérusalem, mais le Conquérant était sûr qu'elle avait à voir avec cette femme. Pourquoi cette pâleur, cette voix soudain altérée?

– J'ai demandé au roi mon fils la permission de me rendre dans mon pays...

– Votre place est auprès de lui, et non là-bas.

– Guillaume, je ne suis plus rien ici. La reine Berthe est jalouse de son titre, et ma présence lui est insupportable. Quant à mon fils, il se venge de mon mariage avec Raoul de Crépy en envahissant ses domaines. Je sens que je n'ai plus longtemps à vivre. Sans cesse je pense à mon père, le grand Iaroslav, à ma mère, la sainte Ingegerde, à mes frères...

– Ils sont tous morts, nul ne vous attend là-bas, dit brutalement le duc.

– Je le sais bien, ami, mais ces morts chéris m'appellent. Chaque nuit, je revois en songe les forêts, les fleuves de mon pays, et surtout Novgorod la grande. J'ai lutté contre ces chers souvenirs, en vain. Je dois retourner chez moi.

– Est-ce pour cela que vous désirez voir le Tailladé?

Anne se troubla.

– Étant de nulle part, il m'a semblé qu'il pourrait m'accompagner.

– Reine, pouvez-vous jurer devant Dieu qui nous regarde qu'il n'y a pas d'autres raisons?

Elle le regarda droit dans les yeux et dit avec un sourire las :

– Non...

Encore une fois, ils restèrent longtemps silencieux. Cette fois, ce fut elle qui rompit le silence :

– Ami Guillaume, ces raisons, si elles existent, sont à moi. Sachez cependant qu'il y a un lien entre cet homme et moi, que nul ne peut rompre, pas même Dieu.

– Vous blasphémez! Et si le fait de vous revoir le condamnait à la damnation éternelle?

– S'il est bien celui que mon cœur croit, il n'est pas homme à redouter l'enfer.

– Anne, vous êtes folle! Vous êtes bien celle qui m'a jadis ensorcelé d'un seul regard, la Mora!

– Je ne suis pas folle, et il n'y avait aucune sorcellerie dans tout ccla. Il n'y avait qu'un homme et une femme que Dieu a mis en présence l'un de l'autre à des fins connues de Lui seul. Et si Dieu avait projeté cette rencontre au fond des forêts allemandes dans le seul but que vous m'aidiez aujourd'hui?

– Que je vous aide?

– Oui. D'abord à retrouver cet homme, ensuite à me permettre, si le roi mon fils s'y oppose, de retourner mourir sur les bords du lac Ilmen.

– N'attendez rien de moi! J'espère que votre fils aura la sagesse de vous interdire ce voyage. Vous avez été reine de France, vous êtes mère du roi : votre place est ici.

– Non, cher Guillaume. Tenez, prenez ceci : quand vous reverrez le Chevalier masqué, donnez-le-lui, et dites-lui que je l'attends.

– Je ne ferai pas cela!

– Vous le ferez, par amour pour moi.

De retour au château de Crépy, Anne passa de longs jours au chevet de son beau-fils, grièvement blessé par les soldats de Philippe. Simon implora la Vierge Marie de lui conserver la vie afin de réparer les fautes de son père. La mère de Dieu, Salut des Infirmes, l'entendit et exauça sa prière. Simon émit alors le vœu de quitter le monde et de revêtir la robe de bure. En accord avec sa belle-mère, il fit transférer le corps de son père Raoul de Montdidier à Saint-Arnoul de Crépy. Quand on exhuma le cadavre, Simon voulut contempler une dernière fois les traits de son père; la corruption avait fait son œuvre.

– Est-ce donc bien ici le corps de Raoul, de ce guerrier si redouté dans l'art des sièges? Voilà donc où aboutit la gloire des grands de ce monde! s'écria-t-il.

Cela le conforta dans son désir de retraite.

Alors il abandonna le Vexin au roi de France.

La reine mère obéit enfin au désir de son fils, elle s'installa à Melun, puis à Senlis où elle reprit ses visites aux pauvres et aux écoles qu'elle avait créées.

Le 23 mai 1075, elle accompagna Philippe à Blois et signa un diplôme en faveur de l'abbaye de Pont-levoy.

C'est au retour de ce voyage qu'un envoyé du duc de Normandie demanda à être reçu par elle et lui remit, en même temps qu'une lettre de son maître, une bague. En la voyant, Anne poussa un cri et perdit connaissance. Ses femmes se précipitèrent, mais son malaise fut de courte durée. Le messager, un genou en terre, regardait la reine avec inquiétude; le duc lui avait recommandé de lui rapporter exactement chacun des mots et gestes de la reine. N'allait-il pas être puni de l'effet produit par son message?

Depuis quelque temps, la vue d'Anne baissait; elle ne parvint pas à déchiffrer la lettre de Guillaume. Elle appela la jeune Blanche de Chauvigny, la seule de ses dames d'honneur à savoir lire, et lui demanda de lui en faire lecture à voix basse. Les autres dames se reculèrent. Blanche lut en ânonnant :

> « Reine Anne, puisque vous lisez cette lettre et avez cette bague en main, vous savez que mon vassal et ami, le Chevalier masqué, est de retour. La vue de votre anneau a failli le tuer.

Ce que les Infidèles n'avaient pas réussi, votre souvenir en a été bien près. Par amour pour vous et pour lui, je consens à être votre interprète auprès du roi Philippe. Je ne fais pas cela sans une profonde peine, mais les souffrances de mon ami, sa foi sincère en Dieu et son désir de respecter son serment, et bien sûr votre demande pressante, font qu'aujourd'hui j'accepte ce que je vous ai refusé naguère. Le messager qui est devant vous a une lettre pour le roi votre fils, dans laquelle il lui est dit que je ne m'oppose pas à la cession par le comte Simon de Crépy du Vexin, à la condition qu'il vous laisse aller vous recueillir sur la tombe de votre mère, et que je mets à votre disposition navire et chevaliers afin que vous accomplissiez votre pieux pèlerinage. Le navire en question, vous le connaissez bien, puisque je le dois à votre munificence et à celle de ma noble et bien-aimée épouse, et qu'il m'a conduit, hardi et fier, à la conquête de l'Angleterre; c'est la *Mora*. Vous devinez qu'en confiant vos précieux jours à ce bâtiment chéri, nous vous donnons là, la reine Mathilde et moi-même, la preuve de notre amour. Puissent Notre-Seigneur, la Très Sainte Vierge Marie et l'archange saint Michel vous guider le long de ce périlleux voyage. Dès à présent, je fais dire des prières pour sa réussite et votre prompt retour parmi nous. Guillaume, duc de Normandie et roi d'Angleterre. »

Blanche de Chauvigny, qui avait lu la missive à genoux devant la reine, la regardait, ses jolis yeux pleins de larmes :

– Oh, ne nous quittez pas, reine! Que deviendrons-nous sans vous?

— Tes larmes me touchent, mon enfant. Sèche-les, car, vois-tu, je suis heureuse.

— Laissez-moi venir avec vous!

— Si le roi le permet, je le veux bien, petite. Tu seras mes yeux, car bientôt je n'y verrai plus.

Philippe entra dans une violente colère au reçu de la lettre de Guillaume, et menaça de rompre la paix nouvellement signée. Son épouse, la reine Berthe, qui n'avait jamais aimé sa belle-mère, lui fit remarquer que la neutralité des Normands dans l'affaire du Vexin était autrement plus importante que le pèlerinage projeté. Le roi en convint assez facilement, surtout quand on lui fit savoir que cela ne lui coûterait rien : Anne était riche des biens dont lui avait fait don de son vivant Raoul de Crépy.

Il fut convenu que le départ aurait lieu au printemps suivant.

Le retour d'Anne

DE ses deux années passées en Palestine, le Chevalier masqué ne dit rien, malgré les demandes pressantes et réitérées de Guillaume et de ses barons. Philippe se contenta de préciser qu'il n'avait jamais failli à l'honneur, et qu'il avait baisé le tombeau du Christ. Dans une boîte d'or, il avait mis de la poussière du Divin Sépulcre; il l'offrit au duc-roi.

Après les festivités données en l'honneur de son retour, Guillaume désira l'entretenir en privé. Il lui redit sa joie de le revoir vivant, et son désir de le conserver à jamais près de lui. Afin de renforcer les liens qui les unissaient, le duc lui proposa la main d'une de ses filles. C'était un honneur inouï, et Philippe le comprit ainsi. Il mit un genou en terre et répondit simplement, sans chercher à cacher son émotion :

– Sire roi, nul ne fut aussi généreux que vous dans tous les temps. Quoi, vous voudriez lier le sort d'une des princesses à celui d'un pauvre chevalier errant, sans autre bien que son cheval et les armes qu'il doit à votre bonté? Ce serait mal vous manifester ma reconnaissance et mon amour que d'accepter ce que votre amitié me propose. Je me sens mille fois payé du peu que j'ai accompli pour vous par le seul fait que vous m'accueilliez comme... un frère?

– Tu l'as dit, je te considère comme mon frère et

je veux t'honorer comme tel. Tu n'es pas sans biens, puisque j'ai signé ce jour à ton nom la donation du château de Cerisy, des terres et des fermes qui en dépendent, ainsi que de grands domaines en Angleterre. Il convient que mon futur gendre soit digne de son nouveau rang.

— Seigneur, vous me comblez, mais je ne puis accepter.

— Tu me ferais l'affront...

— Je ne puis accepter, répéta Philippe d'une voix sourde, et vous le savez.

A son tour, Guillaume fut gagné par l'émotion et contempla longuement son ami :

— Pardonne-moi. Je voulais te tenter, voir si tu ne l'avais pas oubliée...

— Roi, j'ai tenté là-bas de l'oublier tout à tour dans la prière comme dans les pires débauches, et jusque dans le sang. Je n'ai pas pu. Un saint moine m'a délié de mon serment, mais elle seule peut le faire.

— Tu l'aimes donc encore, malgré le temps...

— Le temps n'a fait que renforcer mon amour. Fût-elle devenue une vieille femme, sous les plis de son front je reconnaîtrais ma princesse de Novgorod...

— Novgorod... Toi non plus, tu ne l'as pas oubliée?

— J'ai beaucoup voyagé, mais je n'ai vu nulle part ville plus belle et peuple plus accueillant.

— Aimerais-tu y retourner?

Philippe resta un long moment silencieux avant de répondre, ému :

— Sans elle?... Ne comprends-tu pas, roi, que cette ville était la plus belle parce qu'elle lui ressemblait, fière et libre comme elle? Novgorod sans sa princesse ne serait plus Novgorod, mais une ville quelconque.

— C'est bien. Tiens, elle m'a remis ceci pour toi.

Quand il eut en main l'anneau donné tant d'années auparavant, Philippe crut mourir de bonheur. Guillaume s'alarma de la rigidité de son corps.

– Ami, ressaisis-toi!... Tu ne vas pas te trouver mal comme une femmelette?

D'un seul coup, un flot de larmes coula sur la face argentée. Guillaume se leva et détacha le masque de son ami. Le pauvre visage couturé apparut, pitoyable. Le duc le serra contre lui et pleura avec lui.

– Mon frère, la reine Anne te réclame. Elle veut aller prier sur le tombeau de sa mère. Elle souhaite que ce soit toi qui l'accompagnes.

La foudre n'eût pas agi avec plus de violence. Philippe tomba à genoux, comme pétrifié. Guillaume s'agenouilla près de lui et pria.

De sa retraite de Verneuil-l'Étang, Anne faisait ses derniers préparatifs en vue du voyage. Aidée par Adélaïde de La Ferté et Blanche de Chauvigny, elle mettait de l'ordre dans ses affaires, faisant présent de ses robes et de ses bijoux. Elle laissa à son fils Philippe sa Vierge de Novgorod qui ne l'avait jamais quittée et à laquelle elle tenait tant.

– Ne dirait-on pas que vous allez trépasser, pour abandonner ainsi tous vos biens? lui dit Adélaïde.

La reine mère détourna la tête en rougissant. La clairvoyance de son amie lui faisait peur. Fatiguée, malade, perdant peu à peu la vue, Anne savait qu'elle mourrait bientôt. Elle voulait que ce fût sur le sol de la Rous'. Toutes ses forces étaient à présent tendues vers ce but. Elle se savait plus malade que ne le disaient les médecins, et elle le cachait à tous pour ne pas être retenue. C'était difficile de mentir à Adélaïde qui la connaissait bien, mais elle parvint à lui donner le change.

En accord avec son fils Philippe, elle signa une charte en faveur de Saint-Vincent de Senlis :

« Tous les fils de la sainte Église savent que
le Créateur de l'Univers, Dieu le Père, a créé
toutes choses en vue de préparer et d'embellir
l'union de Son Fils unique avec cette même
Église.

« Non seulement le Père, mais le Fils Lui-
même, d'un commun accord avec l'Esprit
Saint, l'ont prise pour épouse, selon les paroles
que le Fils Lui-même lui adresse dans le *Canti-
que des Cantiques* : " Viens du Liban, viens, tu
seras couronnée, viens du sommet d'Amana,
des cimes de Samir et de l'Hermon. "

« Or, moi, Anne, comprenant dans mon
cœur, méditant dans mon esprit une si grande
beauté, une si grande gloire, et me souvenant
de ce qui est écrit : " Bienheureux ceux qui ont
été invités aux noces de l'Agneau ", et ce que
l'Épouse du Christ elle-même dit ailleurs :
" Ceux qui me mettent en lumière auront la Vie
éternelle ", je me suis demandé en moi-même
comment je pourrais prendre part un jour à ce
festin, à ce bonheur et à cette Vie éternelle.
Mon cœur s'est enfin déterminé à construire
une église au Christ pour pouvoir être incorpo-
rée intimement et attachée comme un membre
à cette sainte société, reliée au Christ par la foi,
et j'ai donné ordre d'élever au Christ et de lui
dédier une église en l'honneur de la Sainte
Trinité, de Marie, la Sainte Mère de Dieu, du
précurseur du Seigneur et de saint Vincent,
martyr, et, par un don, j'y ai envoyé de mes
biens et de ces biens que le roi Henri, mon
époux, m'avait donnés lors de mon mariage.

« Tous ces biens, par la faveur de mon fils,
Roi par la grâce de Dieu et avec l'assentiment
de tous les Grands du royaume, je les cède à
cette église, pour qu'en cet endroit puissent

vivre des hommes calmes, paisibles et religieux, servant le Seigneur, renonçant au monde, en embrassant la vie régulière, canoniquement, c'est-à-dire la règle écrite des saints Apôtres et de saint Augustin.

« Qu'ils prient nuit et jour, pour les péchés du roi Henri, de mes enfants et de mes amis, ainsi que pour mes propres péchés, et que par leurs prières ils obtiennent de me présenter au Seigneur sans tache et sans ride, comme le Christ le désire pour son Église.

« *A savoir* : la terre à côté de l'église, achetée et possédée par prévôt Yves, avec le four et les revenus ordinaires de cette terre; les neuf hôtes avec tous les usages et revenus que je possédais auparavant dans ce même lieu; le droit d'entrée franche des provisions dans la cité, dans le faubourg de laquelle a été construite l'église; et pour ce qui dépend de la ville, un moulin dans le bourg dit Gouvieux, une ferme dite Blanc-Mesnil; dans le territoire de Laon, une propriété dans le bourg nommé Crespy.

« Mais pour que personne, dans la suite, ne les ennuie, je cède absolument tous les usages et tous les revenus à Saint-Vincent et à ses chanoines. »

S'étant dépouillée autant que le lui permettait son rang à tenir durant le voyage et les usages, la reine fit ses adieux à ceux qui l'avaient fidèlement servie pendant de longues années. L'entourage de la reine Berthe la vit partir avec une joie choquante, qu'atténua quelque peu l'attitude du roi. Philippe tint à accompagner sa mère jusqu'au lieu de l'embarquement. Ils arrivèrent à Rouen par une chaude soirée de juin. Guillaume les accueillit avec sa munificence habituelle. Après trois jours de fêtes, de banquets, de tournois, de processions, ce fut le moment du départ.

L'aube annonçait une journée éclatante. Sur la Seine, la *Mora* remise à neuf se balançait imperceptiblement. Une foule bruyante et colorée attendait l'arrivée du cortège accompagnant la reine mère de France. Enfin les trompes retentirent, les chevaliers de la garde ducale, aux vêtements chamarrés, montés sur leurs palefrois richement harnachés, passèrent, fiers et droits, sans un regard pour la multitude. Derrière eux venaient les Grands, comtes et barons, princes et évêques, tous vêtus d'habits brodés d'or et d'argent, puis le roi de France et le roi d'Angleterre. Des deux, on ne savait lequel avait la vêture la plus éblouissante. Suivaient les litières des dames : celle de Mathilde aux couleurs de Normandie et d'Angleterre, celle d'Anne aux couleurs de France. La reine mère portait une robe venue de Byzance, blanche aux lourdes broderies d'or. Sous le jeune soleil, comme elle étincelait! Que tout était beau, en ce jour, autour d'elle! Mais elle n'avait d'yeux que pour la *Mora* et la silhouette floue, debout, là-bas, à la proue, dont les armes et le visage brillaient.

Anne fit ses adieux à ses fils en pleurant et leur donna sa bénédiction. Le cœur serré, Philippe regrettait d'avoir permis ce voyage. Il regardait sa mère comme s'il ne l'avait plus revue depuis longtemps. Des souvenirs d'enfance se bousculaient dans sa mémoire : il se la rappelait un jour d'été, ses longs cheveux défaits, le couronnant de fleurs et l'appelant son « petit du printemps »; le défiant à la course, allongée sur l'encolure de son cheval; belle, émue et fière de lui, le jour de son couronnement; c'est pour elle qu'il avait appris par cœur les paroles rituelles...

— Ma mère!... gémit-il en mettant un genou un terre.

— Mon fils, Dieu vous garde! D'où je serai, je

prierai chaque jour pour vous et pour le beau pays de France.

Ce fut au tour des souverains de Normandie de faire leurs adieux. Il fallut arracher Mathilde des bras de son amie. La reine d'Angleterre, trop bouleversée, dut être emportée par ses femmes.

Le duc-roi s'avança et prit la main d'Anne. Adroit, malgré son embonpoint, il l'aida à monter sur la passerelle menant au pont du navire. Arrivé là, il remit la main froide de la reine dans celle d'un homme au visage recouvert d'un masque d'argent, son ami le Tailladé...

– Viétcha!...

Trop bouleversé pour parler, Philippe mit un genou en terre et baissa la tête devant son amour retrouvé.

– Viétcha, relève-toi, regarde-moi... Nous sommes vieux, maintenant, libres de tout engagement... Dieu ne peut nous punir de nous revoir au déclin de notre vie, dit-elle dans leur langue natale dont elle retrouvait les sonorités avec un plaisir sensuel.

– Notre-Seigneur, dans sa grande bonté, a permis vos retrouvailles. Faites bon usage de ce temps donné pour Lui rendre grâces. Chevalier, je te confie cette dame à qui j'ai juré un pur amour auquel je suis demeuré fidèle. Protège-la contre tous et ramène-la, avec l'aide de Dieu, parmi nous, dit Guillaume.

– Seigneur roi, c'est un honneur pour moi de recevoir ma dame de vos mains. Soyez assuré que, moi vivant, nul mal ne lui arrivera. Par la Mora qui vous a toujours fidèlement servi, je le jure! dit Philippe en mettant la main sur son épée.

Le duc de Normandie, roi d'Angleterre, serra contre lui l'homme sans nom et sans visage qui était son ami.

– Tu vas me manquer, mon frère.

– Toi aussi, tu vas me manquer.

Une dernière fois, Guillaume s'agenouilla devant Anne.

– Bénissez-moi, ma dame, bénissez-moi, Mora...

Il frissonna sous la douceur des doigts posés sur son front.

C'en était trop pour la reine, qui s'affaissa dans les bras de Blanche de Chauvigny montée derrière elle avec deux servantes.

Guillaume quitta le navire, on retira la passerelle, on hissa les voiles.

Sur la berge, la foule priait, les moines chantaient tandis que l'archevêque de Rouen, entouré du clergé de la ville, bénissait la *Mora* et ses passagers.

Soutenue par sa suivante, Anne se porta à l'arrière du navire et resta debout, immobile, jusqu'à ce qu'une boucle de la Seine lui eût caché ceux qu'elle savait ne plus jamais revoir. Malgré ses larmes et son cœur serré, une juvénile allégresse l'avait envahie; elle souriait.

– Venez vous reposer, dit Blanche.

La reine se laissa entraîner sans protester et s'allongea sur des coussins placés sous un baldaquin où l'on avait disposé une collation.

– Demandez au Chevalier masqué de venir me rejoindre.

Philippe se présenta.

– Assieds-toi, partage ce repas avec moi.

Pendant quelques instants, ils mangèrent en silence et burent du vin épicé.

– Es-tu heureux de revoir notre pays?

– Oui, puisque je le revois avec toi. Mais je crains que tu ne retrouves rien de ce que tu as laissé. Ton père et ta mère ne sont plus; de tes frères ne reste que le Grand Prince Vsevolod; tes amis sont morts ou dispersés...

– Je sais tout cela. Mon frère Vsevolod a une fille, Ianka, qui a fondé un monastère de femmes à Kiev. Après mon séjour à Novgorod, si Dieu le veut, je me retirerai à Kiev dans ce couvent, auprès de cette sainte nièce que je ne connais pas.

– Si tel est ton désir, je te conduirai à Kiev et te remettrai entre les mains du Grand Prince.

Une brise légère faisait avancer rapidement le bateau. Anne voyait défiler la cime des arbres, respirait l'air embaumé de cette belle matinée d'été, tout son corps revivait; cela faisait longtemps qu'elle ne s'était sentie aussi bien, aussi en accord avec elle-même et la nature. Dieu approuvait ce voyage.

Elle se redressa avec une souplesse de jeune fille et alla en proue. La *Mora* fendait l'eau calme avec majesté. Philippe s'accouda près d'elle.

– N'as-tu pas regret de quitter ce beau pays? demanda-t-il en faisant un geste large.

La reine hésita :

– Oui, sans doute... La France est un beau pays, mais je m'y suis toujours sentie à l'étroit... Comment te dire? Elle manque de ciel... C'est cela : le ciel n'est pas assez vaste, l'horizon est trop limité... Les forêts sont si hautes, si denses! Quant aux châteaux, petits et sombres, les femmes y sont tenues trop enfermées! Les premières années ont été très dures pour moi : non seulement je t'avais perdu, mais je n'avais plus aucune nouvelle de toi, et très peu de ma famille. Tous semblaient m'avoir oubliée, j'avais l'impression de ne plus exister. Un peu de bonheur m'est venu de mes enfants, du gentil Olivier que je pleure encore... Oh! pardonne-moi, je vois que ce souvenir te blesse toujours...

– Oui, je souffre encore de son absence.

– C'est ton nom qu'il a murmuré en mourant, et non celui de mon fils, comme je l'ai cru. Il tentait de me dire que c'était toi, Philippe, mon ami d'autrefois. Que n'ai-je alors compris!...

– Le temps n'était pas venu de nous retrouver, il y avait trop de distance entre la reine de France et un pauvre chevalier sans nom et sans visage...

– Comment cela t'est-il arrivé? demanda-t-elle en caressant du bout des doigts le masque d'argent.

– Peu importe comment : c'est arrivé, voilà tout, dit-il en se reculant.

Anne frissonna.

– Je suis lasse, la lumière blesse mes yeux malades; demande que l'on descende les rideaux.

Philippe fut frappé par sa soudaine pâleur et par ses yeux rougis. Il appela Blanche de Chauvigny qui s'empressa, à gestes précis, auprès de sa maîtresse.

Le long des côtes de France, du Danemark, d'Allemagne, le beau temps ne se démentit pas. Poussée par une douce brise, la *Mora* allait bon train, fendant les flots calmes. Ils arrivèrent à Riga au mois d'août et y abandonnèrent le navire. La reine chargea le capitaine du bâtiment de remercier le duc-roi.

A Riga, une importante délégation du prince de Kiev les attendait. Anne, fatiguée, ne put participer aux réjouissances. Quand son état de santé se fut amélioré, elle demanda à partir sans plus tarder pour Novgorod. Elle descendit la Dvina à bord d'une longue barque, allongée sur des fourrures. Ils quittèrent les embarcations à Poltsk pour des litières et des chevaux. Peu avant de rembarquer sur le fleuve Volkhov, Anne s'entretint longuement avec Philippe :

– Viétcha, je crains de ne pas arriver à Novgorod... Non, ne m'interromps pas. Mes yeux malades ne perçoivent plus que faiblement la lumière. Je sens le soleil sur mon front, mais je ne le vois plus. Sans doute Dieu me punit-il d'avoir abandonné mes enfants en me privant du plaisir de revoir Novgorod. Promets-moi, ami, d'être mes yeux si je suis encore vivante en abordant en ce lieu chéri.

– Ne parle pas ainsi, tu vivras et tu verras...

– Non, je vivrai peut-être, mais je ne verrai pas la ville de mes ancêtres. Tu n'as jamais voulu que je voie ton visage; maintenant que mes yeux sont presque morts, retire ce masque afin que mes doigts reconnaissent tes traits.

– A quoi bon!

– Je t'en prie! Ta main n'a pas quitté la mienne de tout le voyage; la mienne est impatiente de caresser ta face meurtrie.

Philippe obéit et détacha les liens qui retenaient son masque. L'air doux et frais lui fut agréable, mais ce qu'il éprouva quand les chères mains parcoururent sa pauvre figure fut ce qu'il connut de meilleur de toute sa vie.

– Mon amour, quelle souffrance a dû être la tienne! dit-elle en pleurant. Mais, sous ces cicatrices, je te retrouve. Tu es beau sous mes doigts, beau et jeune... Comme tu es jeune, Viétcha!... Je dois te paraître bien vieille!

– Toi, vieille? Tu ne le seras jamais! Dieu t'a faite belle pour l'éternité, et je Le remercie de me donner le plaisir de te contempler. La vie l'eût-elle permis que j'aurais passé ma vie entière à te regarder... Oh oui, ris encore!... Tu ris comme lorsque je te laissais gagner à la course...

– Mais tu ne me laissais pas gagner, c'est moi qui te battais!

– Parce que je retenais mon cheval.

– Oh!...

De son poing fermé, elle tenta de lui donner un coup. A son tour, il rit.

– Tu es toujours aussi mauvaise joueuse! Je te laissais gagner, mais tu es la meilleure cavalière que j'aie jamais connue.

– Ah, tu l'admets!

Ils devisèrent jusqu'à l'heure de l'embarquement, tour à tour se chamaillant, riant, quelquefois songeurs.

– Promets-moi de bien me décrire tout ce que tu verras, n'omets rien : la couleur du ciel, la forme des nuages, le vol des oiseaux, les vêtements des femmes, la force des hommes, le sourire des enfants, et surtout Novgorod... Je veux tout voir, par toi! Maintenant, laisse-moi; il me faut mesurer mes forces si je veux arriver jusque-là.

Il obéit et rejoignit Blanche de Chauvigny qui pleurait, agenouillée sur le pont.

– Chevalier, j'ai peur que la reine ne nous quitte, elle est de plus en plus mal. Malgré les efforts qu'elle fait pour me le cacher, je le vois bien.

Accablé, les yeux sur l'horizon, Philippe ne dit rien.

Peu à peu, la fièvre s'empara d'Anne. Elle se plaignit de violentes douleurs à la tête, tandis que de ses pauvres yeux s'écoulait une humeur teintée de sang. Un peu de répit lui venait avec le soir. Philippe ne la quittait pas et dormait près d'elle, l'épée Mora entre eux deux.

Un matin, la fièvre tomba, ses douleurs se calmèrent et ses yeux cessèrent de larmoyer. Elle but un peu de lait et demanda à ses suivantes de la laver et de peigner ses cheveux. Philippe fut bouleversé par sa maigreur. Enveloppée dans un drap blanc, il la porta à l'avant du bateau, tandis que Blanche brossait les longs cheveux qui gardaient dans le soleil leur éclat d'antan. Quand ils furent secs et tressés, Anne émit le souhait de faire quelques pas, aidée par Philippe.

A la nuit tombante, la reine demanda à être revêtue de ses plus beaux atours et de tous ses bijoux. Ainsi parée, elle avait l'air d'une déesse. Ses compagnons de voyage se signèrent en la voyant, si pâle, si belle, si fragile.

– Viétcha, nous arriverons demain à Novgorod,

n'oublie pas ta promesse, dis-moi tout ce que tu vois.

– Je te le promets, mon aimée.

Cette nuit-là, Anne dormit dans les bras de Philippe.

Le soleil n'était pas très haut quand les voyageurs virent venir à eux de nombreuses embarcations décorées de fleurs, dans lesquelles avaient pris place des jeunes gens et des jeunes filles en habits de fête. Debout à l'avant de chaque barque se tenait un moine qui lançait des bénédictions. Portée par Philippe, Anne fut assise à l'avant de son bateau. Ses yeux morts ne voyaient pas, mais elle entendait les chants et les cloches de Novgorod. Un immense bonheur rayonnait sur son visage.

– Quel jour sommes-nous? demanda-t-elle.

– Le 5 septembre, reine, répondit Blanche de Chauvigny.

Les mains serrées sur sa poitrine, Anne tentait de comprimer les battements de son cœur.

– Viétcha, murmura-t-elle, raconte.

Alors, d'une voix monocorde, il raconta. Au fur et à mesure de son récit, les traits de la reine s'éclairaient : rien n'avait changé, la belle ville de son enfance demeurait telle que dans son souvenir.

– Le ciel est-il toujours aussi grand?

– Il est immense, immense comme mon amour pour toi.

– Mon aimé, le mien ne le cède en rien. Je peux te le dire aujourd'hui devant Dieu qui m'entend. Approche-toi, Viétcha. Je ne peux retenir ma vie... Je la sens qui me quitte... Je ne sais pas si je pourrai toucher vivante le sol de ma patrie... Si tel n'était pas le cas, porte-moi, allonge-moi sur la terre et mets-en une poignée dans ma main. Chut, ne dis rien... Ensuite, je veux que tu me ramènes sur ma barque après l'avoir fait remplir de paille et après avoir obtenu de l'évêque qu'il bénisse ma dépouille... Tu y mettras le feu et tu la pousseras au large...

– Mais c'est là le rite païen de nos ancêtres !

– Je le sais, mais telle est ma volonté... Vois-tu, Viétcha, je ne suis plus de la Rous', cette terre n'est plus la mienne. Je veux que le vent emporte mes cendres et qu'en retombant, elles se mêlent à elle et me fassent renaître dans les herbes et les feuilles.

– Ne me demande pas cela, c'est trop cruel !

– Ce n'est pas cruel, mais juste, et je le sens ainsi. Dieu et les âmes de mes aïeux me le commandent. Promets-moi, Viétcha, de m'obéir.

– Je te le promets.

Quand ils abordèrent, Anne était mourante. A l'oreille – mais l'entendait-elle encore ? – il lui décrivit ce qu'il voyait : la multitude accourue, en liesse; le clergé, avec à sa tête l'évêque de Novgorod; les guerriers de la *droujina* du prince; ceux de son frère Vsevolod... Toute la ville s'était portée au-devant de sa princesse retrouvée.

Un grand silence se fit quand on vit un homme grand, défiguré, vêtu comme un guerrier normand, descendre du bateau en titubant, portant dans ses bras une femme richement parée dont les nattes semées de perles traînaient à terre. Fendant la foule qui s'écartait, apeurée, il s'avançait, le visage couvert de larmes, vers la première porte de la ville. Là, il s'agenouilla et allongea le corps sur le sol. Il fit glisser du sable dans les pauvres mains. L'évêque dit la prière des morts. Bientôt, toutes les églises sonnèrent le glas. La multitude, à genoux, se mit à prier. Au bout d'un long moment, Philippe se releva et parla à l'évêque qui le regarda avec une stupéfaction horrifiée. Il fit appeler les membres du conseil et leur répéta les propos de l'homme sans visage. Des exclamations partirent du groupe des notables :

— C'est de la folie!

— Il blasphème!

— Nous ne pouvons le permettre!

— Nos anciens rois avaient de telles funérailles!

— Mais la loi de Dieu l'interdit!

— Nous sommes chrétiens depuis Vladimir!

— Qu'on l'ensevelisse auprès de sa mère et de son frère!

— Mais ce sont là ses dernières volontés!

— Elle n'avait plus toute sa raison!

Le prince de Novgorod s'approcha et demanda à Philippe :

— Vous êtes bien sûr que tel était son ultime désir?

— Oui, il n'y a aucun doute là-dessus.

— Alors, qu'il en soit fait ainsi.

Le prince donna des ordres pour qu'on édifiât une estrade sur la rive et que la barque fût remplie de paille puis recouverte de riches étoffes écarlates.

Toute la journée, le corps d'Anne, reine de France, resta exposé aux yeux de tous. La foule défila en silence, jetant des fleurs sur le catafalque. Au soir, Philippe la transporta à bord de la barque ornée de fleurs, de feuillages et de rubans de soie. Sur ordre du prince, l'évêque donna une dernière bénédiction. Alors Philippe mit le feu à la paille et poussa l'embarcation.

Un grondement monta de la foule : au tout dernier moment, Philippe venait de sauter dans la barque enflammée. A l'aide de la rame, il s'éloigna avant qu'on n'eût pu le rejoindre. Bientôt, il fut loin du rivage. Debout en poupe, il brandit Mora, son épée, en direction de la ville, puis, après en avoir baisé la lame, d'un geste large, il la jeta dans les eaux du lac Ilmen.

Là-bas, les habitants de Novgorod regardaient, si

stupéfaits qu'ils en oubliaient de prier. Les flammes devenaient de plus en plus hautes. Philippe s'allongea contre le corps qu'il prit dans ses bras. Sur la face froide et blême, il déposa des baisers. Un calme bonheur l'envahissait; elle était à lui, toute à lui. Les flammes allaient fondre leurs chairs en une seule chair. Tendrement, il se mit à lui parler :

– Mon aimée, jamais plus nous ne nous quitterons... Nous allons revoir ceux que nous avons aimés... Bientôt, ceux qui nous aiment nous rejoindront... Nous sommes à jamais revenus à Novgorod!... A jamais nos âmes unies habiteront ce ciel... Les *viely* reprendront notre chant d'amour... Anne, mon aimée... J'arrive, me voici!...

Pendant plusieurs siècles, à Novgorod et à Senlis, l'Église célébra le 5 septembre le « jour » d'Anne, qui n'eut d'autre tombeau que le ciel de Novgorod.

Paris, décembre 1988.

Table

Prologue 9

Novgorod 12
La guerre contre Byzance 21
Viétcha 27
Kiev 34
Le départ 42
Le voyage 46
La rencontre 54
Fin du voyage 62
Le mariage, le couronnement (19 mai 1051,
    jour de la Pentecôte) 67
Festin royal 76
Reine 82
Senlis 93
Mariage de Guillaume et de Mathilde . . . 105
L'héritier 115
Philippe 123
Henri 135
Olivier d'Arles 140
Septembre 1052 155
Baptême du fils de Guillaume
    et de Mathilde 166
Irène 177
La bataille de Mortemer 183

Le champion des morts 194
La décision d'Irène 205
Le sabbat 213
Retrouvailles 219
Cris de guerre 229
Le cachot 236
Les pleurs de la reine 246
Dans les souterrains du roi 260
La mort d'Hélène 273
Le sacre de Philippe 280
La mort du roi 289
La comtesse de Valois 300
Le serment de Harold 307
La mort de Robert 316
La *Mora* 326
Thor aïe! 336
Le roi Philippe est fait chevalier 344
La lettre de Guillaume 355
Le retour d'Anne 363

DU MÊME AUTEUR

Aux Éditions Fayard

BLANCHE ET LUCIE, roman.

LE CAHIER VOLÉ, roman.

CONTES PERVERS, nouvelles.

LES ENFANTS DE BLANCHE, roman.

Aux Éditions Jean-Jacques Pauvert

O M'A DIT, entretiens avec l'auteur d'HISTOIRE D'O.

Aux Éditions du Cherche-Midi

LES CENT PLUS BEAUX CRIS DE FEMMES.

Aux Éditions Garnier-Pauvert

LÉA AU PAYS DES DRAGONS, conte et dessins pour enfants.

Aux Éditions Ramsay

LA BICYCLETTE BLEUE, roman.

101, AVENUE HENRI-MARTIN (LA BICYCLETTE BLEUE, tome 2).

LE DIABLE EN RIT ENCORE (LA BICYCLETTE BLEUE, tome 3).

L'APOCALYPSE DE SAINT JEAN, dessins pour enfants.

LOLA ET QUELQUES AUTRES, nouvelles.

Aux Éditions de la Table Ronde

LA RÉVOLTE DES NONNES, roman.

Albin Michel – Régine Deforges

LE LIVRE DU POINT DE CROIX, en collaboration
avec Geneviève Dormann.

MARQUOIRS, en collaboration avec Geneviève Dormann.

POUR L'AMOUR DE MARIE SALAT, roman.

Les femmes
au Livre de Poche

Autobiographies, biographies, études...
(*Extrait du catalogue*)

Arnothy Christine
J'ai 15 ans et je ne veux pas mourir.

Badinter Elisabeth
L'Amour en plus.
Emilie, Emilie. L'ambition féminine
au XVIIIᵉ siècle (*vies de Mme du Châtelet, compagne de Voltaire, et de Mme d'Epinay, amie de Grimm*).
L'un est l'autre.

Bodard Lucien
Anne Marie (*vie de la mère de l'auteur*).

Bourin Jeanne
La Dame de Beauté (*vie d'Agnès Sorel*).
Très sage Héloïse.

Carles Emilie
Une soupe aux herbes sauvages.

Champion Jeanne
Suzanne Valadon ou la recherche de la vérité.
La Hurlevent (*vie d'Emily Brontë*).

Charles-Roux Edmonde
L'Irrégulière (*vie de Coco Chanel*).

Delbée Anne
Une femme (*vie de Camille Claudel*).

Desroches Noblecourt Christiane
La Femme au temps des pharaons.

Dolto Françoise
Sexualité féminine. Libido, érotisme, frigidité.

Elisseeff Danielle
La Femme au temps des empereurs de Chine.

Maillet Antonine
Pélagie-la-Charrette.
La Gribouille.

Mallet Francine
  George Sand.

Mansfield Irving et **Libman Block** Jean
  Jackie, la souffrance et la gloire (*vie de la romancière Jacqueline Susann*).

Martin-Fugier Anne
  La Place des bonnes (*la domesticité féminine en 1900*).
  La Bourgeoise.

Pernoud Régine
  Héloïse et Abélard.
  La Femme au temps des cathédrales.
  Aliénor d'Aquitaine.
  La Reine Blanche (*vie de Blanche de Castille*).
  Christine de Pisan.

Thurman Judith
  Karen Blixen.

Yourcenar Marguerite
  Les Yeux ouverts (*entretiens avec Matthieu Galey*).

Et des œuvres de :

Charlotte et Emily Brontë, Pearl Buck, Marie Cardinal, Hélène Carrère d'Encausse, Madeleine Chapsal, Agatha Christie, Colette, Christiane Collange, Jeanne Cordelier, Régine Deforges, Daphné Du Maurier, Françoise Giroud, Juliette Gréco, Benoîte Groult, Han Suyin, Mary Higgins Clark, Patricia Highsmith, Xaviera Hollander, P.D. James, Mme de La Fayette, Doris Lessing, Carson McCullers, Françoise Mallet-Joris, Silvia Monfort, Anaïs Nin, Joyce Carol Oates, Anne Philipe, Ruth Rendell, Christine de Rivoyre, Marthe Robert, Christiane Rochefort, Françoise Sagan, George Sand, Albertine Sarrazin, Mme de Sévigné, Simone Signoret, Christiane Singer, Valérie Valère, Virginia Woolf...

IMPRIMÉ EN FRANCE PAR BRODARD ET TAUPIN
Usine de La Flèche (Sarthe).
LIBRAIRIE GÉNÉRALE FRANÇAISE - 6, rue Pierre-Sarrazin - 75006 Paris.

ISBN : 2 - 253 - 05458 - 5   ✠ 30/6864/0